Heath's Modern Language Series

Jörn Uhl

von

Gustav Frenssen

EDITED WITH INTRODUCTION, NOTES, AND WORD LIST

BY

WARREN WASHBURN FLORER
UNIVERSITY OF MICHIGAN

D. C. HEATH & CO., PUBLISHERS
BOSTON NEW YORK CHICAGO

2 L 9

Printed in U. S. A.

INTRODUCTION

Gustav Frenssen, the pastor-poet of Schleswig-Holstein, celebrated on the twenty-ninth of October, 1913, his fiftieth birthday. Only a few years before, he was practically unknown even in his own country.[1] To-day, however, many consider Frenssen to be the typical representative of German life. His works have reached the homes of thousands upon thousands of Germans and have stimulated to serious thinking about the essential and simple problems of life. His *Jörn Uhl*, which appeared in 1902 and of which 250,000 have already been published, compels the keenest interest of the reader, for it contains life in rich abundance.

Frenssen grew up in a small village and saw the world in miniature. He witnessed many sad tragedies, which ended in melancholy, despair, and death. He worried about the social conditions he observed (see page vi) and pondered over the unsettled questions of childhood. His father, observing the introspective moods of the lad, concluded that he had talent for study and sent him to the *gymnasium* at Meldorf. The new life awakened the boy's active mind. He later went to Husum, „*Du graue Stadt am Meer*,“ where he lived in the little room where Theodor Storm had written some of his *Novellen*. His teachers did not recognize the latent capabilities of their pupil, although some of his comrades recall the fact that the young Frenssen thought more independently than the average *gymnasiast*.

[1] In the *Weihnachtsalmanach*, 1910, of G. Grote, Berlin, Frenssen published an interesting article on his *Heimat*. This article is reprinted in a pamphlet, entitled *Gustav Frenssen* by Hans Martin Elster. Of this pamphlet Frenssen wrote, after entering several corrections and marking passages which appealed to him: „Da bekomme ich nun eine Broschüre, die alles das, und zwar alles ziemlich richtig, enthält, was Sie wissen wollen.“

Having finished the *gymnasium*, he entered the University of Tübingen as a student of theology. He remained here, however, only during the summer semester of 1886. He was a lonely young man, and, misunderstood by his fellow students, he shunned their society. Even at that time, he cherished a desire to write and sent a story to the *Leipziger Illustrierte Zeitung;* but it was returned, and the author, in despair, destroyed the manuscript. After the summer vacation, the young Frenssen continued his studies at the University of Berlin. He was not able to adapt himself to the confused life of the throbbing industrial city, but the scenes he witnessed left lasting impressions on his young mind. He never forgot the swarming children of the poor, whose young lives fairly withered away for lack of country life, or were perverted by their sordid environment. He passed the *Literaturcafés* where artists, as they termed themselves, gathered. Unfortunately he did not catch the spirit of the healthy currents of the new literary revolution. Even in later years, he did not profit from a study of the vital principles of naturalism, as stated by Arno Holz. *Frau Wissenschaft*, with her exacting demands, did not appeal either to the *Phantasie* or to the *Weltanschauung* of the village youth of Schleswig-Holstein. His preparation had been practical occupation, acquaintanceship with the life of the village, entrance upon unexplored fields, endeavors to rise as well as possible, and introspective reflection; accordingly, in his wondering state of mind, he missed the wonders of exact science.

Frenssen next went to the University of Kiel, and, after passing the examination in 1890, entered upon the career of a country pastor. Some of his experiences are described on page 207. His desire was to arouse the people, especially the young, to think about the real value for their own lives of a simple religion. He wanted to lead them to become useful members of society, and to think about "good works" and real help, and less about the kingdom of to-morrow; more about deep ploughing, and less about pious ecstacy; more about actual atonement for wrong, and less about penitence and repentance. In short, the people who attended the plain church with the pointed roof heard plain sermons, with pointed teachings about religion as Frenssen understood it. The young pastor sought to make his hearers think about the crying needs of the village, and accordingly emphasized the glad tidings of daily service. Thus passed the two restless years of his first pastorate, which were also full of inner struggles and soul conflicts.

Frenssen's second pastorate was at Hemme, where he continued his work for a practical religion. There he was assisted by his young wife, who, from the first, aided him in his literary work, and to whom, undoubtedly, he has owed much of his appreciative insight into the nature of women. A perusal of his *Dorfpredigten*, published in 1903, will give the reader an excellent idea of Frenssen's view of a combination of worship and social service. These sermons were delivered exactly as printed. The ideas voiced in these simple sermons permeate Frenssen's writings; this is especially true of *Jörn Uhl* and *Hilligenlei*. The pastor observed carefully the thoughts of his hearers, as he unfolded to them his conception of Christianity. They could not understand his teachings or appreciate his portrait of Christ. They came to the church to worship according to their belief, not to listen to suggestions as to their share of the work in improving the condition of the village. They felt the jar of discomfiture, or the pangs of duty, when they listened to the earnest and zealous advocate of a *Hilligenlei*, "a cleansed land." With a canny mind, they soon observed that the pastor underestimated the dogmatic teachings of the Church and failed to preach the Word of God, as they knew it.

In his endeavors to press his message, Frenssen studied the people of his parish, as also their environment and the fatherland. He observed the conditions which retarded the growth of a man's soul, and saw the causes which kept men from understanding the soul of the *Heimat* and which prevented them from listening to nature's teachings. He saw more clearly the erring life of the village and began to understand the world in miniature about him. It was not a mere stage; the men and women were not mere actors. They were vital factors for good or evil in the community. He clearly discerned that the welfare of the community depended upon the welfare of the smallest integral part — the home. When the home prospered, useful citizens were reared for the community; when the home fell, the community felt the shock of the fall. He also noticed that one home rarely fell by itself, but that generally entire families fell; families related, not only by blood, but also by social ties. He also understood the causes of the fall and wondered why the people could not see the ultimate outcome of the wild life they were leading. He continued to wonder; not with the wonder which dazes, but with the wonder which reveals.

Frenssen studied the habits of the people; the habits of home, of society, of church, of government. He saw that the youth were brought up in the habits of the community. They were too close to see clearly. A few, it is true, noticed the wild life, but either the lure of society or the veil of daily and sordid toil blinded them. Some lived the life which kills; others lived the life which blights. The pastor tried in vain to unfold before these people the hope of humanity. He realized that possession is the rock upon which society must build, that possession is the keystone for individual success; but by possession he did not understand merely land, or business, or vocation, but the ideals of humanity as well. He felt that religion was the foundation upon which these ideals could securely rest, and that this foundation should be laid in childhood. How to bring it about was his next task. He studied the *Weltanschauung* of childhood; childhood so rich in the knowledge of nature and human nature. He saw the great truth of the Master, "Of such is the Kingdom of Heaven," but he added, according to the knowledge of his generation, another great truth — of such is the Kingdom of the World.

The knowledge of the Kingdom of the World was to him absolutely necessary for the knowledge of the Kingdom of Heaven. How to cultivate the knowledge of the Kingdom of the World was to him the essential problem. The youth should "make progress in the most essential thing in the world, namely, to discriminate the value of things." In order to accomplish this, a re-evaluation of values must be made, or rather a re-evaluation of values must continue to be made. The young Krey had an eye for values, if only for the value of money. The young Uhl had an eye for values, if only for the enjoyment of life, as he beheld life. The young Thiessen had an eye for values, if only for the value of a mere sleepy existence. How to teach the young people to re-evaluate these values was the problem which weighed heavily upon the young pastor. His endeavors bore but little fruit; perhaps merely temporary alleviation of intense suffering, perhaps a momentary reflection about the truth so plainly told, but the people still remained far from the Kingdom of the World and therefore far from the Kingdom of Heaven.

During the years of his pastorate, such ideas as have been sketched began to grow, not always along direct lines of thought, but along the winding currents of life. His early desire to become a writer was again felt, with results best given in Frenssen's own words: „Und allmählich, wie ich weitersann und ich die ersten kleinen Geschichten schrieb, wurde es immer heller; ich merkte, dass ich Augen hatte, welche die Dinge und die Seele plastisch sahen. Ich merkte, dass ich das Weinen mit den Weinenden und das Lachen mit den Lachenden nicht als christliche Lebensregel mir zu eigen gemacht hatte, sondern dass es eine besondere Naturanlage war, die mich so hob, so bedrückte: das Leben aller Menschen mitzuleben. Ich hatte die Gabe, mich zu vergessen, ja ich kann sagen, mich zu verlassen, und auf Stunden und Tage wie einer zu sein, der das Leben eines anderen führt. Da nach kurzem Zaudern fing ich an, den ersten Roman zu schreiben. Ich hatte eine neue Aufgabe. Ich zog aus, mit dem Mut und mit dem Bangen der israelitischen Kundschafter, neue Länder zu entdecken. Und ich habe die Länder wahrhaftig und nicht im Traume gesehen.“

The first novel, *Die Sandgräfin*, appeared in 1896; but, written in the style of the so-called family novel, it aroused little interest, although at present it is quite widely read. It has the weaknesses and the strong qualities of one not at home in literary work. It contains many keen observations, living pictures, and beautiful descriptions of the nature of the Northern clime. The *Heimatlied* on page 247 showed the possibilities of poetic growth. No one recognized more keenly the good and bad qualities of *Die Sandgräfin* than the author, as is seen from his own estimate of the novel. „Warum in aller Welt holst du dir den Stoff aus Jugenderzählungen, aus den Phantasien deiner Jugend: warum holst du ihn dir nicht lieber aus den Erfahrungen deines Lebens? Du hattest in deinem Leben schon manche Sorge, Angst, Liebe, Freude und Sehnsucht: Was du selbst gesehen hast: das musst du erzählen. Das wird ein lustiges, heisses Erzählen werden. Nun wusste ich, was ich wollte.“

The next work, *Die drei Getreuen*, appeared in 1898. This typical German book, rich in material — not always carefully worked out, however, contains a beautiful picture of the author's country and of the people. The life, customs, and manner of thinking of the people are depicted, and their long and complicated annals are told with direct effort. Frenssen treats the underlying causes of the social disturbances and of the large emigration to America, the principal cause being lack of land.[1]

[1] See page 76, note 1 and Florer: „Gustav Frenssen, a Statement,“ *Pädagogische*

In 1901, the book which made Frenssen famous appeared. *Jörn Uhl* was written for the people of the parish of the village pastor, but the men and women whose life stories are told by the pastor, who understood the life and the needs of his hearers, were not merely the children of Wentorf or of Schleswig-Holstein, the new province, but of the fatherland. The people of Germany read the intimate story of nature and human nature with profound appreciation. The following letter from the author tells the story of the genesis of this book of life which has exerted a far-reaching influence upon the German people:[1] „In meiner Familie, die seit wohl 500 Jahren in demselben Dorf Barlt an der Westküste Holsteins Landleute und Handwerker waren, findet sich von Alters her eine starke Neigung, die Schicksale von Familien und die Lebensläufe einzelner Menschen mit Ernst und fast Ehrfurcht zu betrachten. Mein Vater hatte diese Neigung im besondern Grade, und ich lernte von ihm von Kindheit an, die Schicksale vieler Familien der Landschaft und der einzelnen Menschen kennen. Als ich ein junger Mensch war, ergriff mich besonders das Schicksal einiger vornehmen Bauerngeschlechter, die durch Trunk und Spiel stürzten.

„Nachdem ich in meinem ersten Buch, *die Sandgräfin*, noch ganz ohne Selbstvertrauen meine eigene Art und Weise mehr verborgen als gezeigt hatte, und dann in meinem zweiten, *die drei Getreuen*, zwar nun schon auf eigene Weise erzählt hatte, aber doch etwas zart, schüchtern und scheu, — worin wohl ein Hauptreiz des Buches besteht, — wagte und tat ich nun in dem dritten Buch den Griff mitten in die Lade, und erzählte alles, was von meiner Kindheit an mein Gemüt bewegt hatte, die ganze wirkliche Welt, in der ich aufgewachsen war und

Monatshefte, V, 3, 4. In Grote's *Weihnachtsalmanach*, 1903, Frenssen published a detailed statement in regard to this novel, which gives an insight into the poet's purposes, moods, and methods of work, and which explains many of the causes of his success and also of his artistic shortcomings. This article is reprinted almost in full by Elster on page 29ff. of his pamphlet. The most interesting point of this statement is the description of how Frenssen created Heim Heiderieter, and of how Heim came to him and brought the different characters to his working table. Frenssen thus saw through the eyes of his characters.

[1] See Florer "Note on Gustav Frenssen," *Modern Language Notes*, May, 1913.

noch lebte. Es ging wohl stark von sittlichem Wollen aus: ich wollte meinen Heimatleuten und allen, die es sonst sehen wollten, die ganze schwere Wahrheit und Wucht des Lebens zeigen. Und so wurde es ein Bild der ernsten Landschaft und des ernsten Menschenlebens.

„Die Personen sind — meist freilich verändert, einige aus zweien zusammengesetzt—fast alle Leute, die mir im Leben begegnet waren, die ich meist noch kenne, und von denen viele wissen, dass sie es sind. Viele haben das Buch lächelnd gelesen, viele mit Kummer, und einige mit Tränen."

This letter explains at once the virile strength of *Jörn Uhl* and also its lack of artistic unity; for, as the author stated, he „erzählte alles was von seiner Kindheit an sein Gemüt bewegt hatte, die ganze wirkliche Wahrheit, in der er aufgewachsen war und noch lebte." But, although one must accept the fact that he wrote with a strong moral purpose, it must be acknowledged that the village pastor unfolded, in an artistic manner, the picture of an earnest community and of an earnest life.

The success of *Jörn Uhl* awakened Germany to realize the fact that in Frenssen she had produced another man who had looked deeply into the nature of her people. A decade has passed, and the Germans are beginning to appreciate the real value of this book of life, which at first was either overestimated, or not sufficiently recognized. The extent of the influence of this book upon the hundreds of thousands of its readers is difficult to estimate. Many critics can not understand this influence. They have, with bookish training, judged the book as a book, and therefore can not see „die ganze schwere Wahrheit und Wucht des Lebens." They take exception to the pastoral tone and criticize the inartistic features of the story. The reason of the unprecedented success is that people love to read of simple, deep life, the life which they know, or the life which they are craving to live. They read this book because they have experienced it. They have read similar books before, but perhaps none in which the author continually explained the deeds and their causes. This fact diverts, at times, the attention from the story. If Frenssen had been more of an artist and less an interpreter of life, he might have created a literary masterpiece which would have satisfied the critics, but he would not have given to his larger parish such rich material about the life of the *Heimat.*

Various critics have endeavored to find Frenssen's literary sources. His own statements in regard to this point are interesting: „In der Zeit, bevor ich den *J. Uhl* schrieb, liebte ich besonders: *Wahrheit und Dichtung* von Goethe, Gottfried Kellers *Novellen*, dann noch von Dickens *D. Copperfield*, von Raabe *Hungerpastor*, von Sudermann *Ehre.* Ich halte für möglich, dass hier und da eine Stelle in *J. Uhl* von diesen Büchern beeinflusst worden ist, etwa in einem Ausdruck oder einer Satzwendung, im ganzen Stil nicht, und auch stofflich nicht. Denn der Stil entwickelte sich von der *Sandgräfin* und den *drei Getreuen* her, ganz sicher und r u h i g e r v o r w ä r t s, wie jeder sehen kann; und der Stoff war so reichlich vorhanden und dieses Vorhandene ist so reichlich verwendet, dass ein Kenner der Landschaft und ihrer Geschichten sagte: Es ist nichts in dem Buch, was nicht geschehen ist, und es ist nichts so geschehen, wie es erzählt ist.“

The above letter has reference to the works which Frenssen read just before he wrote *Jörn Uhl*, and indicates that *Frau Sorge* of Hermann Sudermann was not among the books read at that particular time. In the *Poet Lore* of 1905, in an article on Sudermann, the writer pointed out the fact that, although these two books were alike in many respects, nevertheless the differences were more striking than the similarities. The article was based on the fact that the *Weltanschauung* of the writers was radically different, that they had been brought up in a different atmosphere, had enjoyed a different education, had pursued a different vocation, and had scanned a different decade; and also that, although the authors treated sorrows, they treated different sorrows. Yet the writer had not looked closely enough to see just what these differing sorrows were, or how the lads personified these sorrows. In *Frau Sorge*, the grey veiled dame was plain enough, but the "great black animal" escaped notice. In a recent letter Frenssen gives his own interpretation: „Ich habe von der Mutter her einen schweren Sorgensinn geerbt, dazu war ich von Kind an schwer verschuldet, war auch mein ganzes Leben lang Zeuge, wie die Landleute sich mit schweren Hypotheken quälten. So war die Sorge das grosse schwarze Tier meiner Jugend und meines ganzen Daseins; und es ist selbstverständlich, dass es sich in meinen Büchern breit macht. Selbstverständlich hatte ich damals *Frau Sorge* gelesen und ich erinnere mich auch, dass ich mir sagte, dass Sudermann in disem Buche ein ähnliches Thema behandelte. Aber wer will Behandlung desselben Themas verbieten? Ist die Sorge und ihre Behandlung ein Monopol? Es kommt darauf an, ob *Frau Sorge* und *Jörn Uhl* mehr als das Thema gemein haben. Darüber kann sich ein jeder selbst Klarheit verschaffen, da die beiden Bücher als Zeugen vorliegen."

In the year 1903 appeared *Das Heimatsfest*, a *Festspiel*, which Frenssen, a perfect stranger to the stage, wrote for the celebration of the city of Husum. The main character, Sönke Erichsen, who had fled from his country, to avoid the war, and who had lived in America ever since, returned, punished by homesickness, to celebrate the *Heimatsfest*.

Soon after the publication of *Jörn Uhl*, the pastor decided to give up his active work in the church and to devote his attention to literary work; not because it was profitable, for Frenssen cared little for money, but because he saw among his thousands of readers a greater parish. He thus remained a pastor. In *Jörn Uhl* Frenssen had already treated the most fundamental problem of human life — religion. The young pastor, of whom Frenssen wrote, „Der bin ich", endeavored in vain to interest the people in the essential teachings of Christianity. Even Jörn Uhl, although he realized the force of the simple religion of the pastor, was too much occupied with the narrowing sorrows of his daily struggles to comprehend the beautiful truths of the teachings of Christ. He caught only mere glimpses of the new light.

In *Hilligenlei*[1] (1905) Frenssen unfolded the life of Hilligenlei, in order to show why the people were unable to grasp the simple teachings of the "most beautiful of the children of men" and to explain the difficult task of Kai Jans, who endeavored to bring them to see the beauties of the life and teachings of the young man of Galilee. The fact that Frenssen had given up his active work explains to a great degree the extreme subjectivity of this novel. He returned to the struggles of his pastorate and looked even further backward into the experiences of his youth and childhood. He returned to the realms of *Phantasie* and listened to the stories of the people around him, this time interpreted through Kai Jans rather than through Heim Heiderieter. The studies of works of research tempered his *Phantasie*, yet his *Phantasie* interpreted the results of scientific research. At times the *Phantasie* is stronger, at times the scientific attitude. This peculiar admixture of strange companions affected the style of the book. The Luther style (as it is sometimes termed) of the pastor, the abrupt style of research, and the realistic style of the poet are evident throughout the book. At times the author allowed himself to be carried away by his different moods, or rather periods of doubt; and, being more interested in the content than in the form, he hesitated to retouch his work, fearing, perchance, lest he might mar his portrait of erring humanity; so we have an untouched picture of the life of Hilligenlei, the village which, after all, was not cleansed.

[1] For a detailed review of *Hilligenlei* see *Poet Lore*, 1907, pages 377–382.

Frenssen tells of one, who, in the midst of the sordid sins of the village, restless and full of hope, is searching for the Holy. In *Jörn Uhl* he demonstrated that the trials people undergo are worth the trouble, and that simple, deep life is worth relating. Here, amidst all these struggles is an additional one, a search for the Holy from childhood; the task of Kai Jans, the task of Gustav Frenssen. At times he felt that money and deception were the only things valued in the world. He did not dare to give in to this thought, and, struggling with these ideas, he wrote *Hilligenlei*, *Peter Moor*, and *Klaus Hinrich Baas*.

Peter Moors Fahrt nach Südwest, Ein Feldzugsbericht, followed in 1907.[1] One sees in this interesting story the power of the writer of Gravelotte. Frenssen has freed himself from his *Phantasie* and from the stories of the characters he has created, and also from the reflections about life. He gave, as he heard it, the tragedy of the campaign of Southwest Africa. The author wrote this story under the inspiration of an ennobling feeling of patriotism, and he did not allow himself to stray along the bypaths or to bring in material which would detract from the unity of the action. It would seem as if this story were the next stepping stone in his development after *Jörn Uhl*, and that *Hilligenlei* had been thought out, if not worked out, unconsciously perhaps, before *Jörn Uhl* was created.

In the meantime Frenssen, having found out that his *Heimat* could offer him but little more, had moved to Blankenese, where he bought a house suitable to his simple tastes. From his library he can look out upon the river Elbe and behold the carriers of the world's traffic and commerce. For several years he has lived in this simple home, away from the confused life of the great city of Hamburg, but close

[1] In Grote's *Weihnachtsalmanach*, 1909, Frenssen wrote an interesting account of the genesis of this story. See also Elster, p. 52ff.

enough to observe the life of the city which, for the present, seems to be the very center of the commerce of the world.

His next work, *Klaus Hinrich Baas*, 1909, is the product of his observation of the struggles for the survival of the strongest in this commercial center, and especially of his acquaintance with the career of a lad whose family had moved from the old home. This book is again based upon stories told the author; but, for some reason or other, the poet of the earnest life of the *Heimat* is not at home in the new environment. He is not a *Hamburger Kind*, although he has listened well and attentively to the children of the city. His knowledge of the children of Wentorf has enabled him to follow step by step the eventful career of the self-made man, Klaus Hinrich Baas, typical of many successful merchants, who, not of the patrician families of this old Hanseatic city, have become strong in the development of new business and trade. A man without culture, but equipped with worldly wisdom, Klaus Hinrich Baas fought his way through opposition and competition until he came to be rated as a successful man. He did not know "the great black animal" of Jörn Uhl, nor his lack of confidence and independence. The city lad was steeled early in the struggle for existence. Yet he also had a fixed idea and beheld life from a single point of view—that of business success. While Jörn Uhl was humble, the lad of Hamburg was arrogant, and he did not discover, until late in life, this beautiful, defiant serpent, which had almost devoured that which he loved the most (see page 574).

As in *Peter Moor* Frenssen followed a definite campaign, which explains the unity of action, so likewise in *Klaus Hinrich Baas* he depicted the story of the life of a man who knew about what he intended to do. This, in addition to the fact that the poet had outgrown almost completely the theological tendencies and his groping for a *Hilligenlei*, explains the improved technique of the long story; for, after all, this work is not a novel, but a story. Frenssen had learned much from the English master, Dickens, but he might have learned also from the master novelists of Europe. A great step forward in the development of his style is noticeable, but there is lacking the peculiar force of the *Heimatskunst* and the touches of a dream, or the products of a *Phantasie.*

Der Untergang der Anna Hollmann appeared in 1911. In this story we see, not the newest Frenssen, but the Frenssen who again is at home with his characters. He has learned to know the sailors of the high seas, as he formerly knew the lads of the country surrounded by the sea. The children of Blankenese have replaced the children of Wentorf. He knows their lives, their hopes, and their sufferings. The field of Blankenese was more adapted to his particular gift of story telling than that of Hamburg. The life of the free sea gave room for the use of his *Phantasie.* The unified and intense action of the life on the *Anna Hollmann* enabled him to concentrate his energies. Even in *Hilligenlei,* he had displayed rare gifts in telling the experiences of sailors. In *Peter Moor* the ability to depict intense experiences in a campaign had been developed, and the trips of the *Anna Hollmann* were, after all, but campaigns in the relentless war of commerce. The man who understood the feelings and thoughts of the artillery-men at Gravelotte, in the midst of the storm of shot and shell, was able to understand the feelings and thoughts of the sailors in the midst of the storms of the relentless sea. In *Anna Hollmann* one beholds Frenssen, as he might have been years before if he had not entered upon a career for which he really was not adapted, the career of a country pastor in the State church, and if he had been able to express the thoughts which he cherished, as he beheld the sad destinies of the children of Wentorf. His entire theological career was a stumbling block in the winding path of his development as a recorder of the stories of young and old.

The change of his viewpoint toward life, as seen in this story, is explained by a change, or rather shifting of Frenssen's *Weltanschauung* already indicated. The old question of Job: „Wo ist Gottes Gerechtigkeit" came to the former believer in life and in God. In the old *Heimat* Frenssen had retained his faith in life, but in Blankenese even this faith had left him. Having given up his *Märchen* of life, he began to see more clearly the viewpoint of those who demanded from the world and from God justice and retribution for the sorrows and sufferings which the evil deeds of men—even of parents — had inflicted upon them. This was a step backward, perhaps, but at the same time a step closer to the real attitude of suffering men of the new century.

Frenssen thus created Jan Guldt, who in childhood had heard from the lips of his mother of the injury inflicted upon his family and upon others by the greedy owners of the Hollmann line. The history of the *Anna Hollmann*, that vessel which had brought the people of Magdeburg to America, and afterwards negroes to Africa, was particularly black. But the power of the *Anna Hollmann* drew even Guldt into her service, and from the old mate he learned of the evil life of his own father, who was an active party to the many crimes enacted upon this vessel. He became a violent demander of justice. Frenssen created a more unified story, because he had not allowed himself to be transported by his belief in life.

While at work on *Anna Hollmann*, Sönke Erichsen came to Frenssen again, not as one punished by homesickness, but as a demander of justice. The home coming at Husum was again used as an attraction. The characters of the *Festspiel* remain about the same. In *Sönke Erichsen*, however, the story of the greatest crime one can commit against the *Heimat*, desertion in the moment of need, is used as the dramatic guilt. But after years of suffering Sönke returned, as the demander of justice, to those who had suffered much from his misstep. He had finally realized that this misstep was the natural result of the life which he had been compelled to live from childhood on; a life deprived, by the sins of his own people, of the innate right to live. His youth had also been without right. His misstep, therefore, was not his own fault. He demanded from the *Heimat* the right to celebrate his own home coming, for, if his life had been different, he might have been counted as one worthy of the iron cross.

The scenes leading up to the powerful scene between Sönke and his old teacher are told with great effect. But the story really ends there, in the version at my disposal. The large audience at Hamburg listened with rapt attention to the story of Sönke Erichsen, a cousin of *Erbförster* and of *Meister Anton*. In a more recent version, the third act has been recast. The scene between the teacher and the demander of justice has been placed in the last act, which is now written in the spirit of the first two acts, as the author states, but withal Frenssen is not a dramatist.

Frenssen, who is not in robust health, is living a quiet life at Blankenese. He is engaged in literary work; and, although his library contains mostly secular works, he does not delve in these books, but delights in listening to the stories of the people who come to his house, or whom he meets on his walks and trips. Perhaps he may be preparing the story of another demander of justice; or he may be reflecting about the present of the larger *Heimat*, for he is no longer a child of Wentorf; or he may be investigating the development of the great nation which rose from the ashes of human sacrifice to become a predominant factor in the world's work.

* * *

Professor Karl Detlev Jessen, who it was hoped would be associated in this edition, was compelled by ill health and the stress of various duties to withdraw his co-operation, though he had already read the proof of the annotated text and given suggestions concerning the parts to be retained. In the meantime I had written to Gustav Frenssen for information, and he most courteously answered in detail various lists of questions and granted to Miss Marie I. Rasey and Miss Mary J. Ruthrauff a long interview. In this interview several important questions were discussed. Most of the material obtained from the letters and the interview, has been worked into either the introduction or the notes. It has been my purpose to retain as much of the original text as could be allowed in a classroom. In making the cuts, the passages which have a decided local coloring, and which would not be understood by the average American, have been eliminated. At times minor sentences, which would have required much explanation, have been omitted. These cuts seem to be justified by a statement of Frenssen, to the effect that he had no idea that the book would go outside of his parish, otherwise he would have made it much clearer. Practically all of the stories have been omitted, and these should be commented upon by the teacher. I express thanks to my colleague, Mr. Roy William Cowden, for careful reading of the proof of the introduction and of the notes, and to Miss Clara L. Hoffmann, who has rendered assistance in compiling the notes and the word list.

W. W. F.

December, 1913.

Jörn Uhl

1. Kapitel

Wir wollen in diesem Buche von Mühe und Arbeit reden. Aber obgleich wir die Absicht haben, von so traurigen und öden Dingen — wie viele sagen — zu erzählen, gehen wir doch fröhlich, wenn auch mit zusammengebissener Lippe und ernstem Gesicht, an die Schreibung dieses Buches; denn wir hoffen, an allen Ecken und Enden zu zeigen, daß die Mühe, die unsere Leute sich machen, der Mühe wert gewesen ist.

* * *

Wieten Penn, das Großmädchen auf der Uhl,[1] hatte gesagt, daß in diesem Winter noch eine große Gesellschaft zusammenkommen würde. „Aber das Merkwürdige ist," sagte sie, „daß die Leute ankommen werden wie zu einem großen Fest und fortgehen werden wie von einem großen Begräbnis." So sagte Wieten Penn. Sie hatte ein tiefdenkerisches Wesen und wurde darum Wieten Klook° genannt.

Klaus Uhl, der große Marschbauer,[2] stand mit glänzendem, wohlwollendem Gesichte, in weißen Hemdsärmeln, vor der Haustüre und sah in die Marsch hinein und wartete auf die Gäste und lächelte behaglich, indem er an die kommenden Freuden dachte, an das flotte Kartenspiel, an den guten Trunk und an manch starkes Scherzwort.

Die kleine, blasse Frau hatte sich in den Stuhl gesetzt, der am weißen Kachelofen stand, und übersah die festlich geschmückten stattlichen Stuben. Sie erwartete die Geburt ihres fünften Kindes und war müde vom vielen Gehen.

Die drei ältesten Knaben, große Jungen, nicht weit von der Konfirmation,[1] standen mit langen, ungelenken Gliedern an einem der Spieltische, schmale, hellhaarige, herrische Köpfe. Sie hatten ein Kartenspiel, das da lag, in die Hände genommen und stritten sich mit lauten, oft groben Worten über die Art des Spieles und rissen Hans, dem Jüngsten, das Kartenspiel aus den Händen und nannten ihn einen dummen Jungen.

Die Tür ging auf, und der kleine dreijährige Jürgen lief auf die Mutter zu: „Mutter, sie kommen. Ich kann die Wagen sehen."

„Mutter," sagte Hans, der sich an irgend jemand für die erlittene Unbill rächen wollte, „der Jörn sieht ganz anders aus als wir. Er sieht gerade so aus wie du, mit so langem Gesicht und mit eingesunkenen Augen."

Sie strich dem Kleinen über das starre, helle Haar und sagte: „Mir ist er hübsch genug."

Die Knaben warfen einen raschen Blick auf ihre Mutter und gingen hinaus, stießen sich an und versuchten ihr Lachen zurückzuhalten.

Nun war sie allein mit dem kleinen Jürgen, der sich still neben sie gesetzt hatte.

Sie sah über die Tische hin und auf die Berge von Tellern und blanken Gläsern, und durch die Zimmer mit dem prächtigen, halb bäuerischem, halb städtischem Staat.° Und da sie das Gefühl hatte, wieder einmal, daß sie zu diesem Gepränge° und zu diesem großen, lauten Hause nicht passe, flog ihre Seele 5 auf und davon und flog über kurzen, dürren Heidewald[1] und kam auf den alten Hof im Moor. Ja, da gehörte sie hin.

Vier Menschen waren sie unter dem langen Strohdache gewesen, das zwischen Moor und Wald stand: Vater, Mutter, der Bruder Thieß und sie. Und Vater und Mutter waren 10 so merkwürdige drollige Menschen gewesen; sie hatten Schelmerei miteinander getrieben bis an ihr Ende. Sie hatten nie ein böses Wort zueinander gesagt; immer waren sie traut und froh miteinander gewesen wie ein Schwalbenpaar im Frühling. Sie waren beide tot. Und Bruder Thieß saß 15 hinterm Heesewald allein, ein Junggeselle, und hatte das kleine Gesicht des Vaters und sein freundliches, drolliges Wesen. Sie aber war als ganz junges Ding in die fette Marsch hinuntergestiegen und war die Frau von Klaus geworden.

Die Wagen kamen: drei, vier hintereinander. Die starken 20 Dänen hoben und senkten die Köpfe, und jedesmal, wenn sie sie hoben, stieg der Dampf auf, und jedesmal, wenn sie sie niederwarfen, glitzerte das Silbergeschirr in der klaren Luft. Das war die Sippschaft° der Uhlen,[2] die jährlich um diese Zeit zum Stammhof heraufzogen, um die Zusammenkunft der Uhlen, 25 das Uhlfest, zu feiern.

Sie kamen schon nahe, und Klaus Uhl wollte gerade mit

lachendem Gesicht von der Haustür herauf auf den niedrig gelegenen Hof hinuntergehen, da kam ein altmodischer, klappriger Wagen vom Dorfe her auf die Hofstelle.

„Ach je,“ sagte Uhl, „da kommst du, Schwager?“

Thieß Thiessen hielt an und lachte: „Mein Spannwerk° paßt schlecht zu den andern, die da kommen!“ sagte er, „ich selbst passe auch nicht zu ihnen; ich fahre aber bald wieder davon. Ich habe im Dorfe ein paar Kälber gekauft und will nur bloß 'mal nach meiner Schwester und nach dem kleinen Jörn sehen.“ Der kleine Mann sprang mit einem mächtigen Satze von dem hohen Wagen herunter, führte das Gespann bedächtig in die Scheune und kam zu seiner Schwester. Sie saß mit dem kleinen Jürgen in der Hinterstube und freute sich. „Komm,“ sagte sie, „setze dich ein wenig! Hier sind wir ganz sicher. Ach ja! Sicher vor den großen Uhlen!“ Sie lachte. „Komm, setze dich hier an den Tisch. Was machen die Kühe? Hast du den großen Schwarzen vorgespannt?“

Er stand ihr Rede und Antwort. Es war eine heimliche, gemütliche Unterhaltung, während von den Vorderzimmern her Geschirrklirren, Laufen und Reden klang.

„Nun will ich 'mal sehen,“ sagte er, „was sie in der Küche machen und im Stall. Wieten soll mir ein wenig Essen auf den Küchentisch stellen, und der Knecht soll mir die Kälber und Fohlen zeigen. Den Jörn nehme ich mit. Du bleibst hier.“ Er nahm den kleinen an der Hand und ging hinaus. Am Eingange der Küche lief ihm ein kleiner, breiter Junge gegen die Knie.

„Ein Krey[1] ist es," sagte Thieß, „man sieht es am rötlichen Dickkopf."

„Das ist Fiete Krey," sagte Jürgen, „der spielt immer mit mir."

„Dann soll er auch mit uns essen," sagte Thieß, und er setzte sich auf den Küchentisch. Sie gaben ihm einen Teller voll Fleisch, den nahm Thieß Thiessen zwischen die Knie. Die beiden Kinder saßen bei ihm.

„Ist dies dein Junge, Trina Krey?" sagte er.

Die Arbeitsfrau wandte ihr heißes Gesicht vom Herd zu ihm hin: „Ja," sagte sie, „er ist der fünfte. Sechs habe ich."

„Genug an der Raufe,° Trina, für einen Arbeitsmann, der im Winter Heidebesen° und Bürsten macht."

„Na," sagte die Frau, „ich bekomme hier allerlei vom Hofe."

„Gehst nicht leer übern Weg, Trina?"

„Nein."

„Wer sorgt dafür, Trina?"

„Deine Schwester, Thieß Thiessen."

„Wollt' ich hören, Deern! Wollt' ich hören!"

„Hast du eben gesehen, Jörn?" schrie Fiete Krey laut, „wie meine Mutter in den Fetttopf gelangt hat? So'n Stück, als mein Kopf!"

„Trina! der Junge trachtet nach hohen Dingen. Er ist ein echter Krey und wird seine Tage nicht unter dem Strohdach verbringen, darunter er jetzt wohnt."

„Er wird in Dienst müssen," sagte die Mutter, „und wird ein Knecht werden wie sein Vater und im Winter Bürstenbinder."

„Wer weiß?" sagte Wieten.

„Oha, nun kommt Wieten!" sagte Thieß Thiessen. „Vergreife dich nicht, Wieten! Prophezeie ihm Gutes, Deern! Er hat helle Augen in seinem Rundkopf und starke Phantasie."

5 Wieten Penn war sonst zurückhaltend und schweigsam; aber mit dem Heesebauer,° der für alles eine ernste und große Neugier hatte, sprach sie gern ein Wort. „Es kann einem Menschen merkwürdig ergehen," sagte sie gedankenvoll. „Da ging 'mal einer von den Wentorfer[1] Kreihen aus seines Vaters

10 Haus, war eines Arbeiters Kind, und kam zu den Unterirdischen,[2] die unter den Heesetannen wohnen. Die luden ihn voll Gold und führten ihn wieder hinaus, und er kam wieder in Wentorf an. Er meinte, es wäre gestern gewesen, daß er davon ging. Sie sagten ihm aber, er wäre vierzig Jahre fort

15 gewesen. Und er mußte es wohl glauben; denn als er in den Spiegel sah, war sein Haar grau geworden. Auch ist er bald danach gestorben. Theodor Storm,[3] der alles besser wissen wollte als ich, sagte damals zu mir: ‚Diese Erzählung wolle sagen, daß einer in die Fremde und in die Sorgen und in das

20 Gelderwerben hineingegangen und erst wieder zur Ruhe und zur Besinnung gekommen wäre, als das Leben dahin war.' Aber das glaube ich nicht. Es ist einfach eine Geschichte, die geschehen ist."

* * *

Sie hatten gegessen und getrunken und saßen an den Spiel-

25 tischen. Lauter große und schmucke, einige stolze und schöne Gesichter. Die drei großen Jungen standen hinter den Spie-

lenden, sahen in die Karten, wurden zuweilen wohlwollend um Rat gefragt, nickten verständig, stimmten in das Lachen ein und schenkten den Punsch ein.

Sie fingen an, laut zu werden, während des Spieles Geschichten zu erzählen und leichtsinnig zu spielen. Stattliche Haufen Silbergeld wurden lachend und scheltend hin und her über den Tisch geschoben.

Einige wenige blieben ruhig und nüchtern. Das waren die rechten Spieler, die ein Stück Geld mit nach Hause nehmen wollten. Sie saßen getrennt voneinander an verschiedenen Tischen; denn sie konnten einer vom andern nichts gewinnen.

Die Leichtsinnigen wußten, daß sie mit Betrügern spielten, aber sie waren zu großartig, gutmütig und leichtsinnig. Es sagte wohl einer, da er hart verloren hatte: „Höre du, du machst lange Augen." Aber dann lachten sie wieder und spielten weiter.

Reden war nicht ihre Sache. Sie überließen das Reden dem Pastor und dem Lehrer. Nur Klaus Uhl, der in seiner Jugend in die Lateinschule[1] hineingesehen hatte, pflegte dann und wann ein Wort zu sagen. Er stand auf und sprach in der wohlwollenden Laune, die man an ihm kannte, einige Worte. Er fing damit an, seine Frau zu entschuldigen, daß sie sich nicht gezeigt hätte und nun zu Bette gegangen wäre. Sie sollten sich darum nicht kümmern, sondern zusehen, daß jeder ein Häufchen Taler mit nach Hause nähme.

Man lachte: „Geht nicht an!"

„Besonders mir selbst, dem Gastgeber, ist ein guter Gewinn

zu gönnen: Ihr verzehrt meinen Braten und trinkt meinen Wein und habt, heute wie immer, guten Schluck und guten Trunk. Ihr wißt, ich erwarte das fünfte Kind."

Da warfen sie die stattlichen, schweren Oberkörper gegen die Stuhllehnen und schrien durcheinander und lachten überlaut: „Du hast ja Land genug! Und Taler im Schrank! Und der Weizen steigt... Laß die Jungs studieren. Ja, den Jörn... Laß den Jörn Landvogt[1] werden."

Klaus Uhl lachte und stieß mit seinen Gästen an. August, der Älteste, dem der Punsch den Kopf verwirrt hatte, lächelte dumm vor sich hin.

Da ging Hinnerk, der zweite, in trunkenem Sinne hinaus, und kam wieder hinein und hatte den kleinen Jürgen aus dem Bette genommen und hielt ihn hoch und sagte: „Das ist der Landvogt." Er wollte den Gästen eine Freude machen und sich über den Spätgeborenen belustigen.

Aber sie standen alle mit Lärmen auf, lachten und riefen: „Ein klein feiner Kerl ist das."

Das aus dem Schlafe gerissene Kind fuhr mit der Hand in dem kleinen Gesicht umher und sah verwundert um sich.

„Der soll einmal unser Landvogt werden!" schrien sie. „Der Landvogt lebe!"

Hans, der dritte, kam mit verschlafenem, mopsigem Gesicht vom Flure her, trat von hinten an seinen Vater und sagte: „Ob du 'mal zu Mutter kommen willst."

Uhl achtete nicht darauf, und der Junge ging gleichgültig träge wieder hinaus.

„Meine Gäste haben recht," sagte Klaus Uhl und sah mit klugen, lachenden Augen über die Tische: „Ich kann ja freilich allen meinen Jungen Höfe kaufen, wenn sie soweit sind. Aber ich habe so viel in die Bildung hineingesehen und so viel vom Latein[1] gerochen, daß ich wohl weiß: Wissen geht über alles. 5
Darum danke ich für euren Glückwunsch. Was an mir liegt, so soll der kleine Jürgen der erste Bauernsohn im Lande sein, der ins Landschaftliche[2] Haus einzieht. Wir als Bauern können wohl erwarten und verlangen, daß einer der Unsern über uns regiert; und wenn wir das verlangen können, so 10
wüßte ich nicht, aus welchem anderen Geschlechte man den Landrat[3] nehmen sollte, wenn nicht aus dem der Uhlen."[4]

Die Tür öffnete sich wieder. Hans stand wieder da. Er blieb an der Tür stehen und sagte laut in das Lärmen hinein: „Vater! Mutter sagt: du mußt zu ihr kommen." 15

„Junge, laß mich in Ruh! ... Nachher! ... Kommt, wir stoßen auf den Landvogt an! Jörn Uhl soll leben!"

„Der Landvogt soll leben!"

„Vater! Die Frau, die bei der Mutter ist, sagt, wir sollen einen Wagen bereit halten." 20

Das drang durch.

„Pferde? ... Nanu? ..."

„Steht es nicht gut?"

„Dann legen wir die Karten hin. Es ist auch schon nach elf." 25

„Kommt, ich gehe."

„Ich auch."

„Bleibt doch," sagte Klaus Uhl, „es ist Frauenängstlichkeit."

„Nein, doch nicht . . ."

„Nein . . . wir wollen gehen."

Sie gingen hinaus. Einige sprachen noch vom Spiel und
5 bedauerten, daß es so rasch abgebrochen war.

„Ich kehre noch ein wenig im Wirtshaus ein."

„Ich auch. Wißt ihr was! Wir gehen zu Fuß nach dem
Krug und lassen unsere Wagen nachkommen."

„Es tut mir leid," sagte Klaus Uhl, „daß ich nicht mit euch
10 gehen kann."

„Wenn du mitgehst, kommen wir sicher nicht vor morgen
früh nach Hause."

„Komm mit! Du hast ja Leute genug im Haus."

Einer trat an ihn heran, gab ihm die Hand und sagte: „Nein,
15 geh nicht mit uns, bleibe lieber bei deiner Frau."

Er ging zu seiner Frau hinein und fand sie leidlich wohl und
hörte, daß man hoffte, den Arzt entbehren zu können, und kam
wieder nach der Vordiele° und horchte durch die noch offene
Tür. Man hörte noch in der Ferne in der stillen Nacht lauten
20 Zuruf und lachende Antwort. Noch einmal ging er langsam
in die Tiefe der großen Diele zurück und kehrte wieder um.
Dann nahm er die Mütze mit sich vom Haken. Es war, als
wenn ein starker Mann ihn an die Schulter faßte und hinaus-
zog. Er trat aus der Tür und ging den andern nach. Einen
25 Überrock trug er beim Gehen nie; er hatte so viel Lebenskraft
und Hitze in sich, daß er ihn nicht brauchte.

Gleich darauf gingen August und Hinrich mit einer vollen

Punschbowle in die Leutestube. Sie spielten sich sonst als Herren auf und lebten mit den Leuten auf dem Hofe in beständigem Streit. Aber an einem Tage wie diesem waren sie von großmütiger Vertraulichkeit.

Der Großknecht, ein ergrauter Mann, hatte das letzte Gespann besorgt und kam herein. Er setzte sich schwerfällig hin und trank das Glas aus, das sie ihm hinstellten. Der Kleinknecht schnitt mit dem Messer in die Tischplatte und versuchte, dem kleinen Fiete Krey das Geldstück wegzunehmen, das er von den Gästen bekommen hatte. Er war, den Kopf auf den Tisch gelegt, eingeschlafen und hielt das Geldstück fest und sagte nur zuweilen im Schlaf: „Laß das, Jörn.“ Und zog die Hand zurück.

„Dummes Zeug, all dummes Zeug!“ sagte Hinrich und wankte mit dem Kopfe.

Die Türe wurde rasch aufgemacht, Jule Geerts fuhr auf und schrie laut, als Trina Kreys Gesicht in der Türöffnung der Leutestube erschien.

„Dietrich, spann an! Rasch! Hole den Doktor.“

„Scher dich vom Hof!“ schrie Hinrich. „Du und dein Junge, weg vom Hof!“ Er stieß den Kleinen, daß er erwachte.

„Die ärmste Frau im Lande ist nicht so verlassen wie eure Mutter.“

Der Großknecht war schon hinaus. Jule Geerts ging zitternd hinter ihm her.

Die Kranke legte den Kopf unruhig von einer Seite zur andern, horchte und fragte nach ihrem Manne.

„Fremde Leute müssen mir helfen, wenn ich in Not bin.

Schlafen die Kinder? ... Sie haben den kleinen Jürgen in die Stube getragen? ... Landvogt soll er werden? ... Rechtschaffen soll er werden und nüchtern. Einerlei, ob Landvogt oder Arbeitsmann."

Sie hatte die ersten drei Knaben von ihrem Manne empfangen, willenlos, als seine Gaben: da waren es Knaben geworden von seiner Art. Dann waren zehn Jahre vergangen, in denen sie sich mehr von ihm abgewandt und sich auf eigene Füße gestellt hatte. Sie hatte allmählich aufgehört, mit den Augen ihres großen und lauten Mannes Leben und Welt zu betrachten. Unsicher, langsam, aber immer klarer war die Erkenntnis gekommen, daß ihre eigene Welt und Weltanschauung viel schöner, klarer und reiner wäre als die ihres Mannes. Die vier Menschen, die einst hinter der Heese[1] auf dem stillen Moorhof° gewohnt hatten: die waren glücklich, rein und klug gewesen; aber die hier auf der Uhl wohnten, die gingen alle in die Irre.

Sie konnte das nicht mehr hindern. Sie hatte den Mann neben sich zu stark werden lassen. Sie konnte nicht einmal ihre eigenen drei Kinder mehr ändern: die waren ihr über den Kopf gewachsen. Aber sie kam doch noch zu ihrem Recht. Sie gebar noch einmal, einen kleinen feinen Jungen, und konnte leise und stolz und glücklich lachen, als ihr Mann, da er das Kind sah, sagen mußte: „Der ist anders als die ersten drei, der ist von deiner Art; er ist ein Thiessen."

Und das, was heute nacht zur Welt kommen sollte, das wußte sie; das war auch ein Thiessen.

Und es ist schwer, als ein Thiessen durch die Welt zu kommen. Es ist ein wunderlich nachdenklich Volk.

„Die drei Großen brauchen die Ellenbogen; die finden ihren Weg durch die Welt; aber um die beiden Kleinen tut es mir leid, wenn ich sterben muß.“ Sie versuchte die Hände zu falten und betete in heißer, bitterer Angst um ihr Leben, daß ihr der Schweiß in hellen Tropfen auf die Stirn trat.

„Wieten soll kommen,“ sagte sie.

Das Mädchen trat dicht ans Bett.

„Wieten, ich werde wohl lange krank sein, und vielleicht werde ich nicht wieder gesund. Wenn du auf dem Hof bleiben wolltest . . . ich glaube, es ist auch besser für dich, wenn du nicht heiratest. Kümmere dich nicht um die Großen, die kannst du doch nicht regieren. Aber sorge mir für die Kleinen. Sage meinem Manne, daß ich dich darum gebeten habe, und daß er dir mit den beiden Kleinen deinen Willen läßt.“

Wieten Penn, die sie Wieten Klook nannten, hatte vieles kommen sehen, Glück und Notstunde, diese Frage aber nicht. Kein Mensch kann sagen — sie selbst auch nicht —, mit welcher raschen Kraft sie ihre Zukunft herumwarf. „Ich werde auf die Kinder passen,“ sagte sie, „so wahr ich hier stehe. Darauf kann sie sich verlassen, Frau Uhl.“

Sie trat zurück und ging in die Küche und stand stumm und unbeweglich am Herd.

Dann fuhr es donnernd die Auffahrt hinauf, der Arzt ging über die Diele, untersuchte und richtete sich ein. Er kam noch einmal nach der Küche und fragte nach dem Mann.

„Im Wirtshaus!“ sagte Trina Krey, „und spielt Karten. Wir haben schon zweimal nach ihm geschickt; aber er kommt nicht.“

Der Arzt warf einen großen Blick auf sie und nannte einige 5 Tiernamen. So hatte noch niemand den großen, stolzen immer fröhlichen Mann genannt. Dann schrieb er drei Worte auf und sandte das Kleinmädchen in den Krug: „Laufen Sie!“

Im unsicheren Licht der Diele, als sie ein Schultertuch vom 10 Haken nahm, las Jule Geerts das Wort, „Operation.“ Da stob sie davon, zitternd und weinend, und sah immer rückwärts, als liefen böse Geister hinter ihr her.

* * *

Gegen Morgen war alles vorüber.

Der Arzt hatte zu Uhl gesagt: „Wäre ich eine Stunde früher 15 geholt worden, so hätte ich vielleicht helfen können. Warum bin ich nicht früher geholt?“

Da hatte Klaus Uhl mit den Zähnen geknirscht und hatte wie ein Tier geschrien. Nun lag er jammernd vor ihrem Bett und schrie: „Mutter! Mutter!“

20 Als Weib hatte sie wenig mehr für ihn bedeutet. Er nannte sie mit dem Namen: „Mutter!“ Die Not der Kinder schrie aus ihm, in dem einen Wort.

2. Kapitel

Jürgen hieß der kleine borstige° Junge, und das kleine Mädchen hieß Elsabe. So trug der Pastor ins Taufbuch ein. Das Taufbuch redet hochdeutsch.[1] Aber die Menschen um die Kinder her reden alle die plattdeutsche[2] Sprache. Sie nennen ihn Jörn, und das Mädchen in der Wiege nennen sie 5 Elsbe. Und das sind ihre Namen, mit denen sie noch heute genannt werden, Jörn und Elsbe Uhl.

Das Haus ist für Jörn Uhls Auge weit und groß. Wenn er in der großen Diele steht oder durch die Scheune stolpert, so sieht er überall ins Schwarze. Er glaubt auch nicht, daß 10 es da irgendwo ein Ende gibt. Die Diele ist so groß wie die ganze Welt.

Die großen Menschen, die bald aus dieser Tür kommen, bald aus jener, die bald diese, bald jene sonderbare Hantierung° vorhaben, und das alles mit ernstem Gesicht tun, ohne zu 15 schreien oder zu traben oder zu weinen: das ist erstaunlich. Alle sind anders als er, bloß der weiße Spitz, der neben ihm durch den ungeheuren Raum geht, der ist wie er. Sie essen zusammen; und sie schlafen dicht nebeneinander.

Sie sind alle anders. Man denke an die Pferde, an die 20 Menschen, an die Kühe. Bloß er und Spitz sind ganz gleich.

Einmal hofften sie, sie bekämen einen richtigen Gesinnungsgenossen.° Ein Fohlen graste neben der Mutter auf der Hofstelle. Daß das Mutterpferd zu den sonderbaren ernsten

Wesen gehörte, das erkannten sie beide sofort. Aber in dem Fohlen spürten sie verwandte Weltanschauung.[1] Aber als der Spitz dem Fohlen zu nahe kam, schlug es aus. Heulend stoben die beiden ins Scheunentor. Dort standen sie, sahen ängstlich 5 auf das Fohlen und bellten. So sagte er nämlich. Er sagte nicht: Wieten hat gescholten, sondern: Wieten hat gebellt. So sehr war der Spitz sein Kamerad und Gleichgenoß.°

Es war kein Mensch da, der Jörn Uhl an die Hand nahm und ihm die Erscheinungen deutete. Wieten hatte nicht 10 Zeit, und die anderen hatten keine Lust. Daß es so war, war wohl gut. Denn nun hieß es nach Robinsons Weise: Auf, entdecke dir selbst Land, Wasser, Geräte und Nahrung!

Er und Spitz jagten eines sonnigen Tages mit lautem Hallo in den Burggraben, um eine Wasserratte zu fangen, 15 die da schwamm. Sie wurden beide herausgezogen, bekamen beide von Wieten ihre Schläge, wurden beide nebeneinander ins Bett gesteckt und bellten sich einander an. Das war so eine Entdeckungsfahrt.

So entdeckten sie zusammen alles, was sie umgab, und 20 bekamen eine bedeutende Erfahrung.

Aber eines Tages wurde das Verhältnis zu Spitz ein anderes.

Sie waren bisher beide, so drei- oder viermal am Tage, in die Hinterstube gelaufen und hatten das kleine Mädchen, 25 das in der Wiege lag, oder im Stuhle saß, gestreichelt und umwedelt°, und waren dann wieder hinausgelaufen und hatten sich weiter um das Kind nicht gekümmert. Aber eines

Tages, als er mit Spitz im schönsten Sonnenscheine von der Weide kam, stand das kleine Mädchen draußen vor der Küchentüre und sah mit großen, ängstlichen Augen in die Umgebung. Niemals haben zwei sich so gewundert, als Jörn Uhl und Spitz. Daß so etwas möglich war! Sie nahmen das kleine Ding gleich in die Mitte und gingen mit ihm auf den Weg, wo in den Wagenspuren schönes, lehmiges Wasser war, und fingen an, Gräben zu ziehen und Deiche zu bauen.

Von der Zeit an verlor Spitz an Bedeutung. Jörn spielte nun den ganzen Tag mit dem kleinen Mädchen. Der Hund war immer weniger Kamerad; er wurde immer mehr nur Spielzeug.

Das kleine Mädchen lernte die Umgebung rascher kennen als derzeit der Junge. Der Junge hatte Spitz zum Führer gehabt, einen unsicheren, unzuverlässigen Führer; aber das kleine Mädchen hatte den Bruder zum Führer. Der wußte und konnte alles. Der führte sie durch das ganze Haus und nach dem Backhaus und nach der Scheune und über den Steg nach der Weide, wo die Kälber liefen. Und eines Tages sagte er: „Komm, wir wollen nach Ringelshörn[1] hinauf."

Er nahm sie an die Hand; Spitz lief bellend voraus. So gingen sie den Fahrweg hinauf, bis das alte Land vor ihnen aufstieg.

„So, nun man zu!"[2]

Mühsam steigen sie hinauf. Es geht schwer und steil aufwärts durch die Heide. Sie müssen unterwegs Rast machen.

Da ruhen sie ein wenig. Endlich sind sie oben und wollen die Hände heben und Juhu rufen. Da packt sie der Ostwind, von dem sie unten nichts gemerkt haben.

Sie setzen sich oben in den kalten Wind in die Heide, und sehen eine Weile still in die weite, ebene Marsch hinab und auf die Gebäude der Uhl zu ihren Füßen.

„Du," sagt die Kleine, „warum haben wir keine Mutter? Alle haben Mütter, bloß wir nicht ... Du, Jörn, was tut die Mutter?"

„Was meinst du?"

„Ja ... ich meine mit den Kindern?"

„Sie tut so, so ... immer so hin und her, auf den Armen, und dann sagt sie: ‚Mien lüttje Witte! Mien lüttje Popp',[1] und so was. Ich habe es gestern noch gesehen, als ich Hinnerks Stiefel vom Schuster holte."

„Eine Mutter muß überhaupt nicht tot bleiben," sagte Elsbe.

„Tut sie auch nicht. Bloß, wenn sie nicht aufpassen."

„Wer hat denn nicht aufgepaßt?"

„Vater nicht! Und die anderen auch nicht! Es sind ganz viele Leute im Hause gewesen, und haben gegessen und bloß ans Essen gedacht."

„Vater auch?"

„Ja."

„Weißt du das gewiß, Jörn?"

„Ja, Fiete Krey hat es mir gesagt."

Elsbe stößt mit dem Fuß auf die Erde und ist so eifrig, daß sie nicht über die erste Silbe hinwegkommen kann:

„W . . . weißt du das so gewiß? So furchtbar gewiß als ich hier stehe?"

„Ja."

„Warum hat er denn nicht aufgepaßt?"

Jörn springt ein wenig hinunter in die Heide und sagt ganz laut mit abgewandtem Gesicht: „Weil er besoffen gewesen ist."

Sie wissen beide noch nicht ganz, was das Wort im Munde führt. Aber sie haben oft im Hause von den Brüdern Worte gehört, wie: „Der besoffene Lümmel,"° oder: „Du warst gestern auch besoffen." Sie fühlen, daß es etwas Schreckliches ist, und reden nicht weiter, und Jörn sagt: „Du . . . weißt du was? Wenn Wieten heute abend zu uns in die Stube kommt, dann wollen wir beide mit einem Mal sagen: Mutter Klook."

„Ja! . . . Und wenn Fiete Krey kommt, sagen wir: Vater Krey."

Nun steigen sie lachend den Abhang hinunter, von Bult° zu Bult, am Heidekraut sich haltend.

* * *

Als sie älter werden, beginnt abends ein neues Leben für sie: Sie dürfen nach dem Abendbrot noch zwei Stunden aufbleiben. Dann sitzen sie in Wietens Stube, um den viereckigen Tisch. Und alle vier Seiten des Tisches sind besetzt: an der einen sitzt Wieten, an der anderen sitzt Jörn, an der dritten sitzt Elsbe. Und an der vierten Seite, zwischen Jörn und Elsbe, sitzt Fiete Krey.

Tagsüber kann Fiete Krey nicht kommen. Dann muß er mit dem Hundefuhrwerk unterwegs weithin in die Marschdörfer, und muß Bürsten und Heidebesen,° Striegel und Leuwagen° verkaufen. Und zuweilen geht er in die Schule.
5 Aber abends kommt er.

Er kommt an jedem Abend. Er ist im Winter ein wenig verfroren und im Sommer ein wenig müde; aber er ist immer guter Dinge.[1] Besonders im Winter ist es gemütlich.

10 Es fängt immer in derselben Weise an. Wieten legt einen ganzen Haufen Strümpfe und Knäuel und Flickwerk auf den Tisch, setzt die Lampe in die Mitte und schiebt das Flickwerk zur Seite. Und dann liegt ein großes Stück Brot, mit derbem Speck belegt, vor Fiete Krey. Er greift danach.
15 Niemals hat Jörn Uhl diesen raschen, starken Griff vergessen und die magere, verfrorene Knabenhand, die nicht immer ganz sauber war.

Einer der Brüder kommt herein, Hans oder gar August: „Fiete, du sollst mit uns Karten spielen. Uns fehlt der
20 vierte Mann."

Aber Jörn und Elsbe schreien: „Nein, nein!" und halten ihn fest.

Dann tritt Hans wohl an den Tisch und sagt drohend: „Wenn du nicht mitkommst, sage ich zu Vater, daß du hier
25 jeden Abend satt gefüttert wirst. Du gehörst überhaupt in die Leutestube."

Aber da sieht Wieten den langen, dummen, unfertigen

Jungen über die Brille weg scharf an und deutet nach der Türe: „Scher dich! Hier ist mein Reich."

Dann lacht er und schilt und geht davon. Und nun haben sie Frieden.

„Und nun soll Fiete erzählen, was er erlebt hat," sagte Jörn. 5

„Nein," sagt die Kleine wichtig, „erst soll Wieten erzählen, und dann will ich erzählen, und dann soll Fiete erzählen."

„Na, denn man los!"[1]

Wieten wühlt° in dem Flickhaufen, greift nach diesem 10 und jenem Knäuel und zieht die Fäden über das Loch, das im Strumpfe klafft, und erzählt morgen jene Geschichte und heute diese:

„Als ich in Schenefeld[2] war, da erzählte die Frau: Da wär 'mal ein Bauer gewesen, der hat mit dem Teufel zu- 15 sammen einen Krug° Land geheuert auf zwei Jahre[3]...

„Mit dem Teufel ist das nichts," sagte Fiete Krey, „aber die Unterirdischen, das sind gute und freundliche Leute. Die haben schon manchen Menschen reich gemacht; aber merk- würdig ist, daß ich noch niemals einen von ihnen gesehen 20 habe. Nicht einen einzigen. Ich bin doch manchmal mit meinen Hunden ganz allein durch die Heese gekommen und am Wodansberg[4] vorbei. Und manchmal habe ich den Wagen auf dem Wege stehen lassen und bin in den Wald geschlichen; aber ich habe nichts gesehen." 25

„Im Wodansberg wohnen sie," sagte Elsbe.

„Ich glaube es nicht," sagte Jörn.

„Du glaubst gar nichts!“ sagte Wieten.

„Einmal,“ sagte Fiete Krey, „war es so heiß. Da ließ ich die Hunde mit dem Wagen im Schatten stehen, nicht weit vom Wodansberg, wo der Weg nach dem Tunkmoor[1] umbiegt. Ich ging ein bißchen in den Wald hinein und legte mich auf das trockene Laub, nicht weit von einem großen Haselbusch, und bin ja wohl eingeschlafen. Ich wurde davon wach, daß es in dem Laube raschelte. Und als ich die Augen so eben aufmachte, schien mir, daß drei oder vier kleine Leute, bißchen größer als Eichhörnchen, in den Haselbusch hineinliefen. Gleich danach rief es aus dem Busche, als wenn sie sagten: ‚Schlafmütz.‘ Ich sah mich um, und wühlte das ganze Laub auf; aber da lag weder Gold noch Geld.“

Jörn sieht von seinem Spiele zweifelnd auf und sagt bedenklich: „Es sind gewiß Eichhörnchen gewesen; und was du gehört hast, das sind Mäuse gewesen: dic haben gepiept.“

Fiete Krey schüttelt verächtlich den Kopf. „Wenn man bloß wüßte,“ sagte er, „wie man an sie herankommen könnte.“

„Die Frau in Schenefeld,“ sagte Wieten, „bei der ich diente, als ich jung war, die sagte, daß sie alle miteinander ausgewandert sind, mit Pack und Sack, mit Frau und Kindern.“

„So?“ sagte Fiete. „Wohin denn?“

„Ja, genau kann ich das nicht sagen. Ich glaube, sie sind ins Vaalermoor[2] und in die Gegend der Wilstermarsch[2] gezogen; vielleicht gar über die Elbe. Aber Theodor Storm: der behauptete immer, sie wären nach Dithmarschen[2] gekommen.“

„Theodor Storm: sagst du immer? Wer war denn das?"

„Wer es war? Er sagte, er wäre ein Student. Er kam damals öfter in die Gegend von Schenefeld. Er und ein gewisser Müllenhoff.[1] Sie stahlen dem lieben Gott die Zeit, lagen in den Dörfern umher und hörten am liebsten solche alte Geschichten. Und besonders auf mich hatten sie es abgesehen, weil sie wußten, daß meine Frau viele Geschichten kannte. Die aber wollte ihnen nichts erzählen. Da kamen sie zu mir. Jeden Abend, wenn ich nach der Rethkoppel[°] ging und die Kühe molk, standen sie schon da und wollten Geschichten hören. Dabei tranken sie mir einen halben Eimer Milch aus."

„Was sagten die denn?"

„Ich habe es dir ja schon gesagt. Sie meinten, sie wußten alles besser. Jeden Spruch kannte der Storm anders; und jede Geschichte erzählte er anders. Er sagte, er wollte von diesen Geschichten ein Buch schreiben. Ich habe ihn mehr als einmal einen dummen Jungen genannt und da stehen lassen, wo er stand, und bin mit meinen Milcheimern davongegangen."

Fiete Krey sah sie mit zusammengekniffenen Augen an: „Was meinte der denn, wo die Unterirdischen geblieben sind?"

„Was der meinte? Was geht mich das an? Ich gebe gar nichts darauf. Meine Frau in Schenefeld erzählte so:

‚Der Fuhrmann an der Hohner[2] Fähre wird eines Nachts herausgerufen, und als er hinausgeht sieht er keinen einzigen Menschen und meint, er hat geträumt, und geht wieder zu

Bette. Da aber wird Erde oder Sand gegen das Fenster geworfen, und er steht wieder auf und geht hinaus. Da grimmelt und wimmelt es[1] vor seinem Hause, bis an das Wasser hin, von lauter kleinen, grauen Leuten. Und einer
5 mit einem langen Bart, der sagt zum Fährmann, er solle sie über die Eider[2] setzen, sie könnten den Kirchengesang und das Glockengeläute nicht länger ertragen; sie wollten nach der Marsch auswandern: da waren damals noch keine Kirchen. Der Fährmann machte die Fähre los, und nun kamen sie
10 alle in den Prahm° hinein, Männer und Frauen und Kinder mit Betten und Kochgeschirren, und mit Silber- und Goldgerät, alles dicht aneinander gedrängt, daß der Prahm ganz voll ist. Und so geht es die ganze Nacht hindurch, hin und her, Prahm nach Prahm, und immer war die Fähre gleich
15 voll. Als sie dann endlich alle hinüber sind, und er wieder zurückgefahren ist, da ist auf der anderen Seite das ganze Feld voll von vielen Lichtern. Sie hatten alle kleine Laternen angesteckt, und so zogen sie weiter nach Westen zu. Als aber der Fährmann am Morgen nach der Fähre hinunter-
20 geht, liegen auf dem Steinrand viele tausend kleine Goldpfennige. Da hat jeder von den Unterirdischen seinen Fährlohn hingelegt.'

Storm sagte damals, sie hätten ans Fenster geklopft; ich aber sagte, sie haben Sand dagegen geworfen. Darüber
25 haben wir uns gestritten. Ich ließ ihn schließlich stehen, wo er stand, und kümmerte mich nicht um sein Nachrufen."

„Was rief er denn, Wieten?" fragte Elsbe.

„Er wollte mich ärgern und rief immer: ‚Dreh dich nicht so! Dreh dich nicht so!' Aber wenn man eine Milchtracht hat von zwei großen, vollen Eimern, und Tracht und Eimer mit Messing beschlagen, dann soll man wohl einen schweren Schritt bekommen." 5

„Wo ist dieser Storm jetzt?" fragte Fiete.

„Wo mag der sein? Ich glaube, er sagte, er wolle Landvogt werden. Der und Landvogt! Aus dem ist nie was geworden."

„Hat er das Buch auch nicht geschrieben?" 10

„Der? Der war so faul, daß er einmal einen ganzen Nachmittag lang auf der Wiese lag, so lang er war, von einer Milchzeit bis zur anderen. Er sagte, er tät's um den Wald, der sähe so fein aus im ersten Laube. Der hat sicher kein Buch geschrieben und ist auch nicht Landvogt geworden." 15

„Jörn hört gar nicht zu!" sagte klein Elsbe, und stieß ihn an. „Hör doch zu, Jörn!"

„Du, Wieten, was sagte Storm von unserem Goldsoot?[1] Sagte er ebenso wie du, oder sagte er anders?"

„Ich merke schon," sagte sie, und sah Fiete Krey scharf 20 an: „Du glaubst dem Storm mehr als mir. Du mußt immer was Neues haben . . . Von dem Goldsoot . . . von dem wußte ich damals noch gar nichts. Von dem habe ich erst gehört, als ich hierher kam und ihn hier gesehen habe." 25

Fiete Krey stützte den Kopf in die Hand und sah gerade auf Wieten. Seine runden Knabenaugen, die sonst so keck und frech in die Welt blickten, sahen schwer grübelnd° darein. Der Goldsoot lag nicht weit vom Dorfe in einer Mulde° am Rand der Geest.[1] Es war seine große, geheime Hoffnung. „Du, Wieten, erzähle es noch einmal!"

„Willst du mir glauben oder dem langen Husumer?"

„Dir!" sagte Fiete Krey und schlug mit der Faust auf den Tisch.

„Na, denn hör zu! Das ist so gewesen . . . Es soll hier in der Gegend ein schwerreicher Mann gelebt haben, der ist ohne Kinder gestorben. Vorher aber ist er in einer dunklen Nacht nach der Mulde am Geestabhang° gegangen und hat all sein Geld in den Quellbrunnen geworfen. Nun sagen sie: Wenn man mit einem Stocke hineinstößt, klingt es hohl, und einige sagen: Wenn man in den Grund der Quelle hinabsieht, kann man zuweilen einen kleinen, grauen Mann da sitzen sehen, der hat einen dreieckigen Hut auf. So ist es . . . Und einmal, da haben sich drei Männer in der Nacht aufgemacht, haben stillschweigend die Quelle aufgegraben und sind auf einen großen Braukessel° gestoßen. Da legten sie einen Windelbaum° quer über das Loch, und legten Stränge um die Ohren des Kessels und wollten ihn gerade hinaufziehen. Da kam ein ungeheures Fuder Heu, mit sechs grauen Mäusen bespannt, von der Marsch herauf, sauste an ihnen vorbei und raste nach Ringelshörn hinauf. Sie bissen die Zähne aber zusammen und schwiegen still. Sie zogen an und hatten den Kessel schon bis fast an den Rand hinaufgezogen: da kam ein grauer Mann auf einem alten

Schimmel von der Marsch herauf, an ihnen vorüber und bot ihnen einen guten Abend. Na ... sie behielten die Besinnung und antworteten keinen Ton. Da hielt der Mann mit dem Schimmel an und fragte, ob er wohl dem Fuder Heu noch nachkommen könnte? Da wurde der eine 5 von den dreien giftig und sagte: ‚Den Deubel! Du Schrackel?' Im selben Augenblick brach der Windelbaum; der Kessel stürzte wieder in die Tiefe, und der graue Mann war verschwunden."

„Aber neulich," sagte Elsbe, „hat Fiete von der Hexe Gold 10 bekommen. Weiß du wohl, von der Hexe, die in den Hooper Tannen[1] wohnt!" Sie nestelte an ihrem Kleide und brachte eine blanke Münze hervor und legte sie vor sich auf den Tisch.

Fiete Krey sah mit starrem Blick auf die Münze; dann sah er, wie gezwungen, wie ein Verbrecher, der an der Schulter 15 herangeschleppt wird, in Wietens Augen.

Die hob die Hand und sagte: „Wenn du Dummheiten machst, haue ich dir die Strümpfe um die Ohren; und mit dem Butterbrot ist es ein für allemal aus und vorbei."

Er sah vor sich auf den Tisch und war einen Augenblick 20 bedrückt und still. Dann fing er an, Elsbe den Inhalt seiner Tasche zu zeigen. Und dann mußte er seine Kunststücke machen.

„So," sagte Wieten, „nun haben wir für diesen Abend Kunststücke genug gesehen. Nun geh nach Hause, Fiete." 25

Da schlich sich Fiete Krey aus der Küchentüre über den Weg unter seines Vaters niedriges Strohdach.

Dann geht auch Wieten Penn schlafen.

Gegen Mitternacht, oder drüber hinaus kommen der Vater und die großen Brüder aus wüsten Gesellschaften nach Hause. Dann schlafen die Kinder schon lange in Frieden.

3. Kapitel

5 Fritz Krey kam selten in die Schule.[1] Sein Vater, Jasper Krey, hatte immer eine Entschuldigung und Ausrede zur Hand. Bald hieß es, er müsse den Jungen notwendig brauchen, bald hatte der Junge keine Stiefel. So kam er fast nur im Winter in die Schule, wenn Wieten morgens, 10 während es noch dunkel war, in das Kreysche Haus hinüberlief und sagte: „Es liegt so viel Schnee, daß ich die Kinder nicht allein gehen lassen kann: Fiete muß heute mit ihnen gehen." Dann sprang Fiete gleich auf, zog seine geflickte Jacke an und fing an, am Ofen mit viel Stoßen 15 und Trampeln die großen Stiefel anzuziehen. Aber der Alte knurrte: „Ich kann den Jungen heute durchaus nicht entbehren."

„Nicht?" sagte Wieten bissig. „Ist es gerade heute so hilde?° Dann muß ich ihn wohl wieder loseisen."° Sie 20 legte die drei Groschen auf den Tisch, die sie schon bereit gehalten hatte, wovon nach einem alten Kontrakt der Sohn einen bekam, der Vater zwei behielt, und ging mit dem Jungen nach der Uhl.

Dann gingen die Drei durch den Schnee; Fritz Krey voran als Wegebahner. Fast bei jedem Schritt kehrte er sich um. Soviel hatte er zu reden.

Nun waren sie alle da: hundert Kinder, und der alte Lehrer Peters stand hinterm Pult. Es war gesungen und gebetet worden. 5

Die Großen lagen schräg auf ihren Schiefertafeln, klapperten leise, flüsterten, rechneten und schrieben.

„Dritte Abteilung! Wir wollen Sätze machen. Wer macht den ersten Satz?" 10

Ein kleiner Krey steht steil auf: „In unserem Hause ist eine Kuh."

„Alle nachsprechen!"

Sie sagen es alle, mit hoher, getragener Stimme, die Silben getrennt. Wer keine Kuh hat, sagt: „Keine Kuh." 15

So ging es weiter. Die Armut sagt: „Kein." Der Wohlstand sagt: „Ein."

Dabei merkte Jörn Uhl bald, daß er immer, ‚ein' sagt, niemals ‚kein'. Ja, als der Sohn von Peter Wiek, einer von den Uhlen, den Satz machte: „Wir haben keinen Hengst," 20 und alle ihn wiederholten, da konnte er, Jörn Uhl, ganz allein in der Schule — und die Schule war so groß — sagen, und er sagte es laut und kräftig: „Wir haben einen Hengst . . . und einen Bullen." Mit dem Nachsatz klappte er allerdings nach; es gab aber doch ein großes Aufsehen, zumal das kleine 25 Mädchen von Lorenz Krey, der die vielen Kinder hat, gleich darauf den Satz machte: „Wir haben kein Mehl im Kad."[1]

Darauf schlug Peters vor, daß andere Sätze gemacht würden. „Wir haben in der biblischen Geschichte von König David gehört. Wie heißt unser König?“

Da stand die dusselige° kleine Krey wieder steil auf. Sie 5 schoß förmlich aus der Bank und sagte: „Unser König heißt Klaus Uhl.“

Die Großen lachten, die Kleinen waren verdutzt. Keiner hatte etwas dagegen. Der Satz wurde in üblicher Weise von allen wiederholt.

10 Aber als Lehrer Peters sich abgewandt hatte und den Gang hinaufging, riefen die Kinder: „Der Landvogt ist aufgestanden.“ Da stand Jörn Uhl da, aufrecht, mit einem zornigen Gesicht.

„Was willst du, Jürgen?“

15 „Mein Vater ist kein König.“

„Du mußt das wissen,“ sagte der Alte.

Als dann die Kinder hinausgingen, sah er, daß das dunkelköpfige, kleine Ding, die Elsbe Uhl, in der Bank sitzen blieb und den Kopf auf den Tisch gelegt hatte, und bitterlich 20 schluchzte. Er ging auf sie zu und fragte: „Warum weinst du, Elsbe?“ Sie sagte mit großer Mühe: „Mein Vater ist doch ein König.“ Als er sich lächelnd von ihr abwandte, stand Jörn Uhl da mit einem bitterbösen Gesicht. Er griff den Jungen in das starre, helle Haar und sagte: „Warum 25 sagst du denn, daß dein Vater kein König ist?“

„Er kann manchmal nicht stehen.“

„Was sagst du? Er kann nicht stehen?“

„Nein, weil er manchmal betrunken ist.“

Der Alte biß sich auf die Lippen und sah ihn mitleidig an. „So! Darum ist er kein König? Du, das darfst du den anderen Kindern nicht sagen. Aber weißt du was? Sieh du zu, daß du immer fleißig und nüchtern bist.“ 5

* * *

Das jährliche Kinderfest[1] war ein großer Tag, viel größer als Weihnachten. Die Uhlen, die zum Kirchspiel gehörten, mochten gar zu gern Feste feiern, und die Kreien waren auch nicht abgeneigt.

Wer hat jene Kinderfeste in Sankt Mariendonn mit- 10 gefeiert? Er sei Uhl oder Krey: Er stehe auf und bekenne, daß er an keinem anderen Ort im Vaterland etwas so Schönes und Großes erlebt oder gesehen hat.

Jörn Uhl stand drei Abende nacheinander im schönsten Regen unter der Dachtraufe des Schulhauses und wartete, daß 15 die kleine Lisbeth Junker herauskommen sollte, die Enkelin von Lehrer Peters. Dann wollte er die fragen.

Am dritten Abend kam sie wirklich und lief durch den Regen im Trabe zum Höker° hinüber. Als sie wieder zurück- kam, sah sie ihn und rief schon von weitem: „Was stehst du 20 da im Regen, Jürgen? Hast du Nachstunde gehabt?“

„Nein,“ sagte er. „Ich habe hier bloß auf dich gewartet, ich wollte dich 'mal was fragen.“

Sie sprang heran und schmiegte sich dicht an seine Seite, damit sie nicht naß würde. Und drängte sich so sehr an ihn, 25 daß sie sich an seinem Arm festhalten mußte und sah zu ihm auf.

„Was wolltest du mich fragen?“

„Ja, wegen des Vogelschießens,[1] weißt du? Wir haben ja bald Vogelschießen? Nicht?“

„Na, und?“

5 „Ja ... Und da muß ich doch ein Mädchen haben, und nun weiß ich nicht. Ich weiß nicht, welche ich nehme. Es ist ja ganz einerlei, welche ich nehme. Was meinst du?“

„Und danach wolltest du mich fragen? Ja, das weiß ich nicht. Du bist so groß ... Weißt du? Nimm Trina Siem, 10 oder nein, nimm Jule Uhl! Oder nimm ... Nein, die ist doch zu klein für dich.“

„Wen meinst du?“

„Ach, ich hatte man bloß so einen Gedanken, aber die ist wirklich zu klein für dich.“

15 „Es ist ja einerlei, sage es man! Klein oder groß. Und wenn sie so klein ist wie du. Wen meinst du?“

„Ich weiß nicht mehr,“ sagte sie.

Als sie das gesagt hatte, löste sie sich von ihm und sprang in den Regen, sah sich noch einmal um und wandte sich dann 20 von ihm ab, als würde sie umgerissen, und lief davon.

Er war auf Lisbeth Junker versessen und war in Angst, daß ihm einer zuvorkäme. Und er hatte nicht den Mut, sie zu fragen; denn er meinte, sie würde lachen und würde sagen: „Nein, Jürgen, meinst du, daß ich das tue? Ich 25 gehe ja doch nie mit zum Königstanz.“ So verpaßte er die Zeit. Als einige Tage vor dem Feste er und der kleine schüchterne Dierk Dierksen im Privatunterricht im Schulhause waren, sagte Lehrer Peters: „Du, Dierk, ich möchte gern, daß Lisbeth übermorgen an dem Umzuge teilnimmt. Ich habe gedacht, sie könnte neben dir gehen." Dierk Dierksen bekam draußen von Jörn Uhl einige Knüffe, die aber an der Sache nichts änderten. 5

Er war also ohne Braut und mußte am Festtag neben einer kleinen, sommersprossigen Krey hergehen, die gerade übrig geblieben war. Sein Vater, der neben dem Zuge her ging, sah ihn spöttisch an, und seine großen Brüder ärgerten sich an ihm. Er ging mit zusammengekniffenen 10 Lippen und stolzem Gesicht und schweigsam.

Wer hat diese Kinderfeste in Sankt Mariendonn mitgefeiert? Er sei Uhl oder Krey: er stehe auf und rede! Welches Haar leuchtete am meisten? Es war dunkel und wieder hell, je wie die Lichter fielen, und die Gestalt im weißen 15 Kleid war schön und schlank, und das Gesicht weiß und rot, als wenn ein Tropfen Blut in weißen Schnee fällt. Das war Lisbeth Junker. Und sie ging im Zuge vor Jürgen Uhl und sah sich zuweilen nach ihm um und lachte ihn an. Und er sagte: „Es sind ganz viel Lindenblüten in dein Haar 20 gefallen."

Wer ist die kleine Dunkle, die ganz Unruh und ausgelassenes Glück ist, ein wenig zu klein, ein wenig zu breit, ein wenig zu wild, ein wenig zu laut. Das ist Elsbe Uhl und ging vor Fiete Krey her, und sie sieht sich zuweilen nach 25 ihm um und lacht ihn an und nickt. Sie spricht aber heute nicht mit ihm; denn heute ist sie Bauerntochter. Und neben ihr geht als ihr Partner der große, stramme Harro Heinsen, einer von den Uhlen. Er ist schon vierzehn Jahre alt und verachtet das Kinderfest schon ein wenig und fängt jeden Satz mit den Worten an: „Wenn ich erst konfirmiert[1] bin!" Und 5 unterhält seine kleine Partnerin mit altkluger Rede.

Wer ging neben dem Zuge? Das war Lehrer Peters mit weißem Haar. Lang und hager und ernst. Wer ging am Wegrand unter den Linden? Das waren die großen Uhlen mit weinroten und festfrohen Gesichtern. Haben sie sonst 10 an ihren Frauen und Kindern und an ihrem eigenen Leben schwer gesündigt: da liegt kein geringes Verdienst: wenn sie sich selbst einen Festtag gönnten, so gönnten sie den Kindern auch einen. Wer ging an der anderen Seite am Wegrand? Das waren die Kreien, Männer und Frauen, 15 und alle stolz auf ihre Kinder.

So hielten sie den Einzug in das Festhaus. Voran die Kinder, dann die Uhlen, dann die Kreien.

Oben auf dem Kornboden, über den Ställen, tanzten die Kinder durcheinander, und die Mädchen waren wieder 20 ängstlich; denn seit zwanzig Jahren geht das Gerede, daß der Kornboden nur schwach ist und eines Tages einbrechen kann.

„Mit den Füßen geht es ... Ramms! Ramms!"° Es kracht an allen Ecken; Kalk fällt von der Wand.

Lisbeth Junker kommt mit ängstlichem Gesicht durch den 25 ganzen Saal auf Jörn Uhl zugelaufen: „Meinst du, Jürgen, daß wir einbrechen?"

„Ach was!" sagt er großartig. „Komm, laß uns 'mal tanzen."

Nun tanzen sie ganz lange zusammen und hören und sehen nichts anderes. Zuletzt wird ihnen so heiß, daß sie aufhalten.

„Nein," sagt sie, „wie ich heiß bin!"

„Nun will ich dir was zu trinken kaufen," sagt er. 5

Sie gehen Hand in Hand durch das Gedränge, wo Fritz Rapp hinter allerlei Gläsern steht, und er kauft eine Limonade, die sie zusammen austrinken. Sie drückt ihm dafür einige Pfefferminzbonbons in die Hand und ißt auch selbst davon. 10

Sie tanzten wieder miteinander, bis sie ganz müde war und hochatmend still stand und sich ein wenig an ihn lehnte. Das war immer der Höhepunkt der Freundschaft.

Er sah sie lieb und glücklich mit seinen stillen, klugen Augen an und sagte: „Magst du gern mit mir tanzen?" 15

„Ja," sagte sie, „die anderen kenne ich ja nicht so. Aber dich kenne ich, weil du immer bei Großvater zur Nachstunde kommst. Du bist der feinste und klügste von allen."

Er wurde ganz rot und sagte: „Du bist die feinste, das ist wahr." 20

„Sieh!" sagte sie. „Siehst du Elsbe? Elsbe ist so wild, das mag ich nicht leiden."

„Ja," sagte er, „mit Harro Heinsen. Es paßt mir gar nicht; darum mag ich dich so gern leiden, weil du immer so still und ordentlich bist." 25

So tanzen die Kinder miteinander, bis die erwachsene Jugend heraufkommt und sie allmählich verdrängt. Gegen zehn Uhr, als es schon dunkel ist, räumen die Kinder das Feld. Lisbeth ist schon mit ihrem Großvater fortgegangen. Jörn wendet sich an Fiete Krey. „Ich will nach Hause, wo ist Elsbe?“

5 „Wo wird sie sein?“ sagt Fiete zornig. „Sie hat sich mit Harro Heinsen fortgeschlichen.“

Sie gehen durch die Kegelbahn bis an den Eingang des nachtdunklen Gartens und rufen ihren Namen; aber es bleibt alles still.

10 Da sagt Fiete Krey leise, aber deutlich: „Wenn du nicht gleich kommst, dann sage ich laut, daß du mit Harro Heinsen im Garten bist.“

Da hört man schleichende Schritte, und gleich darauf erscheint Elsbe und sagt nachlässig: „Seid ihr da? Ich 15 hörte etwas rufen.“

„Ja, wir sind hier, und du sollst jetzt sofort mit uns nach Hause kommen.“

Da kam Harro Heinsen zwischen den Bäumen hervor: „Wir kommen Sonntagnachmittag nach Ringelshörn!“ sagt 20 er drohend. „Dann sollt ihr Kreien wieder 'mal die Haue haben, die ihr euch heute verdient habt.“

Er drohte noch einmal zurück und sagte: „Verwahre den Ring gut!“ Dann verschwand er im Hause, und die Drei machten sich auf den Weg nach Hause.

25 „Er hat dir einen Ring gegeben?“ fragte Fiete Krey.

„So'n dummer Junge! Schenkt dir einen Ring! Was willst du mit einem Ring? Wenn er dir noch ein paar

Karnickel° geschenkt hätte! Du, lüttje Witte, hast du meine beiden jungen Karnickel gesehen? Weißt du, die blaugrauen?"

Da läuft sie in ihrer Angst an Jörns Seite: „Du, Fiete will schon wieder einen Handel machen."

4. Kapitel

Wieten Penn rief laut über den Hof: „Die Kinder wollen schon wieder zu Thieß Thiessen." 5

Klaus Uhl, der im Wagen saß, um in die Stadt zu fahren, wie er jeden Nachmittag tat, lachte und sagte: „Laß sie laufen, wohin sie wollen! Wenn sie lieber im mageren Moor hausen als in der fetten Marsch, dann halt sie nicht auf, 10 Wieten."

„Ihr könnt doch wenigstens so lange warten, bis ich Brot für euch zurechtgemacht habe."

Sie traten von einem Fuß auf den anderen, so ungeduldig waren sie. Nun kam Wieten mit dem Brot. 15

„Fiete!" sagte sie, „komm 'mal her!" Er trat an sie heran, und sie hob die geballte Hand und sagte leiser: „Du nimmst dich in acht und lügst den Kindern nichts vor!" Dann steckte sie Jörn das Brot in die Tasche. „Du bist der vernünftigste, Jörn. Wenn ihr ankommt, sagst du gleich zu 20 Thieß, daß er nicht so viel Dummheiten mit euch macht und euch zur rechten Zeit wieder auf den Heimweg schickt."

„So!" sagte Fiete. „Nun geht es endlich los!" Er steckte zwei Finger in den Mund und tat einen gellenden Pfiff zu

den beiden Mädchen hin, die schon nach Ringelshörn zu hinaufgingen. Und die eine von den beiden Mädchen sah sich um und winkte, und das war Elsbe Uhl. Aber die andere kletterte ruhig weiter und achtete darauf, daß ihr
5 Kleid nicht schmutzig wurde, und das war Lisbeth Junker.

Sie ging mit den anderen Kindern in die Schule; sie hielt sich aber etwas gesondert und sprach hochdeutsch. Es war Fiete Krey nicht recht, daß sie mitging. „Sie ist zu sipp,“[1] sagte er. „Wenn ich 'mal ein grobes Wort sage, dann piept
10 sie gleich: ‚O, Fiete, was sagst du da?‘ Sie ist immer bange, daß ihre Hände schmutzig werden oder ihr Haar sich vertesselt.“

Aber Jörn hatte sie gern und wollte, daß sie mitginge. Sie war etwas jünger als Elsbe und war immer gleich in Not. Dann bat sie ihn mit hoher, feiner Stimme um Hilfe:
15 „Jörn, willst du mir helfen?“ Und das war wohl der Hauptgrund, daß er sie gern hatte.

„So,“ sagte Elsbe, als die Jungen oben auf der Heide angekommen waren, „nun man zu! Wohin nun, Fiete?“

„Immer der Nase nach!“ sagte Fiete Krey. „Wir wollen
20 auf den Baum da zugehen.“ Und er deutete auf einen Baum ganz fern am Horizont.

Das Haus, in dem Thieß Thiessen fast sein ganzes Leben zugebracht hatte, und der Kopf, den Thieß Thiessen auf den Schultern trug, hatten eine unzweifelhafte Ähnlichkeit mit-
25 einander. Das Haus Thieß Thiessens war lang und schmal; das hohe, dunkle Strohdach hing über die kleinen, blinkernden Fenster tief herab; vorne war ein kleiner, waghalsiger Giebel.

Der Kopf Thieß Thiessens war sehr lang und schmal, und das lange, dunkle Haar hing tief über Ohren und Stirn hinab bis an die blanken, blinkernden Augen; seine Nase war klein und wenn nicht waghalsig, doch kühn; eine feine, geschwungene Nase in einem kleinen, verwitterten und ver- 5 trockneten Webergesicht.

Elsbe sagte es oft zu ihm: „Du hast gerade so'n Kopf wie dein Haus."

„Kann wohl nicht anders sein," sagte er dann. „Wir sind nun schon über vierzig Jahre beieinander, das Haus 10 und ich, und immer allein."[1]

Dicht aneinander gerückt saßen sie um den runden Tisch in diesem selben großen Zimmer mit den weißen Kacheln an den Wänden.

„Kinder!" sagte er, „über die Heide gehen und dann 15 Dithmarscher Mehlbeutel mit Schweinskopf essen, das ist das Beste in der Welt." Er nickte ihnen zu und legte das erste Stück auf Elsbes Teller.

„So?" sagte Elsbe, „das Beste in der Welt? Das weiß Lehrer Peters doch wohl besser, mein Junge! ‚Das Beste in 20 der Welt,' sagt er, ‚ist die Liebe,'[2] und das glaube ich auch."

Thieß hielt die Gabel auf halbem Wege still. Er riß die kleinen Augen auf, und die Augenbrauen verschwanden unter dem Stirnhaar. Er dachte: Genau so sagte deine Mutter auch. Die sprach auch schon mit zwölf Jahren von 25 Liebe. Die Liebe ist ihr teuer zu stehen gekommen ... „Die Liebe?" sagte er, „zu wem?"

Sie hatte wohl nichts Bestimmtes gedacht. Aber flink, wie sie war, sagte sie: „Die Liebe zu Gott."

Nun war er geschlagen. „Ja," sagte er und wiegte den Kopf hin und her: „Ich glaube, Elsbe, damit kannst du
5 nicht recht was anfangen. Liebe zu Gott? Wie willst du das machen? Wenn er hier neben dir säße!"...

„Was das heißt?" sagte Elsbe. „Wir sollen alles das lieben, was gut ist. Das heißt es."

„Dieser Schweinskopf ist gut, Elsbe," sagte er. „Ich bin
10 ganz mit dir einverstanden." Seine Augen sind wie kleine, reine, blanke Fenster in der hellen Morgensonne. „Jörn," sagte er, „sage du, was du meinst. Fiete Krey schweigt, weil ihn nichts anderes interessiert, als Schweinsköpfe, Heidebesen und alte, Steine werfende Weiber. Aber du, Jörn, bist ein
15 Grübler. Du bist ein Grübler, Jörn. Rede, Jörn!"

„Das Beste in der Welt ist die Arbeit," sagte Jörn, „weißt du das?"

Thieß ließ die Gabel sinken und sah bedrückt vor sich hin. „Jürgen Uhl!" sagte er, „alles hatte ich erwartet: das nicht.
20 Die Arbeit?... Was steht in der Bibel auf dem zweiten Blatt, nachdem sie aus dem Paradies vertrieben sind? Wie heißt das Wort, das hinter den beiden armen Menschen dreinfährt wie Hagelwetter? Im Schweiße deines Angesichts sollst du dein Brot essen![1] Ist das ein Segen Jörn,
25 oder ein Fluch? Die Arbeit, Jörn? Die Arbeit ist ein Fluch, Jörn. Und du nennst sie das Beste in der Welt? Ich habe Zeit meines Lebens nichts heißer gewünscht, als

daß ich auf den Pesander-Inseln[1] oder auf Suruaci[2] im Molukkenmeer[3] geboren wäre, wo das Arbeiten einfach verboten ist. Verboten, Jörn! Weil da sonst nämlich zu viel Bananen wachsen! Und ich danke Gott alle Tage, daß ich den Heeshof habe und also so ziemlich unter dem Fluch 5 heraus bin; bloß in der Heuernte und wenn wir Torf backen, da muß ich mit 'ran. Und du sagst: Die Arbeit ist das Beste in der Welt!"

Da schwiegen sie alle, da er ihnen so die Bibel an den Kopf warf. 10

Aber nun wurde Thieß Thiessen waghalsig und ging vom festen Grund in das Moorige. „Kinder," sagte er, „ich lese, so lange ich denken kann, die ‚Itzehoer Nachrichten.'[4] Wißt ihr, worauf ich jedesmal neugierig bin, jedesmal, wenn Peter Siemsen um die Ecke kommt, die Türe aufreißt und sagt: 15 Die Itzehoer? Daß die Arbeit weniger wird! Daß die Arbeit ganz aufhört! Daß wir alle aus dem Fluch herauskommen! So."

„So!" sagte Jörn und legte die Faust auf den Tisch. „Das wird eine schöne Geschichte! Nun erzähle man weiter!" 20

„Was ist schon alles erfunden worden! Und jede Erfindung hat die Arbeit weniger gemacht. Die Spinnmaschine! Ich sehe meine alte Mutter noch, wie sie den ganzen langen Wintertag hinter dem Spinnrade saß. Die Dreschmaschine! Ich sage euch: in die Erde hinein haben wir die Diele geschlagen, ich 25 und Klaus Suhm. Jetzt kommt die Maschine, einen Tag lang, und alles Korn ist gedroschen und gesichtet! Und die

Eisenbahnen, und die Telegraphen! Früher hieß es: ‚Wo sind meine Schmierstiefel, Lise? Spann den Wagen an, Krischan!‘ Und nun will ich euch was sagen: Weniger wird die Arbeit. Klaus Suhm stand im Winter um zwei Uhr 5 auf und klopfte um drei Uhr an mein Fenster. Wo geschieht das jetzt? Aber wundern tut's mich, ich kann nicht sagen wie sehr, daß die Arbeit nicht noch viel weniger geworden ist und bald ausstirbt."

„Na? Und was denn?" sagte Jörn und beugte sich über 10 den Tisch. „Wenn sie nun weniger wird? Was willst du dann in der freien Zeit tun?"

„Das kann jeder nach Belieben einrichten," sagte Thieß Thiessen. „Ich, für meinen Teil, bin für einen langen Schlaf im Schatten eines Torfbergs."

15 „So," sagte Jörn. „Und andere," sagte er, „andere" — er wurde ein wenig verlegen —, „die werden den ganzen Tag im Wirtshause liegen." — Er schüttelte den hellen Kopf. „Du bist überhaupt zu dumm. Meinst du, daß Adam und Eva vor dem Fall nicht gearbeitet haben? ‚Sie haben den Garten 20 Eden gepflegt,‘ steht da, und haben miteinander gespielt. Wir würden auch arbeiten und schön miteinander spielen, nicht Lisbeth? Aber nun sind viele unartig und schlecht. Und darum müssen wir in die Schule gehen und, wenn wir groß sind, in die Arbeit. Und d u, du solltest man hingehen und 25 den braunen Wallach umkoppeln:° Da oben an den Tannen hat er kein Gras mehr."

Die kleine Lisbeth hatte während der Unterhaltung, die sie

nicht verstand, Jörn fortwährend mit spitzem Finger an die Schulter getippt: „Seht 'mal seine Augen!" sagte sie. „Sie sitzen wie Füchse in ihren Löchern und lauern, und die Haare stehen ihm zu Berge wie einem Igel." Und sie sprang rasch von hinten auf ihn zu und legte ihren Kopf an den seinen. 5
Und ihre Haare waren gleich hell.

„So!" sagte Elsbe. „Nun seid still. Ich mag die Rederei nicht mehr hören."[1]

5. Kapitel

Klaus Uhl hatte immer davon herumgeredet, daß sein Jüngster ein Gelehrter werden sollte. „Jörn soll studieren," 10
sagte er, „daß ist selbstverständlich." Und wenn er so in halber Trunkenheit in bester Laune war und zu prahlen anfing, dann kam wieder der alte großartige Gedanke. „Landvogt soll er werden," sagte er. Dann lachten die Bauern und die Händler, die mit ihm am Tische saßen, und sagten: „Er soll ein Kerl 15
werden, wie Landvogt Lornsen von Sylt. Solch ein Kerl soll er werden! Prosit, wir trinken auf Jörn Uhl, den Landvogt."

So war das Wort wieder und wieder gefallen; und es war eine Ehrensache für Klaus Uhl geworden. Aber obgleich er 20
am Biertisch in der Stadt zuweilen Lehrer von der Lateinschule traf, fragte er sie doch nicht um Rat und Wegweisung. Denn er war in seinem Gewissen unsicher. Er fürchtete, zu hören, daß ein sehr kluger Kopf dazu nötig wäre, daß der Junge schon

Ostern auf die Schule müsse, oder daß es sonstige unangenehme Fragen zu entscheiden gäbe. Er mochte sich in seinem gemächlichen Leben und Treiben nicht stören lassen. Er sprach nur einmal so zufällig und gelegentlich mit Lehrer Peters, so mit
5 echter bäuerlicher Gleichgültigkeit. Und als der sagte, daß er den Jungen gern ein wenig extra unterrichten und auf das Gymnasium[1] vorbereiten wollte, nahm er das an und war froh, daß er vorläufig keine unangenehmen Gänge zu tun brauchte.

10 Also saß Jürgen neben dem alten Lehrer Peters im Sofa, und sein Haar war hell, kurz geschoren und stand steil auf; und seine tiefliegenden Augen sahen wieder wie Füchse aus ihren Höhlen in das englische Buch hinein und rissen die Weisheit an sich, die darin stand. Lehrer Peters hatte nämlich die
15 Meinung,[2] daß die Kenntnis des Englischen die erste Stufe zu allem Wissen und zu aller großen Bedeutung in der Welt wäre. Zuweilen, wenn Zeit übrig war, trieben sie auch ein wenig Latein; aber das gaben sie bald wieder auf.

Es war ein schöner Sommertag; die weiße Dorfstraße lag
20 still und leuchtend zwischen den grünen Bäumen. Die Linden am nahen Straßenrand überschatteten die Fenster. Die Stube war voll dunkelrotem, heimlichen Licht.

„Jürgen!“ sagte der Alte. „Ich muß rasch ’mal sehen, was die Bienen machen. Übersetze still weiter; ich komme gleich
25 wieder.“

Jürgen übersetzte weiter. Eine Biene kam durchs offene Fenster herein, summte durchs Zimmer, merkte, daß sie sich ganz und gar verirrt hatte, summte zorniger und flog wieder hinaus und nahm des Jungen Gedanken mit, daß er eine Weile in Träumen aus dem Fenster sah.

Er sah mit neugierigen Augen in die Welt und hatte eine wachsende Liebe zu den Büchern,[1] besonders zu solchen, welche eine feste, klare Erkenntnis überliefern, später auch wohl zu solchen, die nüchterne, bedächtige Grübeleien° enthielten. Er sagte damals zu Fiete: „Ich will die ganze Welt verstehen." Und er hat in seinem Leben wirklich ein gut Teil verstanden. Fiete Krey sagte: „Hunderttausend Taler will ich haben, dann will ich mir die Uhl kaufen und darin wohnen, bis ich tot bin." Nun waren sie beide dabei, ihre Wünsche ins Wirkliche zu bringen. Fiete Krey, der konfirmiert war und sich auf der Uhl als Dienstjunge vermietet hatte, riß den Pferden im Stall Haare aus den Schwänzen und verkaufte sie für gutes Geld und trieb nebenbei einen kleinen, selbständigen Handel mit Striegeln und Peitschenschmicken.° Jürgen Uhl aber saß über dem englischen Buch und wunderte sich, daß es Menschen gab, die eine so sonderbare Sprache hatten.

Die Fenster standen offen, und die Vögel sangen in den Linden, und die Bienen summten in der goldigen, dämmerigen Luft, die sichtbar zwischen den Linden und dem Fenster stand.

Da kamen lange, leise Schritte unter der Hauswand entlang, und der helle, schmale Kopf von Lisbeth Junker erschien im Fenster: „Da sitzt du!" sagte sie, „komm heraus."

„Was tust du? Angelst du?"

„Ich habe schon zehn große, dicke Kerle. Eben haben sie

den Wurm abgebissen. Komm heraus! Großvater hat dich schon lange vergessen."

„Wie sieht dein Haar aus!" sagte er.

„Was denn? Rauh, nicht?" Sie wunderte sich, daß er etwas an ihr zu tadeln hatte. Aber mit einem Male verstand sie ihn: „Ach, du meinst: so blank von der Sonne?" Sie drehte den Kopf rasch um: „Siehst du? Da geht ein kleiner Strahl durch die Linde, gerade auf meinen Kopf los, als wenn er mich schießen will. Siehst du? Aber rauh ist es sicher auch; ich bin nun schon dreimal durch den Zaun gekrochen und habe hier ins Fenster gesehen."

„Ich dachte, du wärst durch die Sonne gekrochen."

„Komm man ruhig heraus!" sagte sie. „Das Bißchen lernst du noch leicht; so schwer kann es nicht sein, Landvogt zu werden."

Da ließ er das Buch und kam zu ihr heraus.

Er war ihr immer gern zu Diensten und konnte ihr keine Bitte abschlagen; denn sie erschien ihm so fein und vornehm und die Klugkeit selber. Er verkehrte freundlich und vorsichtig mit ihr, wie ein kluger und guter Mensch immer tut, wenn ein noch Besserer sein Kamerad wird. Er war so ängstlich besorgt, ihr zu mißfallen, daß er noch nicht wieder gewagt hatte, Heintüüt[1] zu ihr zu sagen, obgleich es ihm immer wieder als etwas besonders Liebliches auffiel, daß sie eine so volle, helle Stimme hatte, wie von reinem Silber. Es herrschte damals unter den Kindern im Dorfe ein ziemlich lauter und gewöhnlicher Ton, und im Hause des Vaters hörte er viel

Rohes. Es war sein besonderes Glück, daß er in gefährlichen Jahren mit diesem Kinde zusammengeführt wurde, das alles Gute und Feine in ihm wachhielt und stärkte.[1]

Durch den Zaun krochen sie an den Teich. Er war bei seinen dreizehn Jahren eigentlich schon über das Stichlingfangen hinaus: aber sie sagte immer alles so selbstverständlich, daß er nicht nein sagen konnte. Auch war er immer glücklich, wenn er tat, was ihr gefiel. Und alles, was ihr gefiel, und um was sie ihn bat, konnte er tun. Wenn das Begehrte auch zuweilen ein wenig unter seiner Knabenwürde war, so war es doch nie unverständlich. Elsbe verlangte zuweilen Unverständliches.

Sie saßen beieinander im Grase unterm Busch und sprachen leise. Sie erkundigte sich nach Elsbe und Fiete. „Du, was will Fiete werden? Will er auch Handelsmann werden, wie sein Vater und die anderen Kreien?"

„Nein, das will er nicht."

„Was denn?"

„Ja, manchmal will er nach Kalifornien und Gold graben, und manchmal will er Kutscher werden . . . beim Landvogt, glaube ich."

„Ach so, bei dir! Das soll er man lieber tun, als das Gold graben . . . Es ist furchtbar warm heute."

Sie schwieg eine lange Zeit. Die Sonne schien; die Vögel sangen, und allmählich, langsam, sank ihr Angelstock tiefer, ihr Kopf neigte sich im kommenden Schlaf auf seine Schulter.

Es war alles wie verhext und verwunschen.° Als wenn das nicht wirkliche Häuser waren, deren Mauern und Türen hier

und da zwischen den Linden durchsahen, und nicht wirkliche Linden mit satten, vollgrünen, stillen Blättern, sondern als wenn Häuser und Bäume und der Spiegel des Teiches und die Kinder am Teiche und ihre Angelstöcke, als wenn das alles fein sauber
5 und klar hingemalt wäre, und man müßte mäuschenstill darin sitzen, weil es doch nicht Brauch ist, daß im Bilde sich etwas bewegt. Und das ganze Bild war sauber gemalt, mit großer Liebe, ein wenig simpel ehrbar[1] und ein wenig derb fruchtbar,[2] und hing in Gottes bester Stube.

10 Der Angelstock lag ganz im Wasser, und das Mädchen lag an seiner Schulter, und der Knabe sah mit seinen tiefen Augen in das Bild, zu dem er selbst gehörte, und fühlte das Haar an seiner Wange und das leichte, schöne Atmen und rührte sich nicht.

15 Von fern her kam immer näher ein leichter Wagen die Dorfstraße entlang und hielt auf der Straße vor dem Schulhause. Dadurch wurde das verschlafene Mädchen wieder munter. Lehrer Peters kam eilig aus der Tiefe des Gartens und trat verwundert an einen gebeugten, grauköpfigen Mann heran, der
20 schon an der Gartenpforte stand, und sagte: „Wollen Sie ins Haus kommen, Herr Landvogt?"

„Wir wollen im Garten bleiben," sagte der Landrat,[3] „und wollen hier ein wenig hin und her gehen. Meine Frau schickt mich, sie möchte wieder Winteräpfel von Ihnen haben."

25 Sie sprachen noch eine Weile über diese Sache; dann fiel der Landrat plötzlich aus dem Plauderton und sagte leise und langsam: „Ich komme noch zu einem anderen Zweck. Ich kenne

Sie schon viele Jahre und weiß, daß Sie ein gutes Urteil über Menschen und Dinge haben. Sie haben die Bedächtigkeit im Urteil, die derjenige zu haben pflegt, der von Haus aus eine nüchterne, ruhige Natur ist und mitten im Volke seinem Beruf nachging und im Laufe der Jahre sich manche Erfahrung und 5 etwas Vermögen erwarb." Er lächelte ein wenig: „Das letztere halte ich nicht für unwichtig," sagte er. „Ich möchte über volkswirtschaftliche° Dinge nicht den Rat eines Mannes hören, der nicht etwas selbstkondensierten Fleiß, d. h. Geld, auf Zinsen hat. Ich möchte Sie über die hiesigen Marschbauern befra- 10 gen: über die Uhlen."

Der Alte, erregt durch die Ehre, die ihm widerfuhr, und erfreut, daß er vielleicht ein gutes Werk tun könnte, gab mit verhaltener Stimme Auskunft: „Klaus Uhl ist der schlimmste, der Tonangeber° und der Verderber vieler anderer. Bei wohl- 15 wollender und friedlicher Natur ist er ein Narr vor Hochmut.[1] Die Kinder auf dem Spielplatz machen ihm den Blick nach, wie er die kleinen Leute von unten bis oben ansieht. ‚Tu' man nicht wie Klaus Uhl,' sagen sie, wenn einer stolz ist. Und es wird erzählt, daß er kleinen Leuten den Lohn nie anders als aus der 20 Westentasche bezahlt, selbst wenn es Hunderte von Marken sind."

Die beiden gingen den Steig am Hause hinunter, sprachen weiter und kamen wieder herauf.

„Was kann auf den Höfen geschafft werden, wenn die Be- 25 sitzer so leben?[2] Alles wird lässig betrieben. Die Leute verschlafen die Zeit, die Tiere werden vernachlässigt, der Acker verarmt. Das Schlimmste aber ist, daß die heranwachsenden Kinder das wüste Leben der Eltern sehen, und die ganze lottrige° Wirtschaft für in Ordnung halten und so ins Elend laufen wie die nüchternen° Kälber gegen die Wand."

5 „Und die Frauen? Das möcht' ich wissen."

„Was die sagen? Wir haben einige, die treiben ihre Männer an, wenn sie ein wenig schläfrig werden, daß sie wieder ins wilde Treiben° hineinkommen, und machen alles mit. Da ist eine Frau, Mutter von acht Kindern, welche mir ins Gesicht 10 hinein gesagt hat, daß sie in der letzten Woche siebenmal, Abend für Abend, bis an den Morgen, in Gesellschaften gewesen ist, und ich kenne eine andere, welche über ihre Hofstelle fuhr und ihr sechsjähriges Kind zu sich auf den Wagen heben ließ und, indem sie ihre grobe Prahlerei unter Bedauern verbarg, 15 in Gegenwart des Hofarbeiters sagte: ‚Ich habe das kleine Wurm in acht Tagen nicht gesehen; morgens, wenn ich aufstehe ist es schon in die Schule gegangen, und abends, wenn es wiederkommt, ist die Mutter schon wieder ausgeflogen. Aber, was soll man tun? Eine Einladung folgt der anderen.' Das 20 wissen Sie ja auch, Herr Landvogt: wenn die Frauen unklug werden, dann werden sie es gleich ganz. Andere Frauen freilich sitzen still und vergrämt° im Hause, tun ihre Arbeit, sorgen für den Hof und machen sich um die Zukunft bittere Sorge."

„Nun sagen Sie noch eins! Ich kann es ja leider nicht 25 hindern, daß ein Mensch sich und die Seinen von Haus und Hof ins Elend bringt. Aber ich habe unter der Hand erfahren, daß, gleichsam von dem Geruch dieses Kirchspiels angelockt, sich zweifelhafte Geldleute oder Agenten hier sehen lassen und zu Ultimospielen[1] verleiten wollen."

Der Alte sah bedächtig auf den Steig. „Ich erinnere mich jetzt, daß Klaus Uhl in unserer letzten Sparkassensitzung[2] mit Karsten Rievert über allerlei Papiere[3] sprach und das Wort 5 ‚Ultimo' dabei genannt wurde. Was ist denn das, Herr Landvogt? Ultimo?"

„Ja . . . wenn ein Bauer anfängt, mit Geld zu spekulieren, dann verliert er sein Geld, nicht?"

„Ja . . . immer! Jochen Mill verlor in drei Wochen seine 10 ganzen 150 000 Mark."

„Na, sehen Sie! Und wenn nun einer, ‚Ultimo' spielt, dann kann er nachher ganz genau sagen, wann er sein Geld verloren hat. Das ist der ganze Unterschied."

„Kommen Sie," sagte der Landrat. „Nun wollen wir in 15 den Garten gehen und eine reine Freude haben."

„Gibt es nicht, Herr Landvogt. Die Raupen vom Blattwickler° tun der Apfelernte viel Schaden."

„Nun . . . doch beruhigt es," sagte der Landrat, „von dem Irren der Menschen weg zur Natur[4] zu gehen und zu sehen, 20 wie sie leidet und kämpft, tapfer und ohne Lärmen, wie ein frisches, ehrliches Menschenkind sich durchkämpft bis ans Grab."

Sie gingen in den Garten hinab.

„So!" sagte der Junge und legte den Angelstock hin. „Nun will ich wieder in die Stube gehen und lernen. Es ist da eine 25 furchtbar schwere Stelle in dem englischen Stück."

Er drängte sich wieder durch den Busch und ging ins Zimmer und sah wieder ins Buch. Bald darauf fuhr der Wagen davon, und der Alte kam wieder herein.

„Du bist noch hier?“ sagte er. „Bist du immer hier gewesen? Bei dem offenen Fenster?“

„Nein; ich habe bei Lisbeth gesessen.“

„Wo denn?“

„Unten am Teich. Wir haben Stichlinge gefangen.“

„So! So!“ ... Er ging hin und her und sah aus dem Fenster und kam wieder zurück: „Na, denn man zu! Weißt du was? Ein Junge muß schweigen können, sonst wird er niemals ein ordentlicher Kerl.“

„Ich kann auch schweigen,“ sagte Jörn Uhl, und sah hart und lang vor sich hin.

„Na! ... Weil es mir gerade einfällt, so will ich dir 'mal was erzählen; es kann dir nicht schaden ... Sieh 'mal: Alte Leute, die nun schon lange schlafen, haben mir in meinen jungen Tagen erzählt, daß dein Urgroßvater mit einem mächtigen Klüverstaken[1] über die Gräben sprang und querfeldein ins Dorf zur Kirche gekommen sei; er ist ein langer, hagerer, gebückter Mann gewesen und hat nach der damaligen Sitte einen hohen, schwarzen Hut getragen. Bei diesem Jörn Uhl, deinem Urgroßvater, ist der damalige König zwei Tage zu Gast gewesen. Weißt du das?“

„Ja, das hat Wieten mir erzählt.“

„So! Dein Vater nicht? Nun: der König und Jörn Uhl sind bis in die Nacht allein miteinander in der Stube gewesen und haben über die Zustände der Landschaft gesprochen, und

Jörn Uhl soll sehr harte Worte gesagt haben. ‚Uhl!' hat der König gesagt: ‚Er vergißt, daß Er mit dem Landesvater redet!' Jörn Uhl aber hat laut geantwortet: ‚Wenn Sie Landesvater wären, würden Sie solche Betrügereien entdecken und so schlechte Beamte nicht dulden.' Der König hat sich gewehrt: ‚Das 5 Königreich ist zu groß, Uhl! Ich kann nicht alles übersehen.' Aber der Alte hat gesagt: ‚Die Sommerdeiche sind auch groß, und doch kenne ich jeden Wasserzug und jeden Ochsen, der da grast.'

„Kurz und gut: Am anderen Tage ist im landschaftlichen Haus Revision und Gericht[1] gewesen, und drei Kirchspielvögte[2] 10 der Landschaft, die ihr Amt gebraucht hatten, um reich zu werden, sind mit Schimpf aus dem Amte gejagt worden. Dein Urgroßvater aber hat Obervollmacht° bekommen und hat bei Gelegenheit dieses Besuches den König zu neuen Deichbauten° überredet, und hat dem König, der dazu kein Geld hatte, drei- 15 ßigtausend Taler vorgestreckt. Das ist alles so geschehen, wie ich gesagt habe.

„Nach einigen Jahren, als dieser fleißige und tüchtige König gestorben war, ist ein anderer ans Ruder gekommen, der sich um seine Pflicht nicht viel gekümmert hat. Da ist der Staat 20 zurückgekommen; es ist noch dazu ein langer Krieg entstanden. So ist es gekommen, daß dein Urgroßvater keine Zinsen bekam und bald gemerkt hat — denn er war ein aufmerksamer, schlauer Mann —, daß das ganze Kapital in Gefahr war. Da ist er, kurz entschlossen, nach der Hauptstadt gereist. 25

„Nun weiß ich nicht, wie die Geschichte wirklich und genau verlaufen ist; ich kann es nur wiedergeben, wie hiesige alte Leute

es zu erzählen pflegten. Dein Urgroßvater, damals schon weißhaarig, geht also in des Königs Schloß und bittet höflich um eine Unterredung. Als der Diener ihn so von oben ansieht und sagt, der König wäre nicht zu sprechen, da sagt er: ‚Jörn
5 Uhl von Wentorf wäre da. Das solle er melden.‘ Als der Diener dennoch nicht springen will, tut der Alte ein paar rasche Züge aus seiner Meerschaumpfeife und hebt den Kälberstaken,° den er als Handstock oft bei sich hatte, und kommt richtig bis vor das Zimmer des Königs, wird angemeldet, stellt Stock
10 und Pfeife in die Ecke und will hineingehen. Da kommt der König in einem kunterbunten Schlafrock auf ihn zu und hat einen großen, blanken Ordenstern in der erhobenen Hand und lächelt freundlich. Aber im selben Augenblick hat Jörn Uhl sich umgedreht und hat seine Sachen von der Erde aufgerissen.
15 Und als der König ihm doch nachkommt, hält er abwehrend die Pfeife und den Kälberstaken hoch und ruft: ‚Orden und kein Geld? Orden und kein Geld?‘ und macht, daß er die Treppe hinunterkommt. Und geht zu den Ministern. Er hat zwar ziemlich viel verloren; denn der ganze Staat machte Bankerott;
20 aber er hat lange nicht so viel eingebüßt als die anderen.

„Sein Sohn dann, dein Großvater . . . Ja! . . . Der war ein gutmütiger, freundlicher Mann! Aber das, Jürgen, das war auch rein alles, was man von ihm sagen kann! Und das ist wenig, Jürgen. Es ist schlimm, mein Junge, wenn man
25 von einem Manne nicht mehr sagen kann, als daß er gutmütig gewesen sei. So weich und leicht, wie er redete, so weich und leicht pflügte er auch. Ich habe ihn noch gut gekannt.

„Na ... und dann bekam dein Vater den Hof. Dein Vater ...“

Der Knabe sah auf und sah dem Alten trotzig in die Augen, als wollte er sagen: „Ich weiß wohl, was du sagen wirst. Ich will dir aber nicht zeigen, daß ich glaube, was du sagst.“ 5

Da verstummte der Alte, als er den Blick sah, und fuhr mit allen fünf Fingern durch den Bart, als wollte er das alte Grauwerk auf die Brust herabreißen, und sagte in wieder angenommenem steifen und lauten Lehrerton: „Was sagt der große Dichter Goethe, der Herold dieses Jahrhunderts, in dem wir 10 leben? „Was du ererbt von deinen Vätern hast: e r w i r b es, um es zu besitzen!‘[1] ... Nun geh, Jürgen! Ich muß in die Sparkassensitzung.“

* * *

Früh am anderen Morgen, als die Sterne eben vom blaugrauen Himmel verschwunden waren, stand der Junge auf und 15 ging pfeifend und singend und mit den Türen schlagend durch das ganze Vorderhaus und kam in den Stall. Wieten stand mit den Milcheimern im Gang. „Jung’,“ sagte sie. „Was ist dir eingefallen, die Uhr ist noch nicht vier?“

Er lachte und tat ganz harmlos und sagte, er hätte nicht 20 mehr liegen mögen, es wäre ihm so heiß gewesen. „Wo ist Fiete?“ sagte er.

„Den habe ich glücklich herausgebracht,“ sagte sie. „Über den habe ich noch Gewalt.“

Er ging laut pfeifend die Diele auf und ab und kam wieder 25 zu Wieten Penn in den Stall und fragte nach den Mädchen.

Da ging er nach dem Verbindungsgang° und warf im Vorbeigehen einige Holzstücke, die da an der Küchentüre lagen, gegen die Tür der Mädchenkammer und sang und pfiff, daß seine frische Jungenstimme hell durch das morgenstille Haus klang. Wie der erste Vogel im Garten am frühen Morgen stolz auf sein Lied und zugleich schüchtern ist, so sang er.

Am Nachmittage, als der Vater nach seiner Gewohnheit in die Stadt fahren wollte, bot Jörn sich an, die Pferde anzuschirren und vor der Haustür vorzufahren. Als er alles flink und richtig besorgt hatte und ganz flott mit den beiden schmucken, braunen Pferden um die Hausecke getrabt war, stieg er wieder ab und stand vor den Pferden und hielt das Handpferd am Zügel und tippte ihm auf die Nase und summte jedesmal dazu: „Ultimo ist Unsinn."

Klaus Uhl hörte es auf der Diele und sagte: „Hörst du den Duckmäuser, Wieten? Was fällt dem ein?" und er lachte.

„Er hat schon den ganzen Morgen gesungen," sagte sie.

Er sang unterdessen unverdrossen fort: „Ultimo ist Unsinn."

„Was singst du da?" sagte Klaus Uhl.

„O," sagte er gleichmütig. „Der Landrat war gestern bei Lehrer Peters, und ich hörte zufällig: ‚Alle, die Ultimo spielen, die machen Bankerott.'"

„Na nu?" ... Er stieg in den Wagen und lachte herzlich: „Junge, Jörn!" sagte er. „Denn spiel' doch man ja nicht Ultimo."

Der Junge lachte hell auf, und der Vater fuhr davon. Man

hörte noch sein herzliches und frohes Lachen, das so recht voll und leicht aus der Brust herauskam.

Obgleich er in dieser Zeit hoch aufschoß und ihm das Aufstehen so schwer wurde, ließ er sich doch jeden Morgen von Fiete Krey wecken, ging, wie von ungefähr, durch Küche, Stall 5 und Felder und wurde den anderen zum unruhigen, wandernden Gewissen.

Als einmal zwei Pferdehändler im Stalle standen und in Abwesenheit des Vaters mit August, dem ältesten Bruder, handelten, stand er dabei und wich nicht. Da sagte der eine 10 von den Händlern: „Du, Junge, gehe doch 'mal nach der Hofstelle und sieh zu, ob unser Gespann ruhig steht." Da ging er. Nachher sagte dieser zum anderen: „Merkwürdig, die Augen des Jungen störten mich. Als wenn ich ein Pferdedieb wäre: so sah er mich an." Der andere lachte: „Mir kam 15 es auch kurios vor. Er hielt uns mit den Augen fest. Ich mußte immer nach ihm hinsehen. Paß' auf, das ist der einzige von Klaus Uhls Kindern, aus dem etwas wird. Der ist ein Wietkieker."°

Als die Brüder eines Tages einem Aufkäufer° einige Fuder 20 Heu hinwogen, stand er wieder dabei und mäkelte° zuletzt an dem Gewicht. „Er bekommt zu viel!" sagte er. Die Brüder, die betrunken waren, und der Aufkäufer, der ein kluger Spaßmacher war, lachten. Als der Aufkäufer aber merkte, daß es dem Jungen mit seinem Mäkeln ernst war, beklagte er sich mit 25 würdigen Worten, er könne sich solche Bemerkungen nicht gefallen lassen, am wenigsten von einem grünen Jungen; es sei ihm so etwas noch nicht widerfahren. Da flammten die Brüder auf und jagten ihn mit den Forken aus der Scheune. Er ging aufs Feld und ging stundenlang neben Fiete Krey her, der pflügte.

5 Als es Herbst wurde, hatte Elsbe zusammen mit Lisbeth Junker bei der alten Großmutter Peters Nähschule und ein wenig Französisch. Elsbe Uhl, die ihrer Mutter das Leben gekostet hatte, war voll überstarker Lebenslust, wie man oft bei solchen Menschen findet, die, von großen und starken Eltern 10 geboren, kurz von Statur geblieben sind. Sie war für ihre elf Jahre klein; aber sie hatte Saft und Kraft und war dabei rank wie eine junge Esche. Die älteren Brüder übersahen sie vollständig; sie war aber mit Jürgen und mit Fiete Krey ein Herz und eine Seele.

15 Es war gut für das starke, lebensvolle Mädchen, daß in ihrem Freunde, dem Fiete Krey, im nächsten Jahre der erste Stolz angehender Männlichkeit entstand, und er das Kind, ‚die lüttje Witte,‘[1] wie er sagte, ein wenig zurückdrängte und sein Herz an das Kleinmädchen hing, das unter Wietens Lei-20 tung in der Küche arbeitete, ein zierliches, frisches Mädchen, die mit ihm im gleichen Alter war und seine Liebe erwiderte. Er aber war ein Schelm, als ein Krey, und brach nicht ganz mit der kleinen Elsbe.

Um Allerheiligen[2] kam sie eines Tages aus der Nähstunde 25 in den Stall und sagte zu den beiden: „Lehrer Peters, der sich um jeden Quark kümmert, sagte heute, es wäre jetzt eine schwere Zeit für viele Leute, weil sie Zins bezahlen müßten, den sie schuldig sind. Mich soll 'mal wundern, ob denn nun auch zu uns Leute kommen und Vater Zinsen bringen."

Jürgens Augen eilten scheu umher; Fiete Krey pfiff dazu.

Nicht lange danach, als sie ihr Vesperbrot verzehrt hatten, kam ein kleiner, alter Mann ganz gerade und steil, mit eisgrauem, kurzem Haar und einem schmucken, klugen Gesicht über die Hofstelle auf die drei zu und fragte, ob der Bauer zu Hause wäre. Elsbe sagte, daß er nach dem Dorfe gegangen wäre und bald wiederkommen würde.

„Ich möchte ihn gern sprechen," sagte der Alte.

Die drei sahen ihn an, und da er wegemüde schien, sagte Fiete gutmütig: „Gehen Sie ein wenig in die Stube, bis der Herr kommt."

Da gingen die beiden Kinder mit ihm über die Diele und wollten gerade mit ihm ins Vorderhaus treten, als Hinrich und Hans aus der Küche kamen. Hinrich sagte: „Nanu? Wen habt ihr denn da?" Und sie sahen den kleinen, steilen Mann von oben an. Er hatte einen langen, blauen Rock von eigengemachtem Zeug an, wie sie es auf der Geest heute noch tragen; seine Stiefel waren grau von Sand, und er hatte sein Vesperbrot in ein rotgewürfeltes Taschentuch geknotet. Die Kinder sagten, daß der Mann den Vater sprechen wolle.

„Na," sagten die beiden Großen, „warum denn gleich in die gute Stube? Laß' ihn in Fiete Kreys Kammer gehen."

Der Alte ging mit den beiden in die Knechtskammer, setzte sich dort nieder und sagte freundlich: „Seid ihr die beiden Jüngsten von Klaus Uhl?"

„Ja," sagte Elsbe, „ich bin schon zwölf, und Jörn ist vierzehn."

„Ihr seid freundliche Kinder," sagte er. „Die anderen sahen gleich nach dem Rock und sahen, daß ich ein Geestmann[1] bin. Ich nehme mein Vesperbrot immer von Hause mit, dann brauche ich nicht ins Wirtshaus zu gehen und Geld zu verzehren."

Jörn sagte mit ernster Betonung: „Wir beide, ich und Elsbe, wir sind immer ganz einfach und werden auch nie ins Wirtshaus gehen."

„Wenn Ball ist, doch!" sagte Elsbe.

„Ich niemals," sagte er, „im ganzen Leben nicht."

„Das ist recht," sagte der Alte und lächelte. „Dann brauchst du nicht Not zu leiden, wenn du alt bist, und kannst in Ruhe von deinen Zinsen leben." Da schlug Jürgen in sich, er kehrte sich um und ging aus der Kammer. Er lief, wie gejagt, über die Diele und rannte draußen gegen seinen Vater, der mit fröhlichem, rotem Gesicht heimkam.

„Es ist ein kleiner Geestmann da, der will dich sprechen. Er ist in der Knechtskammer."

„Was? In der Knechtskammer?" Er ging eilig über die Diele nach der Kammer zu. Als Hans ihm in die Quere kam, gab er dem eine Ohrfeige, daß er gegen die Holzwand flog, dann trat er in die Kammer; es waren Jahre her, daß er darin gewesen war. Was gingen ihn seine Knechte an, was ging ihn Fiete Krey an? Da saß der Alte, und Elsbe stand dicht vor ihm, und sie erzählten sich gerade von Thieß Thiessen, den sie beide gut kannten.

„Geh' hinaus!" sagte Klaus Uhl. „Es tut mir leid, Martens, daß die dummen Jungen Sie hierher geführt haben."

Der Alte winkte abwehrend mit der Hand: „Ich bin nicht hierhergekommen, um gefeiert zu werden, sondern um meine 5
80 000 Mark zu kündigen.° Meine Tochter will heiraten."

Jürgen war wieder über die Diele zurückgelaufen und in die Küche gekommen und stand neben Wieten, die am Aufwasch° stand, und hatte ihre Schürze angefaßt, wie kleine Kinder zu tun pflegen, bis sie sagte: „Jung', was fällt dir ein? Mach', 10
daß du wegkommst!" Aber er sah sie an, daß sie schwieg und ihm übers helle Haar strich und sagte: „Ja, es ist man gut, daß deine Mutter nicht mehr lebt."

Sie sagte dies oder ein ähnliches Wort bei jedem besonderen Ereignis, das im Hause vorfiel. Er verstand es nicht ganz; 15
aber er empfand, daß die Mutter mit dem Geist, der im Hause war, im Widerspruch stand, und obgleich es von der Mutter ein Bild nicht gab, und er sonst auch mit Phantasie sparsam begabt war, hatte er eine bestimmte Vorstellung, als wenn die Mutter mit totem, tiefbekümmertem Gesicht durch das Haus 20
ging. Er dachte sie sich aber groß und lang, während sie doch klein und rund gewesen war, eine Erscheinung, wie später Elsbe wurde.

An diesem Abend, als der Vater früher, aber auch betrunkener nach der Uhl zurückkam, trat Jürgen ihm auf der Diele 25
entgegen, in Hemdsärmeln und eine Forke in der Hand, als käme er von ungefähr aus den Ställen, und sagte mit stockender

Stimme: „Vater, wenn wir so viele Schulden haben, müssen wir den Hof wohl bald verkaufen," und er weinte laut auf. Der Vater aber schlug ihn und jagte ihn von sich. Er lief in die Knechtskammer und schlief dort bei Fiete Krey.

Von diesem Tage an ging er beiseite, wenn er das sorglose Lachen seines Vaters hörte; ja er ging, wenn er sonst nicht wußte wohin, in die Scheunen und in die Gärten, die an dem großen Gewese° lagen; und sie fanden ihn zuweilen in das englische oder in das Schullesebuch versunken, in irgend einer Ecke gelehnt oder auf einem Baume oder Balken sitzend. Er setzte es bei Wieten durch, daß er weiterhin bei Fiete Krey in der Knechtskammer schlief, welche von der Diele aus rechts, im Mittelgang, gegenüber der Küche lag, nach dem Apfelgarten hinaus.

6. Kapitel

Beim Fohlenstall,° nicht weit von der Außentür, stand eine alte Bauernlade[1] als Futterkiste.° Sie war aus Eichenholz gearbeitet und zeigte Formen in schlichter, edler Schnitzerei, links den verlorenen Sohn, im Begriff, in reicher Kleidung und mit schwerem Geldbeutel seinen Vater, der vor der Haustür steht, zu verlassen, rechts denselben Sohn, wie er in Lumpen heimkommt. Über den Bildern stand, von dem eisernen Schlüsselschild in zwei Teile geteilt, der Satz: „Der Segen des Herrn machet reich ohne Mühe."[2] Unten stand: „Klawes Uhl 1624."[3]

Sie war vor dreihundert Jahren im Haushalt des Klaus Uhl das Haupt- und Staatsstück gewesen, aber später war die

Zeit reicher und der Geschmack schlechter geworden. Sie war hübsch übermalt worden, einmal übers andere, bis der feine Ausdruck der Figuren verschwunden war, und war zuletzt in Verachtung gefallen und eine Futterkiste geworden. Da sie nun aber als solche nicht mehr angestrichen wurde, fiel hier und 5 da die dicke Farbenlage ab, und das graue, feste Holz kam wieder zum Vorschein. Kein Mensch ahnte, daß etwas an ihr war.

Wenn diese alte, niedrige Lade erzählen könnte! Herz hat sie ja, die so lange unter Menschen lebte! Aber sie hat keinen 10 Mund. Auf dieser Lade sitzend, haben die Kinder von Wentorf die zwei Jahre lang, die Fiete Krey nach seiner Konfirmation als Dienstjunge auf der Uhl war, schwere und starke Lebenspläne geschmiedet. Die hellen Kinderstimmen und das Lachen klang durch den Stall auf die Hofstelle hinaus, wie 15 heller, klarer Hammerschlag am Schmiedefeuer.

„Fiete, komm her!“ sagten die Kinder. „Hier ist das Vesperbrot.“ Jörn legte das Buch auf die Lade, den Stapel Brot daneben und setzte sich hin. Elsbe saß schon da und baumelte ungeduldig mit den Füßen. Fiete stellte den Stall- 20 eimer hin und setzte sich mit einem Schwung daneben: „All right!“ sagte er. Er schnappte° immer etwas auf, sowie ihm ein Wort gefiel.

„Das ist nun abgemacht,“ sagte Jörn; „wenn ich jetzt vom Hause fortgehe, dann mußt du hier bleiben und mußt auf den 25 Kram passen. Sonst will ich nicht Landvogt werden.“

„Ja, ja!“ sagte Fiete, langsam und bedächtig, mit männlichem Brustton: „Ich habe mich schwer dazu entschlossen: aber ich will es tun; ich will hier bleiben. Früher hatte ich ja allerlei Graupen° im Kopf, besonders Kalifornien hat mir lange in den Gliedern gelegen; aber mit den Jahren kommt auch der 5 Verstand. Genug, ich bleibe hier."

„Du bleibst hier noch einige Jahre als Knecht," sagte Jörn, „nachher wird dein Vater auch bald alt. Dann ziehst du zu ihnen und nimmst dir eine Frau und bist hier Tagelöhner und sorgst für den ganzen Hof. Den Bürsten- und Besenhandel 10 mußt du nicht anfangen; du mußt nichts weiter tun, als für die Uhl sorgen und arbeiten. Weißt du schon eine Frau?"

„Kommt Zeit, kommt Rat,"[1] sagte Fiete Krey. „Frauensleute genug in der Welt!"

Sie aßen eine Weile und tranken abwechselnd aus der 15 braunen Schüssel, die zwischen ihnen stand, die frische Buttermilch.

„Wenn du man bloß erst auf der Schule wärst!" sagte Elsbe und schlug mit den Hacken ungeduldig gegen den verlorenen Sohn.

20 „Ich will es schon fertig kriegen," sagte Jörn und schüttelte die Faust und nickte ernst mit dem Kopfe. „Ich freue mich so darauf! Landmann möchte ich nicht werden, ganz und gar nicht. Aber in den Büchern[2] möchte ich arbeiten, immerzu. Es ist bloß das eine bitterböse Bedenken: wenn hier nur alles 25 in Ordnung ist, und darum muß Fiete hier bleiben."

Fiete wischte sich den Mund und stellte die leere Schale mit festem Aufstoß auf die Lade. „Du kannst ruhig Landvogt werden: ich bleibe hier und besorge den ganzen Kram, darauf verlasse dich."

Jörn hatte seine Bücher schon in der Hand und ging in den Garten in Gedanken davon.

„So," sagte Elsbe, „nun sind wir allein. Denke 'mal, du, 5 ich habe Harro Heinsen gesehen; er ist in der dritten Klasse sitzen geblieben und will nicht wieder hin. Ich bin mit ihm über den Kirchhof gegangen. Was er mir alles erzählt hat! Ich sage dir, der ist klug."

„Gib dich nicht zu viel mit ihm ab," sagte Fiete. „Du 10 weißt, wie wir beide, du und ich, miteinander stehen."

„Ach, ich weiß schon alles."

„Glaubst du es nicht? Jörn wird Landvogt und ist uns nicht im Wege. August heiratet bald und bekommt einen anderen Hof. Hinrich ist jetzt schon Soldat, und Hans muß 15 im nächsten Jahre den bunten Rock anziehen; und sie sagen alle: ‚Wenn der alte König stirbt, gibt es Krieg.' Dann wird sicher doch einer von ihnen erschossen; der andere bekommt einen fremden Hof. Wer ist dann noch übrig? Sag' 'mal, lüttje Witte, wer ist dann noch übrig? Du allein! Du ganz 20 allein! Dann bin ich auf der Uhl Großknecht. Und dann wird dein Vater alt und sagt: ‚Kinder, heiratet euch, daß ich in meinen alten Tagen meine Ruhe habe.' So muß es kommen, und so wird es kommen."

Sie nickte zerstreut und fing wieder von Harro Heinsen an: 25 „Seine Schwester ist schon Braut und ist erst achtzehn Jahre alt. Wenn ich sechs Jahre weiter bin, will ich auch Braut sein; wenn du mich dann nicht heiraten kannst, nehme ich einen anderen."

„Laß dir nichts von Harro Heinsen vorreden, Elsbe; er ist ein dummer Junge."

5 „Ah," sagte sie und dehnte die Glieder. „Erzähl' mir lieber 'was! Harro Heinsen weiß immer so viel zu erzählen, so von den Großen, was die alles tun. Lischen Wiederhold hat am Markttag[1] schon getanzt und ist kaum sechzehn. Geh' du doch 'mal zu Tanz, daß du mir 'was erzählen kannst. Ich glaube, 10 wenn ich so weit bin: Ich tanze mich tot; ich will tanzen, bis ich umfalle. Wenn wir Mann und Frau sind, mußt du mit mir zu jedem Tanz."

„Das will ich," sagte Fiete Krey, „zu jedem Tanz. Das ist ohne weiteres abgemacht."

15 „Die Kinder bringen wir erst zu Bett, und dann gehen wir los."

„Das stimmt."

Sie lachte und trommelte mit den Füßen gegen die Lade und bog sich hin und her. „Das wird ein Leben!" sagte sie.

20 „Nun geh', lüttje Witte!" sagte Fiete Krey. „Ich muß nun noch fix arbeiten. Ich muß wacker dran, daß ich bald der Erste auf dem Hofe werde."

* * *

Klaus Uhl verbrachte die meisten Stunden im Wirtshause oder in den Bauerngesellschaften bei Witz und Politik und Kar-25 tenspiel, und in den wenigen Stunden, die er in seinem Hause war, spaßte er oder ging unruhig durchs ganze Gewese und sehnte sich nach dem Ort seiner Freude. Er hatte sich um den Unterricht seines Jüngsten nicht gekümmert und wußte nicht, wie es ihm bei der Aufnahmeprüfung gehen würde, und scheute diesen Tag. Denn nichts war ihm schrecklicher, als in eine lächerliche Lage zu kommen. Da er so in Lug° und Schein da- 5 hinlebte, erschreckte es ihn, als Jörn eines Tages zu ihm sagte: „Lehrer Peters hat einen Brief bekommen, daß ich übermorgen zur Prüfung kommen soll. Die Schule fängt aber erst nach Ostern an. Soll ich nun übermorgen mit dir in die Stadt fahren?“ Klaus Uhl machte ein bedenklich Gesicht, dann ging 10 schönster Sonnenschein darüber hin. „Weißt du, was ich mir schon gedacht habe? Ich habe gedacht: Thieß Thiessen soll dich hinfahren. Es wird ihm großen Spaß machen.“

Also kam am dritten Tage Thieß Thiessen mit seinem großen, alten Wagen mit den beiden gleich hohen Stühlen auf die 15 Hofstelle gefahren und sagte: „Du mußt auf dem zweiten Stuhle sitzen, Jörn, damit du unterwegs noch nachdenken kannst. Hast deinen geistigen Kram gut beisammen, Jörn? Wir wollen den Sandweg fahren, daß nichts davon spillt. Das tue ich auch, wenn ich Backtorf zur Stadt fahre.“ 20

„Es ist verkehrte Zeit,“ sagte Wieten kurz, „dumme Reden zu halten; und wer bald fünfzig ist und noch nicht vernünftig ist, der ist zu bedauern.“

Da schwieg er und sah auf seine Pferde, während Jörn hinter ihm in den zweiten Stuhl kletterte und seine Bücher auf die 25 eine Seite legte und auf die andere Seite zwei Buttertöpfe stellte, welche Wieten ihm hinaufreichte.

„Es ist ein Elend," sagte Wieten, „daß Uhl nicht selbst mit dem Jungen losfährt. Ich weiß wohl, warum er das nicht tut."

Jörn wußte es auch. Er fand aber diesen Tag und seine 5 ganze Lage sehr schwierig, bedenklich und beschämend, und fand es verständlich, daß sein Vater, der große, immer heiter lächelnde Mann, sich heute von ihm zurückzog. Später, als er ein Mann geworden war, hat er über dies Fernbleiben anders gedacht. Noch als ein Vierzigjähriger ist er im Namen seines 10 Vaters rot geworden, wenn er sich dieser Stunde und ihrer Schmach erinnerte.

Er saß gedrückt und still gerade hinter Thieß. Trina Kühl, Fiete Kreys Liebste, stand an der Küchentüre, und die beiden Großmädchen kamen heraus und lachten über Thieß und sagten 15 über Jörn zueinander: „Es wird ihm schon gut gehen." Sie mochten ihn alle trotz seines stillen und steifen Wesens gern leiden und bewunderten seine Liebe zu den Büchern und hielten ihn für ein großes Licht. Fiete Krey stand an der Stalltür, winkte mit der Forke und rief: „All right, Thieß!" Elsbe 20 stand am Wagen und lachte über den hohen, schwarzbraunen Zylinder, den Thieß trug, und sagte: „Thieß, du machst alles verkehrt. Solchen Hut trägt man doch nur bei Begräbnissen."

„Ja," sagte Wieten, „nun fahrt ab, damit der Lärm aufhört und wir wieder an die Arbeit kommen ... Laß es dir gut 25 gehen, Jörn! Mir ist, als wenn dieser Tag dir noch Gutes bringen wird. Ich weiß aber nicht ... es ist etwas dabei."

Als sie unterhalb Ringelshörn auf dem weichen Sandwege

hinaufbogen, kam Lisbeth Junker schräge von Ringelshörn heruntergelaufen und winkte. „Thieß, halt still! Thieß, halt rasch 'mal still!"

„Was hast du denn, Prinzeß?"

„Ich wollte Jörn bloß noch 'was geben," sagte sie. „Es geht dich nichts an." Sie sprang zierlich auf den Tritt und drückte dem trübseligen Jörn einen großen, schönen Apfel in die Hand. „Das ist der letzte Apfel im ganzen Hause," sagte sie, „den kriege ich immer. Aber nun sollst du ihn haben." Sie sprang rasch wieder herunter, und trat seitwärts in die Heide zurück und hob die Hand verlegen und schelmisch und drohte ihm. „Wenn du nun erst Landvogt bist! Oha! . . . Nun fahr' man zu' Thieß!"

Sie fuhren im langsamen Trabe im tiefen Sande durch die Heide. Es war kein Triumphzug. Vorne saß Thieß und sah auf die Rücken der Pferde. In seinen kleinen, klugen Augen und in seinem kleinen, mageren Gesicht unter dem hohen, steifen Totenhut blinkte und lächelte die Weisheit, welche zu den Leiden sagt: „Ich will leise über euch lachen," und zu den Freuden: „Ich will leise über euch weinen," die Weisheit, welche sagt: „Das Menschenleben ist unerklärlich. Duck dich, Vögelein, und fürchte dich nicht: es ist alles in eines großen Gottes Hand." Und dahinter saß Jörn in all seiner frischen Jugend und in all seinem Reichtum, links Buttertöpfe und rechts Wissenschaft, und sah ernstlich grübelnd vor sich hin, als ginge es das ganze Leben hindurch hinter dem dunkelbraunen Totenhut her in das Grab.

Dann stieg höher und höher die alte Kirche vor ihnen auf, dann kam die Holzbrücke über die Windbergerau,[1] und dann kamen die vielen Häuser, dicht an dicht, mit den spitzen, hellroten Ziegeldächern.

5 Da sie die herkömmliche Wirtschaft, in der die kleinen Torfbauern mit den eigengemachten, blauen und grauen Röcken verkehrten, in Bau fanden, mußten sie in die untere Stadt fahren und kamen in eine Wirtschaft, in der sonst nur die reichlebenden Marschbauern verkehrten.

10 Die beiden verweilten zwei Stunden in der großen, leeren Wirtsstube, beide in Druck und Not. Jörn stand am Fenster und sah hinaus, und Thieß ging hin und her und nippte an dem Glase Kümmel, das er bestellt hatte, und füllte seine Pfeife zweimal aus dem Tabakskasten, der auf der Tonbank° stand. 15 Dann gingen sie durch kleine, stille Straßen nach dem Gymnasium.

Da Thieß die Gewohnheit hatte, die aus seiner Bescheidenheit kam, niemals ein Haus durch die große Haupttür zu betreten, sondern immer in eine Nebentür hineinging, die ent- 20 weder in die Küche oder in den Stall führte, so ging er auch jetzt in einem scheuen Bogen um die große aufgetreppte Haupttür und fand an der Seite glücklich Eingang, welcher in die Kellerwohnung des Pedellen° führte. Der war ein Schuster und saß am Schustertisch, und vor ihm stand sein Morgenkaffee, 25 und die Morgensonne funkelte und spielte in dem blanken Eisengerät° und um die Glaskugel, die darüber stand, und in jedem weißen Sandkorn, womit die weiße Diele der kleinen

Stube frisch gestreut war. Ein angenehmer, frischer Geruch von Pech, Lederwerk und Kaffee füllte die Stube und erfreute Thieß Thiessens vereinsamte Seele.

„Ich bringe hier einen Rekruten,“ sagte er freundlich. „Rechenmeister Peters von Wentorf hat ihn vorbereitet. Das Englische versteht er. Was sonst nötig ist: die anderen Fremdwörter und den ganzen Stil: das will er hier lernen, und zwar will er auf den Landvogt hinaus.“

Der Schuster sah über die Brille weg und sagte: „Ich will ihn gleich hinaufbringen; sie haben schon angefangen.“

Die beiden gingen ab, und Thieß setzte sich in die Sonne, stellte den Hut vorsichtig auf die Knie und hoffte auf eine gemütliche Unterhaltung. Der Schuster kam wieder, stellte die Tasse zur Seite und fing an zu arbeiten.

„Sagen Sie ’mal, Meister, wie lange dauert denn so ein Gang durch die Schule, bis er mit allem fertig ist?“

„Ja . . . es kommt darauf an, ob der Junge von unten anfangen muß, oder ob er einige Klassen überspringt.“

„Ich denke,“ sagte Thieß, „er wird einige überschlagen; denn erstens hat er schon zwei Jahre lang bei Peters Unterricht gehabt, und zweitens ist er der Sohn von Klaus Uhl.“

„Klaus Uhl von Wentorf?“

„Ja, der. Die Lehrer werden wissen, daß es dem auf ein paar Glas Grog und einige Speckseiten nicht ankommt; und mir — das wollte ich nur nebenbei sagen — kommt es auf ein Fuder guten schwarzen Backtorf° auch nicht an. Ich bin Thieß Thiessen. Was meinen Sie?“

„Ja, sehen Sie, Thiessen, das ist so: Als neulich bei meinem Vetter . . . mein Vetter ist früher Schuster gewesen, jetzt ist er Fuhrmann. Na, da waren auf der Taufe vier Schuster und: was meinen Sie, wie viele davon vom Bock gefallen waren?"

5 „Na?"

„Alle vier. Schusterei aufgegeben, andere Arbeit angefaßt, und es ging ihnen allen gut . . . So ist es auch mit dem Gymnasium: von fünf, die hineingehen, bringt es höchstens einer zu Ende."

10 „Jörn Uhl bringt es fertig!" sagte Thieß. „Er sitzt den ganzen Tag bis über die Ohren in den Büchern und hört und sieht nichts. Er hat es sich in den Kopf gesetzt: er will Landvogt werden."

Da stand Jörn in der Tür, ein wenig blaß in dem langen, 15 schmalen Gesicht und das helle Haar steil aufgerichtet, als wollte jedes einzelne Haar sehen, was Thieß für Augen machen würde. „Mir ist es ganz einerlei, Thieß, unten oder oben! Lernen will ich 'was!"

Thieß hielt den Hut in beiden Händen, als wartete er, daß 20 ihm ein Groschen hineingeworfen würde. „Sie können dir hier nichts mehr beibringen?" schrie er, „geradeaus auf den Landvogt los?"

Jörn schüttelte den Kopf, daß die Sonne im Haar sprang. „Es ist alles verkehrt. Latein[1] sollte es sein . . . Wie alt 25 sind die Jungen, die in der untersten Klasse sitzen?"

„Du wirst Flügelsmann,"° sagte der Schuster.

„Siehst du, Thieß? In der untersten Klasse der allerlängste!

Das kommt davon! Er ist jeden Tag in die Stadt gefahren; aber er hat nicht gefragt, ob ich Latein oder Englisch brauchte ... Aber ich will d o ch Landvogt werden. Ich habe ihnen da oben gesagt, daß ich nach Ostern wiederkomme."

„Junge, Jörn! Was soll Lisbeth sagen und Fiete Krey!" 5

„Einerlei! Ist mir ganz einerlei! Ich komme nach Ostern wieder, wenn die Schule anfängt. Ich will von unten anfangen und unter den Prückeln° sitzen. Komm' mit!"

Thieß stand langsam auf und schüttelte den Kopf: „Junge, Jörn, was ist das eine böse Sache! Elsbe wird wieder sagen, 10 daß alles schief geht, was ich anfange, und deine großen Brüder werden den Mund weit aufreißen und lachen. Aber was hilft das? Aus Englisch wird nicht Latein. Denn komm, Jörn."

So zogen sie ab und kamen wieder ins Wirtshaus. Thieß trank das Glas Kümmel, das da noch halb voll auf der Tonbank stand, leer und stopfte seine Pfeife von des Wirts Tabak 15 zum drittenmal und setzte umständlich den großen Hut auf und fragte, was er schuldig wäre. Aber der Wirt, der über die geringe Verzehrung und den großen Tabaksverbrauch halb erheitert und halb erbost war, sagte: „Du hast dich freigeraucht, 20 Thiessen," und wollte nichts annehmen. So fuhren sie, an Geld wenigstens ganz ungeschädigt, über die Heide zurück. Sie saßen aber diesmal dicht beieinander. Sie sprachen nicht viel, nur daß Jörn einigemal sagte: „Ist mir einerlei! Ich will es doch durchsetzen!" 25

Als sie aus der Erlenallee herausbogen und auf den Hof fuhren, kam Elsbe aus der Küchentür mit ganz verweinten

Augen und schluchzte heiß und oft auf und war so im Weinen, daß ihre Schultern auf- und niederstießen.

Wenn Thieß Thiessen ein Unglück mit ansehen mußte, geriet er in Aufregung, riß die Augen weit auf und hampelte° mit
5 Armen und Beinen. Am wenigsten konnte er Elsbe weinen sehen: „Sag' doch bloß, lüttje Witte. Was hast du? Wer hat dir 'was getan?" Aber sie konnte nicht reden, so stark stieß es sie.

Da kam Wieten um die Ecke an den Wagen und sagte:
10 „Denkt euch doch! Uhl kommt zufällig in den Pferdestall, da sitzen Elsbe und Fiete Krey Arm in Arm auf der Futterkiste, und Uhl hört, wie der Bengel ihr vorredet, daß er heiraten will, und dann will er Bauer auf der Uhl werden. Wie der Junge noch im besten Reden ist, kriegt Uhl ihn am Kragen und haut
15 ihn durch und wirft ihn aus der Stalltür. Nun sitzt er in der Kammer und sammelt seine Siebensachen,° und die Deern heult."

Jörn starrte mit offenem Munde zu Wieten hinab: „Kommt Fiete nun weg vom Hof?"

„Selbstverständlich!" sagte Wieten, „sofort! So ein nase-
20 weiser und schlechter Mensch!"

Da kam Fiete Krey, seinen Sonntagsanzug im bunten Tuch unterm Arm, aus der Stalltür. „Wo ich das her habe? Von d i r habe ich es." Er brüllte laut; alle Männlichkeit war ihm vergangen. „Nun muß ich weit weg nach Hamburg! S o
25 muß ich weg, wie ich geh' und steh'! Und ich weiß nicht 'mal, wo es liegt. Du hast immer erzählt von Hans im Glück und von vielen Goldkisten und von dem Bürstenbinder, der König wurde."

Thieß war vom Wagen gestiegen: „Komm herunter, Jörn, was sitzest du da! Komm, Elsbe. Nun sei man still, klein' Deern."

Aber die riß sich los und lief auf den Weg zu Fiete Krey hinunter und faßte ihn am Arm und schrie laut: „Er soll nicht weg, er soll nicht weg! Ich hab' ihn so lieb, ich hab' ihn so lieb!"

Aber Fiete Krey schob sie von sich und brüllte wieder und jammerte: „Ihr sollt sehen . . . ich werde wiederkommen, und dann will ich hier auf der Uhl wohnen. Eine große Bürstenbinderei will ich hier anlegen mit Dampfbetrieb."

Er hob die Fäuste, daß ihm das kleine Bündel entglitt, bückte sich, nahm es wieder auf und ging über den Weg in das Haus seines Vaters.

Wieten Klook stand da und schlug die Hände zusammen, drehte sich um und ging in ihre Stube und setzte sich an die Arbeit und war zuerst in heißem Zorn und großer Scham.

Sie ließ die Handarbeit in den Schoß sinken und starrte vor sich auf den Tisch, und während sie so unbeweglich vor sich hin sah, legte eine unsichtbare Hand ein Bild nach dem andern vor sie hin, und alle Bilder[1] erzählten von viel Mühe, Not und Tod der Menschen, die sie einst gekannt hatte; und ein Bild war trauriger als das andere. Und dann sah sie Fiete Krey in die Welt gehen, ohne Führung, mit diesen bunten Gedanken. Da sah sie sich in der Stube um, und als sie bemerkte, daß sie allein war, legte sie die Hand auf ihr Gesicht und weinte leise.

* * *

Als es dunkel wurde, kam Fiete Krey aus seines Vaters Haus, sein Bündel mit dem Werktagsanzug unterm Arm; seine Mutter saß hinterm Ofen und weinte. „Fiete," rief sie ihm nach, „du bist eben erst siebzehn Jahre; geh' nicht so weit."
5 Sie dachte an die anderen Kreien, die so weit geflogen waren, daß sie nicht wieder heimgekehrt waren, nach Amerika,[1] und Gott mochte wissen, was es sonst noch für Länder gibt.

„Soweit als die Welt ist," sagte Fiete Krey. „Mit der
10 Hundepeitsche hat er mich geschlagen, der Schinderhannes."[2] Er fing wieder laut an zu weinen und ballte die Faust gegen das große, alte Haus und gegen die hohen Scheunen, deren gewaltige Strohdächer dunkel und still unter den hohen Pappeln und Eschen lagen.

15 Wenn Klaus Uhl dies Weinen und diesen Zorn gesehen hätte, so hätte er laut und herzlich gelacht und hätte es ausgeschmückt, und hätte von eigenem ein wenig hinzugefügt und hätte es in allen Wirtshäusern erzählt.

Jasper Krey war mit vor die Tür getreten: „Es ist ganz
20 einerlei, wo du hingehst," sagte er, „also kannst du nicht verbiestern.° Und das ist schon etwas, wenn man nicht verbiestern kann. Und schwer beladen bist du auch nicht: du kannst zur Not querfeldein gehen, das ist auch 'was wert. Sieh zu, daß du 'was Ordentliches wirst. Wenn du ein Lump geworden
25 bist, dann komm nicht wieder. Wenn du aber etwas erreicht hast, dann sieh' einmal nach, wie es uns geht."

Er war schon unterwegs, in der Dämmerung kaum mehr

zu sehen: „Du kannst dich darauf verlassen, Vater, daß ich wiederkomme.“[1]

Als er sich wieder umdrehte, um weiter zu gehen, stand Jörn Uhl da am Wege: „Thieß hält mit seinem Gespann oben an den Tannen,“ sagte er leise. „Du sollst diese Nacht bei ihm 5
im Heeshof° schlafen.“

Sie gingen zusammen unter den Hügeln entlang, bis links eine Mulde° kam, die, mit Heide und Eichenkratt° bewachsen, zwischen zwei Hügeln schräge zur Höhe führte. Die Mulde war so breit und tief, daß ein gutes Bauernhaus darinstehen 10
konnte, und wurde nach oben hin seichter und schmäler, bis sie auf das Heidefeld mündete.

Fiete Krey ging voran und war still, nur zuweilen stieß das Schluchzen noch in der Kehle, dann schüttelte es seinen ganzen Körper. 15

Auf halber Höhe der Mulde, zwischen niedrigem Eichengestrüpp,° neben dem schmalen Fußsteig, der zur Höhe führte, lag ein kreisrundes Wasser, an Umfang nicht größer als ein Wagenrad, bis an den Rand voll vom frischesten, klaren Wasser. Das war der Goldsoot. Eine Quelle, die unsichtbar von oben 20
kam, füllte ihn immer aufs neue bis an den Rand; nach unten verschwand, was überfloß, mit leisem Rieseln unters Gestrüpp. Zwei, drei Sterne, die über ihm am Himmel standen, lagen in Widerschein im Wasser, einzelne blattlose Zweige des Gestrüpps hingen über dem Rande; ihr Widerschein stand im 25
Wasser als schräge, scharfe Spieße, die den Eingang wehrten. Ein Wind kam vom Meere herauf und ging über das Gestrüpp

hin, das voll trockener, vorjähriger Blätter war. Es rasselte und redete unten und oben und von den Seiten.

Fiete stand still und sah nachdenklich in das Wasser. „Ich möchte wohl wissen," sagte er, von einem Schluchzen unterbrochen, „wie es auf dem Grunde aussieht, und ob man den Grund fühlen kann."

Jörn wollte ihn trösten und sagte mit schwachem Zuspruch: „Willst du nicht 'mal nach dem Steinberg bei der Heese gehen, von dem du immer gesprochen hast? Du sagst: Da liegt ein ganzer Haufen Gold, Stücke wie Kindsköpfe darunter."

Fiete Krey schüttelte stark den Kopf: Diese Kindsköpfe waren in seinem Kopfe entstanden; er hatte das Feld, das Wieten an manchem Abende unter dem Lampenscheine so fleißig bebaut hatte, durch eigene Arbeit bedeutend erweitert, mit solch starker Freude am Erfinden und solcher Wärme, daß er zuweilen nicht gewußt hatte, was Wieten berichtet und was er selbst dazu erfunden hatte. Aber heute abend schied sich Wahrheit und Dichtung: Die Kindsköpfe in der Heide waren erdacht. Aber der Goldsoot war echt.

Er starrte in das Wasser; dann ging er langsam weiter hinauf. Als sie oben auf der Höhe angekommen waren, sagte er: „Nun geh' nach Hause. Ich will jetzt allein weitergehen."

Da ging Jörn ohne Händedruck und ohne Abschiedswort über die Heide.

* * *

Einige Tage nach Ostern, als der Schulanfang bevorstand,

sagte Hinrich Uhl, den sein Vater am meisten liebte, weil er
der glänzendste war: „Du, Vater, der Junge, der Jörn, redet
so merkwürdigen Schnack:° Ich glaube, der will nicht auf die
Schule; er will im Hause bleiben. Es kann ja doch nicht an-
gehen, daß der auch Bauer wird, woher willst du am Ende all 5
die Höfe hernehmen? Du mußt notwendig mit ihm reden.“
Als der Vater ihn dann rufen ließ und ihn fragte, sagte er, er
wolle im Hofe bleiben und arbeiten. Als der Vater schalt und
ihn zuletzt hart mit der Peitsche schlug, blieb er doch dabei.
Seine Gründe nannte er nicht. 10

Aber am Abend, als er schon in seiner Kammer, die er seit
Fiete Kreys Weggang allein bewohnte, im Bett lag, kam
Wieten Klook herein, um ihn zu trösten und bat, er möchte ihr
doch sagen, warum er seine Absichten geändert hätte; er hätte
doch so bitter gern 'was lernen wollen. Da konnte sie zuerst 15
kein Wort aus ihm herauskriegen, so heiß und heftig weinte
er. Nachher aber kam stoßweise heraus, was sie geahnt hatte:
Da wäre keiner, der in dieser Woche auf die Fohlen gepaßt
hätte, wenn er selbst es nicht getan hätte. Und der erste Knecht
würde die Pferde allesamt mit Fußstößen wild machen und 20
verderben, wenn er nicht dann und wann in den Stall käme.
Der braune Wallach hätte schon eine Wunde am Knie.

Als sie ihn dann beruhigen wollte, ihm das starre Haar
streichelte und sagte: „Nun ist ja denn alles gut, nun wein'
man nicht, mein kleiner Junge,“ da fing er wieder mehr an zu 25
weinen und sagte mit zerstoßener Stimme: „Meinst du
denn ... daß ich es gern tue? ... Nun kann ich gar nichts mehr

lernen. Kein Buch kann ich mehr anfassen! Nun bleib' ich so dumm, wie all die anderen."

7. Kapitel

Jörn hatte am anderen Morgen die Stalljacke angezogen, die Fiete Krey in seinem Zorn an die Wand geworfen hatte.

5 Für die Schule, deren Lehrplan ihm nichts Neues mehr bot, hatte er von Stund an keine Neigung[1] mehr. Der Konfirmandenunterricht,[2] in dem von einem fleißigen und freundlichen Mann die alte Kirchenlehre[3] vorgetragen wurde, war ihm unverständlich und darum quälig.° Der praktische, nüch-10 terne Junge, der alles auf die Uhl und ihre Bewohner bezog und auf die Verhältnisse des Dorfes, konnte weder die Sünde noch die Gnade[4] verstehen, die da gelehrt wurde. Die Sünde kam ihm viel zu spät, und die Gnade kam ihm viel zu früh. Die Sünde fing ja erst mit Diebstahl, Raub und Totschlag an, und 15 die Gnade war allzubald da, nämlich: wenn einer seine Sünde ‚auf den Herrn warf.' Jörn Uhl konnte diesen lieben Gott nicht verstehen. Gott schien ihm ein ganz unpraktischer Rechenmensch zu sein, der in seiner Stube seine Bücher stolz in Ordnung hielt und draußen von seinen Leuten unheimlich betrogen wurde.

20 Die Leute auf dem Hofe mochten ihn wohl leiden: sie hielten ihn für ihresgleichen. Eine Schwierigkeit lag aber da, daß er doch mehr sein wollte, als sie: sie sollten ja gern ein wenig Respekt vor ihm haben, und jeder sollte um seinetwillen fleißig seine Arbeit tun. So war er ihnen lieb, weil er sich zu ihnen

hielt und ihre Arbeit teilte, und war ihnen wieder leid weil er immer gleich bemerkte, wenn fern im Felde ein Pflug stillstand, oder wenn die Mädchen über dem Plaudern das Melken vergaßen. Dann kam er mit langen Schritten quer übers Feld gestapft, die Hände in den Taschen, als wäre es zufällig, daß 5 er da ging; und tat ganz harmlos und lachte. Da nannten sie ihn unter sich den Landvogt, und andere sagten wieder: Er ist ein Wietkieker.° Er kümmerte sich aber um den Spott nicht; es war ihm alles gleichgültig, wenn nur das Land und der Viehstand auf der Uhl ihr Recht[1] bekämen. Weiter sorgte er 10 nicht; weiter dachte er nicht. So wurde seine Seele schon in früher Jugend auf ein Großes gerichtet, und das war Gewinn fürs ganze Leben.

Darum stand in den beiden Jahren nach der Konfirmation der alte Landmann Wilhelm Dreyer in seinen Augen am höch- 15 sten. Er hatte einst mit wenigem oder gar nichts angefangen, hatte vierzig Jahre lang sehr sparsam und sehr fleißig gelebt und bewohnte nun, über siebzig Jahre alt geworden, an der Dorfstraße unter den Linden ein stattliches Altenteil.[2] Er war seit Jahren mit Klaus Uhl verfeindet und hatte für dessen 20 älteste Kinder weder Blick noch Gruß. Er hatte immer mit klugen, beobachtenden Augen in die Welt geschaut und kannte dies Treiben, daß es aus Dummheit und Leichtsinn, Feigheit und schlechtem Gewissen zusammengesetzt ist, und daß es zuletzt in Lumperei, Schlechtigkeit und Verzweiflung endet. Wenn 25 er aber mit seinen scharfen Augen den langen Jörn im Felde arbeiten sah, stand der Alte nach etlichen Sprüngen über gute

Gräben mit dem klugen, bartlosen Gesicht und dem leicht ergrauten Haar, das ihm schlicht bis auf dem Rockkragen hing, neben dem Arbeitenden und fragte und überlieferte mit hoher, bedächtiger Stimme bewährte Landmannserfahrung; und 5 Jörn hörte zu, wie selten ein Mensch in der Kirche zuhört. Das war für ihn in jenen Jahren Evangelium.[1] Arbeiten und nüchtern sein und sparsam und klug wirtschaften: das war für ihn ‚frohe Botschaft.‘[2]

Dem Vater und den großen Brüdern wurde er mehr und 10 mehr verhaßt. Er war ihnen das alltägliche, böse Gewissen. Die Unsicherheit des Urteils, die man bei sechzehn Jahren gegen die erwachsenen Familienglieder hat, behütete ihn, daß er deutliche Verachtung zeigte. Im Gegenteil: er hielt sich scheu vor ihnen zurück, redete kein Wort, wenn sie ihn verspotteten, und 15 wurde rot, wenn sie zusahen, wie er eine Arbeit tat, die sie hätten tun sollen. Er wurde rot in seinem und in ihrem Namen. Aber gerade dies scheue, gedrückte Wesen, als wenn sie die verborgene Anklage darin entdeckten, reizte sie.

Am Abend saßen Jörn und Elsbe mit Wieten in der 20 Stube am Mittelgang. Wieten war in den letzten Jahren stiller und bedrückter geworden.

Jörn saß stumpf und dumpf da, war todmüde von der schweren Arbeit, sagte nicht viel und ging früh zu Bett.

Das waren schlechte Genossen für die kleine, lebendige Elsbe, 25 in welcher der Gedanke immer stärker, immer heißer, immer klarer wurde, den schon das Kind ausgesprochen hatte: Ich muß etwas lieb haben.

Während des ganzen Sonntagvormittags arbeitete Jörn in den Ställen und ging nach der Stube und sah nach, wo seine Schwester wäre. Erst am Abend, wenn sie zu gleichaltrigen Freundinnen gegangen war, kamen drei oder vier Stunden, wo er von Arbeit frei wurde. Dann saß er entweder still in seiner Kammer oder saß drüben, überm Weg, unter der niedrigen Hauswand von Jasper Krey.

Jörn Uhl! Wer ist in der Zeit dein Bildner gewesen, da der Menschengeist weich wie Wachs ist, das auf Eindruck wartet? Wer war dein Führer in der Zeit, wo die Eltern uns nicht mehr halten können und andere Leute nicht nach den Zügeln greifen, die hinter uns dreinschleifen, wo wir die Straße hinunterrasen, die auf den Marktplatz des Lebens führt, auf jenen Platz, wo das Schicksal so ernst fragt: ‚Was bist du wert?' Denn so steht es ja: Zu allen Lebenszeiten haben wir bestellte Ratgeber und Führer, Eltern, Schule und Gesetze, Erfahrungen, Frauen, Sorge und Not; aber in den Jahren, wo ein Frühlingssturm nach dem anderen den jungen, überschlanken Bäumen über die Köpfe fährt, da sind wir ungestützt und unberaten. Hei, wie knackte es! Wie stoben die Blätter! Wir haben Narben davon an der Seele und kahle Stellen im Gezweig.

Der alte Dreyer ist Jörn Uhls Lehrer in allen Dingen des praktischen Berufs gewesen; Jasper Krey aber hat ihn auf die weiten, weglosen Felder der allgemeinen Lebensweisheit geführt. Klaus Uhl saß im Wirtshaus und redete kluge Worte und wußte und kannte alles. Sein Sohn mußte zu dem kleinen, krausen Jasper Krey hinübergehen, und wurde dort unter dem Strohdach zu eigenem Nachdenken geführt, und holte sich dort unter der Hauswand die erste Lebenskunde.° Die Bedeutung dieser Stunden war aber um so größer, als hier Mannesalter und Knabenalter zusammenkamen, so, daß beide sich gleich hoch einschätzten und es also zu geraden, ehrlichen Debatten kam. Wo lernten wir am meisten? In den Schulen? In den Hörsälen? Von den Professoren? Wir lernten das Meiste, als wir auf freies Feld gingen und aufzufliegen versuchten, so gut es ging.[1]

8. Kapitel

Eines Tages im Sommer, als die Ernte vor der Tür stand und die Linden voll gelber Blüten hingen, kam Jörn Uhl, ein Pflugeisen auf der Schulter, das er zur Schmiede bringen wollte, an der Schule vorbei. Da flog ihm aus dem Garten eine Stachelbeere an die Mütze, und als er sich umsah, schaute Lisbeths heller Kopf durch das Gebüsch, und gleich darauf, da er ziemlich verlegen still stand und sie anstarrte, arbeitete sie sich durch das Gezweig und trat an die Planke° und rief mit verhaltener Stimme: „Du, Jürgen, komm' mal her."

Er sah sich um, ob auch jemand da wäre, der es sähe. Aber es war Mittagszeit, und die Dorfstraße und alle Häuser waren wie verschlafen. Da nahm er die Mütze vor ihr ab und kam näher. Er hatte sie in den letzten Jahren selten gesehen und war mit kurzem Gruß an ihr vorübergegangen. Er hatte hart gearbeitet; sie aber hatte eine städtische[1] Schule besucht. Er war auf dem einsamen Felde gewesen, hinterm Pfluge her im losen Land; sie war auf den schmalen, zierlichen und glatten Fußsteigen der Stadt gewesen. Er war gesunken, war hölzern und rauh geworden; sie aber war in Kleidung und Bildung 5 feiner geworden. Das hatte er dunkel gefühlt und hatte sich darum fern von ihr gehalten.

Dazu kam, daß die Natur[2] ihr ewig altes Spiel mit ihnen gemacht hatte. Sie hatte den beiden Kindern, die im Schulgarten und auf Ringelshörn rechte Kameraden gewesen, die 10 Hände gelöst, an denen sie sich festhielten, und hatte jeden in ein besonderes Land geführt, weit auseinander, jeden zu besonderen, bunten Träumen, und hatte weise und freundlich dazu gelächelt. So macht sie es immer. Danach, nach Jahren, wenn sie in jedem, in stiller Einsamkeit, sein Geschlecht 15 zur Blüte gebracht hat, führt sie ihre Kinder wieder zusammen; aber nun nicht mehr als Gespielen, sondern als Vertreter ihres Geschlechts ... Jörn Uhl kommt heute mit Lisbeth wieder zusammen. Aber es wird ein äußerlich und unglücklich Zusammenkommen sein; denn sie sind beide noch unfertig, sind 20 weder Kinder noch Erwachsene, wohnen jeder in seinem eigenen Land.

Sie erzählte ihm, gegen die Planke gelehnt, mit weiser Miene, daß sie diesmal lange Ferien hätte; die Schule der Stadt würde aufgelöst, und bis eine neue gegründet wäre, habe es gute 25 Weile. Ob er schon wüßte, daß sie Lehrerin werden wolle?

Nein. Das wußte er nicht. Er hatte noch nie davon gehört, daß es Lehrerinnen gab. Er fragte schüchtern, ob sie Elsbe bald besuchen wolle.

„Ach,“ sagte sie und warf den Kopf in den Nacken. „Elsbe ist ein Jahr älter als ich. Die sind immer so ganz anders. 5 Ich habe gar keinen Umgang, der für mich paßt. Es ist furchtbar langweilig.“

Er meinte: sie solle doch kommen, Elsbe würde sich gewiß freuen. „Meinst du?“ sagte sie zweifelnd. „Ich glaubte, daß Elsbe mich gar nicht mehr leiden mag. Sie war neulich 10 abends an meinem Fenster, denke dir, als es schon dunkel war, und sagte, ich verstünde noch gar nichts, ich wäre noch wie ein Kind ... Wirst du bei uns sein, wenn ich zu euch komme?“

„Nein,“ sagte er, „ich muß immer arbeiten. Und abends mußt du nicht kommen, dann will Elsbe dich wieder wegbrin- 15 gen, und das ist nicht gut.“ Sie ließ den Kopf sinken und dachte nach. „Dann kannst du ja 'mal zu uns kommen?“

Er erschrak, daß er so etwas tun sollte. „Nein,“ sagte er, „das kann ich nicht.“

„Ja, du brauchst ja nicht ins Haus zu kommen. Du 20 kommst in den Garten. Du gehst hinten herum. Großvater und Großmutter sitzen dann beide in der Stube und lesen.“

Er sah sie mit raschem Blick an. Sie erschien ihm unendlich großartig und vornehm; es war erstaunlich, daß es ein so zierliches, sauberes Ding auf der Welt gab. Aber er konnte 25 sich nicht denken, daß es in irgend einer Weise gemütlich werden könnte, wenn er mit ihr sprechen sollte. Er hatte einerseits große Neigung dazu; er wußte aber andrerseits, daß es eine

Sache großer Verlegenheit sein würde. Aber sie bestand darauf, daß er käme. Sie stellte es so selbstverständlich hin und nickte so eifrig mit dem Kopf, daß er es ihr zusagen mußte.

So kam ihm die kleine Gespielin wieder in den Weg. Mit ihrer freundlichen Hilfe schien sich für Jörn Uhl der Übergang 5 vom Knaben zum Jüngling aufs natürlichste und lieblichste zu vollziehen. Es schien, daß sein Leben, was die Liebe angeht, in einer geraden Linie verlaufen sollte.

Wenn acht Tage später das Sandfahren nicht gekommen wäre! 10

Wenn das Sandfahren nicht gekommen wäre, hätte Jörn Uhl am Ende seines Lebens sagen können: „Jugendsünde? Was ist das? Ich habe in meiner Jugend Arbeit und Not kennen gelernt, Sünde nicht.“ Er hätte nie nötig gehabt, in Erinnerung an begangene Jugendtorheit die Stirn kraus zu 15 ziehen, wie Jasper Krey und alle anderen Menschen. Aber, als wenn es durchaus so sein muß, als wenn alle Menschen, selbst die besten, Staub auf die Stiefel kriegen und Flecken am Rock: es kam dies Sandfahren, und die ganze tadellose Gerechtigkeit hatte einen großen Riß. 20

Er fuhr nichtsahnend mit seinem Sandwagen so gegen Abend unterhalb Ringelshörn entlang; ein frischer Seewind wehte, der Himmel war voll treibender Wolken, grau und weiß und blau, bunt durcheinander. Es war ein Wetter, um hoch und stark Luft zu holen und sich zu freuen, daß man das 25 noch kann. Das tat Jörn Uhl denn auch. Er saß auf dem Wagenbrett,° ließ die Beine baumeln und summte und brummte so gegen den Wind an, und sah in Grübelei über das ebene, stille Feld, und war so recht das Bild eines friedevollen, tiefdenkerischen Bauernjungen. Kein Mensch hätte für möglich gehalten, daß dieses langgliedrige, langgesichtige Menschenkind heute abend noch, an allen Gliedern zitternd, der Natur selbst in die schönen und furchtbaren, bodenlos tiefen, dunklen Augen schauen sollte.

Als er um Ringelshörn herumgefahren war, sah er Telse Dierk, die man in der Gegend die Sanddeern nannte, unweit ihres Hauses am Rande ihrer Sandkuhle stehen. Sie sah einem vollbeladenen Wagen nach, der eben auf den Weg abbog, und stützte sich leicht auf die Schaufel, mit der sie hatte aufladen helfen. Als sie das Klappern und Klirren seines Wagens hörte, kehrte sie sich um und rief ihm entgegen: „Kommst du noch, Jörn Uhl? Denn man hierher! Du kommst mir gerade zupaß:° ich habe noch keine Lust, Feierabend zu machen.“ Sie stand vor der gelblich weißen Sandbank, welche höher war als sie, und blitzte ihn mit klugen Augen an. Sie war barfuß und sah frisch aus, als wäre sie eben aus erquickendem Schlaf gekommen. So war sie schon seit zehn Jahren, schlank von Leib und hoch von Brust und blank von Augen, und hatte immer diese frische, unermüdliche Kraft, in der Haltung und in ihrem Gange.[1]

Um diese Zeit kam Jörn Uhl vier- oder fünfmal nach Feierabend, um Sand zu holen, und es gefiel ihr, daß er so ernst und still war und sie ansah, als wenn er sagen wollte: du bist auch so einsam und immer in Sorgen wie ich; und sie dachte sich, wenn er kam und wenn er ging, und Tag und Nacht, tiefer da hinein und redete sich zuletzt ein: daß sie dieses junge, frische Blut lieb hätte. Und sie freute sich, daß es ihr gelang, Freude an ihm zu haben, und sie lachte abends laut und fröhlich. Und da er in schüchterner und unsicherer Weise ein wenig lebendiger 5 wurde und sie freundlich ansah und ein Scherzwort wagte, lachte sie bei sich selbst und dachte: „Es ist ein sittsamer Brautstand, ohne Gefahren, aber doch schön."

Als er am vierten Abende wiederkam, und sie beide den Wagen gefüllt hatten, lud sie ihn in ihrer Freude ein, auf eine 10 kurze Weile in die Stube zu kommen und noch ein wenig zu plaudern. Sie setzte sich ihm am Tisch gegenüber in ihrem Kleide, das am Halse lose war, und mit aufgekrempelten° Ärmeln, und lehnte sich über den Tisch und lachte ihn freundlich an, fragte nach diesem und jenem und war neugierig froh, ob 15 er wohl mehr aus sich heraustreten würde. Und als er nicht antwortete, machte sie es noch schlimmer und sagte mit einem fröhlichen Blitzen ihrer grauen Augen: „Du bist ein hübscher Junge, Jörn: du hast so kluge Augen, als wärst du immer dabei, etwas zu suchen, was ganz versteckt ist, und hast so'n 20 eigenwillig Gesicht, als wolltest du nur deinen eigenen Willen tun. Das mögen wir Mädchen gern leiden. Wenn du 'mal drei Jahre weiter bist, kannst du dir aussuchen, welche du haben willst: sie wird nicht nein sagen."

Er konnte nichts sagen; er sah sie nur an. 25

Sie fing noch einmal an und fragte: „Wie muß die denn aussehen, die du leiden magst?"

Da stand er auf, und auch sie erhob sich. Und da sie meinte, daß er beleidigt wäre — auch war sie nun doch in ihrer Eitelkeit verletzt —, trat sie an ihn heran und sagte ruhig und lächelnd: „An mir findest du wohl gar nichts, nicht einmal
5 das Reden bin ich wert? Willst du so weggehen? Willst du nicht einmal einen einzigen Kuß von mir mitnehmen?"

Da erschrak er so, daß ihm Fuß und Atem stillstanden. Gleich darauf aber riß er sie mit so überschwellender, so sinnloser Leidenschaft an sich, daß sie sich mühsam und erschreckt
10 von ihm losriß. Sie hatte eine sanfte, freundliche Flamme wecken wollen und hatte ein wildes Feuer aufgerührt. Sie drängte ihn hart von sich und hieß ihn fortgehen.

9. Kapitel

Um diese Zeit hatten die Bauernsöhne den sogenannten Jungeleuteball[1] angesetzt, und auch Jörn bekam die übliche
15 Einladung. Wäre sie vor vierzehn Tagen gekommen, so hätte er diese Einladung verständnislos angestarrt und beiseite gelegt. Was sollte er auf einem Balle? Er wäre sich lächerlich vorgekommen. Aber die Erlebnisse dieser letzten acht Tage hatten seine Seele von Grund aufgestört.
20 Die Brüder lachten und spotteten, als sie hörten, daß er mit zum Balle wollte. Elsbe aber freute sich. „Ich freue mich," sagte sie, „daß du nun doch auch munter wirst. Du warst so ein recht Langweiliger. Einen guten, neuen Anzug hast du

ja! Du kannst zuerst mit mir tanzen, damit du es wagst. Nachher mußt du auch mit Lisbeth tanzen." Sie nickte ihm zu und tanzte ein wenig zur Probe um den Tisch, und tanzte so lange vor ihm, bis sie gegen die Tür fiel und in die Knie sank und lachte. Er sah ihr zu und dachte: „Sie ist ein liebliches, 5 kleines Ding, lauter Leben; und immer geradeaus ist sie und wahr und freundlich." Er ging ganz allein hin, scheu, als ginge er auf schlechtem Wege.

In der Ecke an der Tonbank stellte er sich hin und stand da stundenlang. Viele kannten ihn gar nicht, da er noch nie ein 10 Wirtshaus betreten hatte. Sie waren stutzig und fragten, wer das wäre. Und als sie hörten, es wäre der Jüngste von Klaus Uhl, wunderten sie sich und sagten: „Nun, der soll ja ein Träumer sein." Einige Mädchen nahmen sich vor, mit ihm zu tanzen. Sie dachten: „Ei, das ist ein schmucker Junge, und 15 was für ernste Augen er macht! Das muß fein aussehen, wenn die lachen."

Eine Zeitlang, wie er so stand und nichts geschah, sah er im Geiste seine Kammer, wie sie sich darstellte, wenn er sie vom Bett übersah. Er dachte sich im Bett liegend, mit dem Ge- 20 fühl, das er so oft gehabt hatte: noch so jung und doch schon so voll Sorgen zu sein und ein so Verständiger. Aber dann sah er wieder die blühenden Mädchen vorübertanzen, sah die schönen Bewegungen und die frischen Gesichter. Nun suchte er Lisbeth mit den Augen und nahm sich vor, sie zu gewinnen. 25

Und bei dem Gedanken blieb er. Er malte sich aus, wie er sie nach Hause brachte. Dann, unter den verschwiegenen Linden, wollte er sie ebenso anfassen, wie er die Sanddeern angefaßt hatte.

Dann sah er Lisbeth schräg durch den Saal kommen; sie setzte sich zu Elsbe, die ihr entgegengesprungen war. Er sah und sah immer hin. Es war ihm, als wenn er sie noch nie gesehen hätte, so hatten diese wenigen Tage seine Natur verändert. Er verfolgte die blaue Schleife, die sie am weißen Kleide an der linken Schulter trug, während sie durch den Saal tanzte.

Da kam auch Elsbe daher, ließ die Hand eines jungen Landmanns los und kam auf ihn zu. Ihr junges Gesicht war von Freude verklärt, ihr schweres, dunkles Haar war aufs Kleid heruntergesunken, ihre volle, kleine Gestalt war in Tanzen und Wiegen. „Du, Harro Heinsen ist nicht da; er hat keinen Urlaub bekommen können! Ich geh' mit Hans Jarren, er ist fast noch ein Junge; aber das macht nichts. Wir wollen eine Flasche Wein trinken. Geh' doch hin und hol' dir Lisbeth und komm' zu uns."

Er tat trotzig und sagte: „Ich mag nicht tanzen."

„Du hast bloß keinen Mut, mein Jung'! Trink ein paar Glas Punsch: dann wird es besser."

Weg war sie. Da forderte er sich richtig ein Glas Punsch, und noch eins und wieder eins; und als er vier Gläser von dem schweren Getränk genommen hatte, da hatte er den Mut und ging auf Lisbeth zu.

Sie hatte noch nicht viel getanzt. Da sie nämlich eine so anmutige, zierliche Haltung hatte und so wenig und ruhig mit hoher, feiner Stimme zu sprechen pflegte, wobei sie den, mit dem sie sprach, mit sonderbar erstaunten Augen ansah, so hielten sich die meisten von ihr zurück, wußten auch nicht, was sie mit ihr reden sollten. Ihr Haar war sehr hell und lag, glatt und blank wie rohe Seide, um den zierlichen Kopf. Ihr Kleid war frisch und zart wie weiße Blüten und schien, wie ihr Gesicht, den Schmelz von Blüten zu haben. Sie sah so unberührt aus, so fein und frisch, wie ein sonniger, stiller Sonntagmorgen, wenn man keine Sorgen hat.

Er paßte nicht zu ihr. Vor acht Tagen paßte er zu ihr, trotz seiner Ungelenkheit. Aber jetzt gehörte er nicht mehr neben sie.

Als er zum Tanzen ansetzte und es ihm nicht gleich gelingen wollte, den Takt zu finden, sah er sie mit Auflachen an, und als sie unsicher fragte: „Was hast du?" da sagte er herausfordernd: „Es hat ja gar keinen Zweck, daß wir tanzen. Laß uns zu den anderen gehen und Wein trinken: das mußt du auch lernen."

Da erschrak sie vor ihm und trat von ihm ab und sagte: „Das tu' ich nie."

„Ach, sei nicht so sipp!" Er versuchte, sie am Arm mit sich fortzuziehen; aber da riß sie sich mit ängstlichen Augen los.

„Na, denn bleib hier," sagte er, „du dumme Deern!"

Das sahen und hörten einige und lachten.

Da ließ er sie stehen, und ging an die Tonbank zurück und setzte sich wieder hin und trank, und wühlte sich in einen verbissenen Trotz hinein und sah mit verächtlicher Miene um sich.

Einige, die von Natur dem weiblichen Geschlechte abgeneigt waren, und die andere Leidenschaft, die des Trunkes, hatten, und andere, die gleich ihm Absage bekamen, setzten sich zu ihm; und bald gab es ein wildes Reden und Singen um ihn her. Er saß still unter ihnen und sah finster vor sich hin; dann lachte er wieder spöttisch bei sich selbst und trank viel.

Gegen Morgen taumelte er nach Haus und schlief bis an den Mittag.

Da kam Wieten in seine Kammer, trat an sein Bett und sah ihn mit großem Kummer an und sagte mit traurigem Kopfschütteln: „Deinetwegen und wegen Elsbe bin ich hier im Hause geblieben. Um Elsbe ist mir immer bange gewesen: aber auf dich hatte ich große Hoffnung gesetzt.“ Sie setzte sich auf den Bettrand und fing an zu weinen. „Ich habe kein Glück in der ganzen Welt. Als ich fast noch ein Kind war, habe ich das ganze Haus zu Grunde gehen sehen, in dem ich damals lebte. Da konnte ich wohl hoffen, ich hätte genug Leid gesehn und getragen für mein ganzes Leben. Aber nun ich grau werde, muß ich so durch lauter Leid und Unruhe waten, und muß ein Mensch werden, der gar keine Hoffnung hat. Ich werde mit leeren Händen aus der Welt gehen. Ich werde Gott meine leeren Hände hinhalten und werde sagen müssen: Lieber Gott, alles, was ich lieb hatte, ist mir unterwegs verloren gegangen und in den Schmutz gefallen.“ So klagte sie und rang die Hände im Schoße und weinte bitterlich.

Er hörte es mit geschlossenen Augen an, und sie ging wieder hinaus.

Er blieb bis gegen Abend im Bett, die Augen immer geschlossen: so sehr schämte er sich vor seiner Kammer. Erst als es dunkel wurde, stand er auf und ging hin und her.

Als es Nacht war, schlich er sich hinaus und lief nach Ringelshörn, nach dem Hause an der Sandkuhle,° stellte sich unter das Fenster und rief ihren Namen. Als es lange still blieb, kam der ganze Jammer, den er bisher noch mit Trotz und Scham gebunden hatte, so jäh zum Ausbruch, daß er wie ein Junge weinte, der geschlagen wird. Da stand sie auf und öffnete das Fenster, und klagte sich mit harten Worten an: „Ich habe schon gehört, wie du es gestern abend getrieben hast. Ich bin ein Unglücksmensch. Alles, was ich berühre, wird unglücklich, darum will ich weg von hier. Ich habe mein Haus mit allem, was darin ist, heute verkauft und gehe morgen in der Frühe über alle Berge und komme niemals wieder.“

„O du, dann nimm mich mit! Ich kann nicht wieder nach Hause gehen; ich kann nicht. Ich kann mich niemals wieder vor den Leuten sehen lassen.“

Sie redete ihm gut zu und bat ihn viel: er wäre noch jung; was geschehen wäre, würde bald vergessen werden. Er solle sich wundern, wie bald die Wunde vernarbe, die man empfange, wenn man so jung wäre. Er müsse gerade denen, die ihn so laut und betrunken gesehen hätten, zeigen, was an ihm wäre; es wäre wohl Elend genug, daß sie die Heimat verlassen müßte. Aber er blieb dabei, er höre schon das Lachen seines Vaters und den Hohn seiner Brüder, und Wieten verachte ihn, und alle Menschen sagten: Klaus Uhl ginge mitsamt seinen Kindern zu Grunde, und er, der Jüngste, wäre der Schlimmste. Darum, um sich aus all dem Elend zu reißen und zu retten, wollte er es machen, wie Fiete Krey es gemacht hätte. Über alle Berge wolle er.

5 Es war eine traurige Nacht. Sowohl für die, welche im Scheine der kleinen Handlampe im Hause hin und her ging und die wenigen Sachen zusammenpackte, die man ihr nachschicken sollte, und die zuweilen verwirrt stillstand und dann kopfschüttelnd wieder an die Arbeit ging, während ihr schwere 10 Tränen über die Wangen liefen. Aber auch für den Jungen, der seinen Sonntagsanzug anlegte und seine Arbeitskleider in ein Tuch packte, und dann stumm am nachtdunklen Fenster saß und die Bedeutung dieser Stunden nicht erfassen konnte, der bald mit stolzem Lächeln hohe Pläne aufbaute und bald 15 Neigung hatte, in Wieten Klooks Stube zu gehen und ihr zu sagen, was er vorhatte, und an ihrem Bett sich auszuweinen und aus ihrem Munde zu hören: „Bleibe hier, mein Junge. Es kann noch alles wieder gut werden.“

Als der Morgen grauen wollte, ging er aus der Hintertür 20 über die Fohlenweide auf die Heide hinauf und wartete auf einem Stein am Wege, bis sie kam. Sie kam mit festem, frischem Gang, den sie immer hatte, und ihre Augen waren blank und voll verhaltener Fröhlichkeit.

„So,!“ sagte sie „das andere habe ich alles überstanden. 25 Hinter mir liegt es.“ Sie deutete nach der Gegend zurück, wo am Ende der Heide das Haus ihres Geliebten lag. „Nun kommst d u noch; und mit dir werde ich leichter fertig. Ich will dich aber nicht gleich wegschicken; ich will mich noch eine Weile an dir freuen." Das sagte sie so sicher und mit so heiterer Ruhe, daß er nicht zu widersprechen wagte. Er blieb aber im Herzen dabei, mit ihr zu gehen, und ginge es um die ganze Erde.

Er hatte bisher nichts, das er verehren konnte. Die Religion ihm nahe zu bringen, hatte man nicht verstanden. Die lebensfrische, liebliche und stolze Gestalt des Heilands hatten sie ihm verdorben und vermalt.[1] Eine Mutter hatte er nicht. So war der frische, warmherzige Junge ohne eine Liebe. Wenn der Mensch aber einen regen Geist[2] hat, sucht er ein Ideal, wie einer, der ein gutes Gewehr in der Hand hat und gerne schießt, sich ein Ziel sucht. Da kam dies Mädchen, das alles hatte, was seinem Alter begehrenswert erschien, Mut vor allem und sicheres Urteil, sittliche Reinheit und eine große Güte. Dazu kam der geheinmisvolle, dunkle Zauber, den das Weib in seiner vollen Blüte auf das Jünglingsalter ausübt, ein Gefühl, das sowohl etwas von Anbetung wie von erster, gesunder Sinnlichkeit hat.

Sie sprach wieder gütig mit ihm wie am Abend vorher, wobei sie ihn oft ansah und ihm zunickte: „Es ist mir ganz recht, daß du noch bis zum Walde mit mir gehst, daß ich dich noch so lange ansehen kann . . . Du wirst ein schmucker und tüchtiger Mann werden, Jörn, das sollst du sehen. Fürchte nicht, daß du auf die schlechten Wege deiner Brüder kommst."

„Du mußt nicht glauben,[3] daß das, was du in den letzten Tagen erlebt hast, verderblich für dich ist. Wir bleiben nun einmal nicht ohne Schuld. Es scheint, das soll nicht sein. Das Schicksal ruht nicht eher, als bis es uns schuldig gemacht hat. Darauf kommt es an, daß du trotz der Schuld den Glauben an das Gute festhältst und Liebe und Treue nicht aufgibst. 5 Schuldig sein und den Kampf um das Gute aufgeben, das ist Tod. Schuldig sein und doch für das Gute streiten, das ist rechtes Menschenleben. Du bist stark inwendig, darum habe ich dich lieb. Was du in diesen Tagen erlebt hast, das ist für dich nichts anderes, als ein Sturm für einen guten, jungen 10 Baum. Der Sturm wird noch einige Wochen über dich hinwehen; du wirst dich unglücklich fühlen und unruhig, und die Menschen werden dich auslachen. Dann wird es vorüber sein, und dann wirst du merken, daß du stärker geworden bist und fester stehst und weiter sehen kannst."

15 So sagte sie, in ruhiger Sicherheit, während sie frisch und wie sorglos fröhlich neben ihm herging. Sie sahen sich an beim Gehen, und ihr Haar, das hell wie seins war, war rot vom Widerglanz des Himmelsfeuers. Er meinte, daß er nie wieder solch hohe Stunde erleben würde, so voll Leid und so 20 voll Freude; denn er wußte nun auch, daß geschieden sein müßte. Unter ihren ernsten, festen Worten war ihm der innere Wert und die innere Notwendigkeit des bitteren Scheidens aufgegangen.

Sie zeigte nach der Sonne, die mit großen, grauen, zer-25 rissenen Wolken einen stillen, heißen Kampf führte. „Siehst du? da steht es wie ein großes graues Haus. Aber darin glüht es; und das Feuer fliegt aus Fenstern und Türen. Der

Meister schmiedet dadrinnen; das glühende Eisen liegt breit und dick auf dem Amboß. Ich bin nicht bange um dich. Es wird uns wohl noch irgendwo ein Glück beschieden sein . . .

„Nun geh'! Geh' rasch, daß wir uns nicht quälen."

Er stand mit zuckendem Munde vor ihr und sah sie an. 5

„Es ist nicht leicht, Junge! Komm her!" Sie küßte ihn herzlich und stürmisch. „Werd' ein tüchtiger Mann!" Sie sah ihn noch einmal von oben bis unten an. Ihre Augen waren heiter. „Um dich bin ich nicht bange." Dann ging sie mit leichten Schritten, als ginge sie zu einem Feste, den Wald- 10 steig hinunter und verschwand am ersten Haselbusch.

Er stand noch eine Weile mit angehaltenem Atem und nassen Augen; dann ging er mit langen Schritten davon. Er fand das Kleiderbündel an der Hecke, wohin er es vorhin gelegt hatte, und zog im Schutz des Walles das Arbeitszeug an. 15 Dann lief er in langen Sätzen quer über die Heide, sprang den Abhang hinunter und holte Pferde von der Weide. Im raschen Trabe kam er auf die Hofstelle geritten, ging nicht erst ins Haus hinein, schirrte die Pferde an und arbeitete den ganzen Tag draußen auf dem Felde. 20

10. Kapitel

Die Erlebnisse dieser Tage wirkten jahrelang auf ihn. Sie wirkten auf ihn, wie ein bitterkalter Winter mit wundervollen Sternennächten auf den jungen Baum. Vom Frost bis ins Mark getroffen, zieht er sein Leben in sich hinein und führt es

still zwischen Wachen und Schlafen weiter, zwischen hellen Ängsten und süßen Träumen. Allmählich, wie die Sonne ihm lange schmeichelt, stundenlang ihre weiche Wange an seine Rinde legt, taut er auf und wird fröhlich. So verschloß der
5 Junge das Schöne und das Traurige, das er in jener Morgenfrühe am Heesewald erlebt hatte. Er schloß Augen und Mund, um inwendig[1] ungestört zu sein. Er wurde ein stiller, wortkarger Mensch. Einige Narren sagten, er wäre dumm. Wer ihm aber in diesen Jahren begegnete und ein kluger und
10 feiner Mensch war, und hat nur einen einzigen Blick in diese scheuen, tiefliegenden, bitterernsten Augen getan, der hat wie in eine alte Bauernkirche hineingesehen, in Dämmer und Dunkel, goldene Sonnenstrahlen schräg durch hohe Fenster; und ganz hinten hat er auf dem goldglänzenden Altar hohe, stille
15 Lichter brennen sehen.

Er war ohne Freunde und ohne Bücher, ganz auf sich selbst angewiesen. Da hat er sich seine Seele bunt ausgestattet, nach seinem eigenen Geschmack.[2]

* * *

Es war ein Städter nach der Uhl gekommen, hatte nach
20 Altertümern gefragt und hatte die Lade gesehen, die im Pferdestalle stand, und hatte ein Angebot gemacht und war weggeschickt worden. Jörn, der gemerkt hatte, daß das alte Möbel dem Mann wertvoll schien, besah es zum erstenmal in seinem Leben, fand Gefallen daran, reinigte es an einem stillen Sonn-
25 tagnachmittag, machte das Schloß in Ordnung und brachte

die Truhe in seine Kammer und legte seine Sonntagskleider hinein. Dann lag da noch ein Gesangbuch und das alte, abgegriffene Lesebuch von Klaus Harms[1] und noch ein altes Buch mit gelbem, zerfetztem Umschlag: Littrow,[2] Wunder des Himmels. Das Buch war mit Jörns Mutter vom Heeshof her ins Haus gekommen und war eine Art populärer Astronomie. Mehr lag nicht in der Lade.

Wenn es nun Feierabend war oder Sonntagnachmittag, dann setzte Jörn Uhl sich in den alten, sächsischen Stuhl mit Seitenlehnen und strohgeflochtenem Sitz und legte die Beine auf die Lade und zündete die kurze Pfeife an und sah sich in der Kammer um, die an den weißgekalkten Wänden weiter keinen Schmuck hatte, als einen kleinen Spiegel, und sah von dem Fenster in den Apfelgarten und rauchte, und machte ein sehr ernstes und langes Gesicht und baute seine Seele aus.

Heiraten wollte er nicht. Das war nun vorbei. Er hatte in dem Fache mehr Erfahrung gesammelt als mancher alte Mann. Er hatte es ja erfahren. Die eine, die einst in Kindertagen sein Kamerad gewesen war, war eine Fremde geworden; sie hatte ihn von oben herab gönnerhaft° angesehen und war, mit Angst im Gesicht, von ihm zurückgetreten, als sie in seinem Gesicht das gesehen hatte, was die andere geweckt hatte. Diese andere aber, vor der er mit wilder Unruhe und mit heißem, neuem Begehren gestanden hatte, war eine Heilige gewesen. Die Scham stieg ihm ins Gesicht, wenn er an beide dachte. So wollte er nicht wieder vor einem Mädchen stehen. Er wollte diesem ganzen argen Gebiet des Menschendaseins

immer fern bleiben. Er wollte Junggeselle bleiben. „Thieß
ist es auch,“ dachte er. „Es liegt in der Familie.“

Schwerer als mit den Weibern wurde Jörn Uhl mit der
Welt fertig. Man kann sich von der Welt nicht so leicht ab-
5 wenden: man dreht sich um: sie ist da; man dreht sich noch einmal um: sie ist noch immer da. Man hält sich die Augen zu,
so hört man ihr Summen und Schreien; man hält sich die
Ohren zu, so macht sie vor unseren Augen ihre Fratzen° und
Sprünge. Man muß Stellung zu ihr nehmen, Frieden hal-
10 ten oder Streit anfangen. Er, bei seinen Jahren und in
seiner Stimmung, dazu aus einem Volksstamm, der von jeher
im ganzen Lande für streitsüchtig gehalten wird, fing Streit
an: „Frau Welt! Alt bist du und häßlich! Verkehrt und
verdreht ist alles an dir, von deiner Sohle bis zu deinem
15 Scheitel. Ich bin Jörn Uhl von Wentorf“ ... Er hatte die
Brauen seiner Augen zu tief zusammengezogen, da sah er die
großen Wunder[1] nicht; und er trug die Nase zu hoch, da achtete
er nicht der großen Schönheit.

Es gab kein Ding in der Welt, alles, was kriecht oder fliegt,
20 glänzt oder trauert, Rock trägt oder Schürze, rund oder vierkantig ist: Jörn Uhl hatte über alles ein gerechtes und strenges
Urteil. Darum sah er es deutlich kommen, daß kein Platz für
ihn in der Welt wäre. Reinliche Scheidung zwischen ihm
und der Welt: das war das einzig Richtige. Also beschloß er,
25 in der Verborgenheit dieser Kammer und des Uhlschen Hinter-
hauses ein Knecht[2] zu sein, zuerst bei seinem Vater, danach bei
seinen Brüdern, sich aber einen jährlichen Lohn zahlen zu lassen.

Das, was er also verdiente, wollte er in der städtischen Sparkasse[1] anlegen, davon er gehört hatte, daß sie durchaus sicher wäre. Danach, als ein ältlicher Knecht, wollte er mit dem Ersparten einen kleinen, einsamen Hof kaufen und mit Wieten fern vom Treiben der Welt leben, bis an seinen Tod. Und also wollte er der Welt zugleich entgehen und zugleich trotzen.

Nun also, wenn die Welt mit allen ihren natürlichen und menschlichen Einrichtungen° Jörn Uhls Anerkennung nicht fand, so mußte, der Himmel und Erde gemacht hat, nicht gut wegkommen.

Er ging freilich in die Kirche. Er tat es seit einem halben Jahre; denn er sah, daß die Sparsamen, Nüchternen und die ein wenig altmodischen Leute in die Kirche gingen; und er hatte sich fest vorgenommen, gerade ein solcher Mann zu werden. Jörn Uhl ging in die Kirche, weil er ein Ordentlicher sein und bleiben wollte. Er wollte das schon äußerlich anzeigen, darum ging er in die Kirche. Zuweilen, wenn der kleine Mann vom Altar her oder auf der Kanzel mit singender, wogender Stimme die vorgeschriebenen Bibelstellen vorlas, klang es Jörn Uhl, als wenn er etwas anderes hörte, als was der Mann nachher predigte.[2] Es war ihm, als wenn er alte, tiefe Weisheit hörte und große, starke Gedanken,[3] mitten aus dem Menschenleben. Da war ihm wie einem Menschen, der am Waldrande liegt, umsummt und umsurrt von Vögeln und Mücken, und hört in der Ferne im Walde einen Brunnen rauschen mit vollem und schwerem und reinem Wasser. Aber bei der Unselbständigkeit seiner Jugend und bei seiner innerlichen

Schwerfälligkeit° kam er nie auf den Gedanken, einmal den Matthäus oder Markus[1] durchzulesen und nachzusehen, ob der kleine Mann vielleicht ein gutes Stück vom Evangelium unterschlug und ein anderes fälschte.

5 „Du mußt immer auf demselben Platz sitzen," hatte der alte Dreyer gesagt. „Sechzig Jahre lang sitze ich jeden Sonntag auf meinem Platz in der dritten Reihe, bloß die zwei Jahre abgerechnet, als ich gegen die Dänen[2] im Felde lag."

Also saß Jörn Uhl jeden Sonntag auf demselben Platz.

10 Und so blieb nichts weiter nach, als daß Jörn Uhl darum etwas auf Gott hielt, weil derselbe so 'was Altmodisches hatte.

* * *

Im Herbst des anderen Jahres aber ereignete sich etwas, das wie ein Tau in seine innere Welt hineinfiel. Und das war gut. Denn sie war in Gefahr, zu verdorren, wie ein
15 junges Weideland, wenn im April vier Wochen Ostwind weht.

Zu der Zeit, als die Felder sich von Korn leerten, verwilderten einige Jagdhunde, deren Besitzer weder nüchtern noch geschickt genug waren, auch nur ein Tier zu erziehen. Also vertrieben sich die Hunde die Zeit auf dem Felde; die Bauern
20 die ihre im Wirtshaus.

Bald wurde es bekannt, daß Schafe zerrissen und Hühnerhöfe verwüstet waren. Die Kinder der Arbeiter, die längs dem Kirchensteig in die Schule gehen mußten, gingen zitternd ihres Weges. Eins von ihnen kam atemlos und ganz ver-
25 ängstigt ins Dorf und behauptete, verfolgt worden zu sein.

Es geschah aber nichts gegen das Übel; denn die Besitzer der Hunde lachten; es wagte niemand gegen sie vorzugehen, denn sie waren die ersten Leute[1] im Dorf, saßen in der Sparkasse und konnten im Guten und Bösen Vergeltung° üben. Da traf es sich, daß an einem Sonntagmorgen die Kinder vom 5 Kamp, die den Kirchensteig entlang gingen, sahen, wie die Hunde das Kalb eines Kamper° Arbeiters hetzten. Die Kinder des Arbeiters fingen an zu weinen und jammerten, sie hätten nur das eine Kalb, und ermunterten° zwei große Jungen, mit ihnen gegen die Hunde anzugehen. Aber die fürchteten 10 sich. Da gingen die beiden Kleinen in ihrer Angst allein vor, da sie wohl auch im kindlichen Unverstand meinten, sie würden von den Eltern Schläge bekommen, wenn sie das Kalb nicht retteten. Als die Kinder nun aber, vor Angst schluchzend, näher kamen, wichen die Hunde nicht, sondern gingen vielmehr 15 auf das kleine Mädchen zu, das an das Kalb heran wollte und mit den Händen schlug und immer rief: „Mien Bülle,[2] mien Bülle." Da sank den großen Knaben ganz der Mut, und sie liefen schreiend dem Dorfe zu, das fern lag. Die beiden Kinder aber standen allein, und die Hunde fingen an, mit ihnen 20 zu spielen. Sie duckten sich, sprangen vor, sprangen wieder zurück und duckten sich° wieder und zerrten an den Kleidern der Kinder, und das eine Kind fiel, und es war nahe daran, daß Furchtbares geschah.

Da kam Jörn Uhl aus den schwarzen Bohnenhocken° her- 25 vor in seinem Sonntagsstaat,° und sah, was da geschah, und biß die Zähne zusammen und dachte: „Verflucht sind sie! Soweit ist es gekommen: die Kinder des Dorfes werden von Hunden gefressen.“ Sein Gesicht wurde dunkel vor Zorn, und seine Augen brannten. In drei langen Sprüngen war er zur Stelle. Der eine wich; der andere, der in heller Wut, mit gesträubtem° Haar, stehen blieb, bekam die harte Stiefelspitze in die Seite. Aufheulend sprang er mit schäumendem Maul gegen Jörn Uhl an, der bückte sich nach dem Kinde. Und gerade, als er sich aufrichten wollte, traf ihn der Ansprung des Tieres, und da er keinen rechten Halt hatte, riß es ihn durch Gewicht und Wut in die Knie. Mit einem harten Griff seiner großen, knochigen Hand drückte er das wilde Tier gegen seine Brust und hielt es mit genauer Not von seiner Gurgel ab, nach der es mit wilder Anstrengung, mit schrecklich aufzuckendem Körper und bloßem, geiferndem° Munde auslangte. Mit Mühe, kreideweiß im Gesicht, gelang es ihm, sich aufrecht zu halten. Als er aber gut und sicher kniete, schrie er wild und laut auf, nahm seine junge Kraft zusammen, erfaßte mit zustoßender Hand die Gurgel des Tieres, bückte sich und brach ihm in Zorn die Knochen.

Nach acht Tagen ging er wieder, feldüber nach dem Kirchensteig, der Kirche zu und kam den Kindern vom Kamp nach, die auch unterwegs waren. Sie traten von den Rotsteinen ins Gras und sahen zu ihm auf. Aber die Kleine, die er gerettet hatte, schob stumm ihre Hand in die seine und ging im kleinen Trabe neben ihm bis an die Kirchentür, ohne einen Ton zu sagen. Er ging hinein und hörte die Predigt über den Glauben,[1] und daß die sogenannten guten Werke[2] und das sogenannte ehrbare Leben meist verdächtig wäre: „Glänzendes Laster."

Als er aus der Kirche heraustrat, kam ihm der alte Schneider Rose nachgelaufen, der zu den Stillen[1] im Lande gehörte. Er trippelte neben Jörn Uhl her; denn er war schon ein alter Mann, sprach ein wenig vom Wetter, stand wieder still und fing an, in seiner verlegenen Weise mit weichen Fingern nach Schneiderart seinem Begleiter vorn auf der Brust über Rock und Weste zu fahren.

„Bring die Jacke zu mir, Jörn," sagte er. „Der Hund hat sie dir ganz verkratzt; ich will sie dir mit Seide heil machen. Ich tu's umsonst, Jörn . . . Aber, Jörn, was wollte ich noch sagen? Es kommt nicht auf die Jacke an, Jörn, sondern auf das Herz unter der Jacke, das muß Gott gehören."

Jörn Uhl wurde verlegen. Wo redet in diesem Lande ein gewöhnlicher Mensch über diese Dinge? Über Gott und Seele zu reden ist Sache des Pastors, wenn er auf der Kanzel steht.

„Ich wollte den Kindern helfen," sagte Jörn Uhl, „ich war giftig auf die verdammten Hunde."

„Du mußt alles tun um Gottes Willen, als Gottesdienst."

Das verstand Jörn Uhl nicht. „Ehrlich gesagt, ich dachte nur an das kleine Ding, das schrie wie besessen."

„Du hast dies eine Mal das Gute auf eigene Faust getan, und das war schön. Wenn du aber durch dein ganzes Leben und immer das Gute tun willst und willst rechte Freude haben, dann mußt du mit Gott Handschlag wechseln und aus Liebe zu ihm das Gute tun. Du mußt es nicht tun, weil du giftig warst auf die Hunde, oder weil du die Angst der Kinder nicht ansehen konntest, sondern weil Gott neben dir stand und dich ansah und sagte: ‚Spring' zu, Jörn Uhl! Rette das Kind! Faß den Hund an, Jörn Uhl!'"

„Ja ... das ist ja doch einerlei, ob ich es mit oder ohne Gott tue."

„Lange nicht, Jörn. Denn sieh 'mal: Wenn du es auf eigene Faust tust, wirst du stolz und bildest dir 'was ein, wirst ein Breitspuriger° und vielleicht ein Narr. Auch tust du nicht immer das Gute; auch triffst du nicht immer das Rechte; auch hast du keine rechte Freude daran, weil du es nicht um seiner selbst, sondern deinetwegen und wegen der Leute tust. Wenn du dich aber an Gottes Seite stellst und alles so von Gottes Seite aus tust, dann bleibst du fein demütig, lachst, freust dich, weißt sicher, daß du gerade das Richtige tust, und hast für alles Verständnis und trotzest und freust dich der ganzen Welt. Unser Herz bei Gott, Jörn, und unsere Hände gegen die Hunde, gegen alles Schlechte: das ist das Christentum."

„Das läßt sich hören," sagte Jörn, „bei Gott stehen und dann, von da aus, das Gute tun: wahrhaftig, das ist nicht übel. Ich meine aber ..."

„Der Heiland hat es auch so gemacht, Jörn. Immer an Gottes Seite und immer gegen die Hunde! Bloß daß zuletzt zuviel Hunde da waren: sie wurden ihm über und zerrissen ihn. Was hat er sonst gewollt und getan, als mit Gott auf Leben und Tod für das Gute streiten?"

„Das ist gut," sagte Jörn Uhl wieder. „Gewissermaßen im Bunde mit Gott."

„Auf Treu und Glauben, Jörn."

„Ganz recht, auf Treu und Glauben gegen alles Böse, gegen Hunde und Faule, gegen Trinker und schlechte Pflüger." 5

„Ganz recht, Jörn, und zuerst gegen die eigenen Fehler."

„Das ist klar," sagte Jörn Uhl.

„Siehst du?" sagte der Alte. „Bring' mir morgen die Jacke, Jörn, ich mach' es umsonst."

Er nickte viele Mal und ging, noch nickend, davon. 10

Jörn Uhl dachte plötzlich: „Den mußt du 'mal fragen, was er über die Predigten denkt, die hier drinnen gehalten werden." Er kehrte sich um. Aber der Alte war in einen gelinden° Trab verfallen und verschwand hinterm letzten Kirchenbaum.

Als Wieten Klook am anderen Morgen den Anzug forderte, 15 um ihn nach ihrer Gewohnheit zu bürsten, erzählte er ihr, daß der Alte die Jacke ausbessern wollte und zwar umsonst.

„Das ist ein wunderlicher Heiliger," sagte sie. „Was hat er gesagt?"

Jörn Uhl sah bedenklich vor sich hin. „Es war an der 20 Kirchenecke etwas windig. Wenn ich ihn recht verstanden habe, so sagte er: ‚Das wäre das beste Menschenleben, wenn einer für andere das Eisen aus dem Feuer holte.'"

„Das ist mir ein Heiliger! Gott steh' mir bei, Jörn. Der alte Mann wird noch ganz unklug." 25

„Na," sagte Jörn, „warum gleich das? Er ist fleißig und nüchtern; kein Mensch kann ihm etwas nachsagen; er ist immer vergnügt und freundlich, und du weißt, daß er dem kleinen Dierksen den Konfirmandenanzug umsonst gemacht hat."

„Ja, was ist das alles? Hat er sich einen Groschen erobert? Arbeitet den ganzen Tag. Hat er 'was?" Sie gab 5 ihm das Bündel und sagte: „Schier dich mit deiner Jacke!" und er ging aus der Küche.

Auf der Diele dachte er: Das sind nun drei Meinungen. Was der in der Kirche predigt, kann ein verständiger Mensch nicht für richtig halten. Was der alte Schneider sagt, das 10 hat Sinn. Aber was Wieten sagt, das hat auch Sinn. Der Schneider sagt: Für andere sorgen, in Gottes Namen. Wieten sagt: Für sich selber sorgen, im eigenen Namen.

Plötzlich blieb er stehen, besann sich und kehrte wieder nach der Küche um. Sie stand, von der Tür abgewandt, am Hand- 15 stein, und arbeitete. „Du," sagte er, „du sagst, der Schneider hat Blech geredet? Aber denn sage mir 'mal: Wie ist das mit dir selbst? Du arbeitest für nichts und wieder nichts in diesem öden Hause, wo drei Trinker ohne Sinn und Verstand darauf loswirtschaften, und plackst° dich täglich mit dem widerhaarigen 20 Mädchen?"

Sie drehte sich flink um und sah ihn groß an. Er redete zum erstenmal als ein selbständig Denkender zu ihr, und sie konnte sich da nicht so schnell hineinfinden. „Jung'," sagte sie, „tühn° nicht! Geh' deiner Wege und werde nicht hinter- 25 sinnig."

Da ging er nachdenklich mit seinem Bündel davon.

* * *

Sein äußeres Leben[1] war wahrlich nichts als Mühe und Arbeit. Der Vater pflegte zu sagen: „Er hat zu viel von den Thiessens und wird zeitlebens der Tagelöhner seiner Brüder sein." Heute pflügen, morgen säen, übermorgen schwere Arbeit im Hause: das war sein Tag. Morgens der erste und abends der letzte: ein Mensch, der keinen Feierabend und kaum einen Sonntag hat. Die Augen fielen ihm zu, wenn das Abendbrot eingenommen war. Dann ging er bald in die Kammer und schlief traumlos.

Der Leib schoß hoch und hager auf, der Schritt wurde vom Gehen in dem schweren Pflugland stark und schwerfällig. Die Muskeln wurden stark von Sehnen. Es machte ihm keine Mühe, den ganzen Tag ohne Ablösung, Furche ab, Furche auf, hinter den vier Pferden herzugehen, den Pflugsterz° in den Händen; und es war dem noch nicht Achtzehnjährigen nicht zuwider, wenn er in der Weizenernte statt einer Garbe drei auf die Forke spießte. Seine Schultern wurden breit, wie nach den Seiten hin ausgebaut, und sein Gesicht wurde braun von Sonne und Salzwind. Sein Wesen und Wort hatte jene langsame Bestimmtheit und schwere Beharrlichkeit,° welche dem schwerfällig grübelnden° Geist eigen ist. Sein Kirchenbesuch wurde seltener, aber an jedem zweiten und dritten Sonntag hielt er in blauem gutsitzenden Jackanzug, hochaufgerichtet, mit stillem, stolzen Gesicht, seinen Ki chgang.

Die Ereignisse des Herbstes wirkten wohltätig auf ihn. Er hatte einige Jahre lang gedacht: Fleißig, nüchtern, sparsam, so der Nase nach bis in den Tod: das ist der ganze Witz.° Aber die Unterhaltung mit dem Heiligen und das Nachdenken und Vergleichen, das danach folgte, machte, daß er die Augen ein wenig aufriß und noch einmal genauer zusah. Und da entdeckte er, daß die Sache so einfach nicht lag. Es gab noch andere Dinge von Wert, als Ehrbarkeit und Geld. Er wurde ein wenig aufgeschlossener, weicher und milder.

Er gewann eine stille, wortkarge Zuneigung zu etlichen Arbeiterkindern vom Kamp, und saß zuweilen am Sonntagnachmittag mit ihnen am Ufer der Au und schnitzte ihnen Flöten aus Weidenzweig und half den Kleinsten, welche mit ungeschickten Händen aus den Stengeln des Löwenzahns Ketten machten. Im Winter aber bewahrte er Äpfel zu unterst in der Lade im Stroh und lachte, wenn die Kleinen auf ihrem Schulwege am Hof vorüberkamen und husteten oder laut redeten und sich auf jede Weise bemerkbar machten; denn sie wagten nicht, ihn geradewegs mit einer Bitte anzusprechen. Dazu war er ihnen zu ernst und zu lang.

Zuweilen, an Winterabenden, holte er den Littrow hervor, besah die Himmelskarten, die dem Buche angehängt waren, und ging in den sternklaren Abend in den Apfelgarten hinaus und suchte die gezeichneten Sterne und merkte sich ihre Namen. Wenn er aber entdeckte, daß es ihn fortriß, daß er gierig wurde, dies alles und mehr zu erkennen, wenn er merkte, daß die Lust am Lernen ihm wie Wein heiß zu Kopf stieg, dann erschrak er und legte das Buch wieder in die Lade, ganz zu unterst unter das Stroh, wo die Äpfel lagen.

Die Entdeckungen, die er an Menschen und Ereignissen machte, verschloß und verstaute er, wie ein Schiffer die Ladung° unten im dunklen Schiffsraum verstaut. Sie schien nicht vorhanden zu sein. Ohne Bedeutung und zwecklos schien sie; aber sie war nur verborgen. Sie hatte den Besitz seiner Seele bereichert, lag da und war sein Eigentum, und das Fahrzeug ging tiefer 5 und sicherer.

So kam ein Erlebnis nach dem anderen, ein Mensch nach dem anderen. Sie traten an ihn heran und gaben ihm ein Stück neuer Erkenntnis und Erfahrung und gingen wieder davon. 10

11. Kapitel

Im folgenden Frühling überlegte er sich mit der Bedächtigkeit eines älteren Mannes, daß es das Klügste wäre, wenn er sich jetzt freiwillig zu den Soldaten meldete;[1] dann hatte er nachher freie Bahn.

Der General sah den großen, breitschultrigen Jungen, der 15 nackend vor ihm stand, mit Wohlgefallen an und sagte in guter Laune: „Kürassier oder Kanonier?" Er besann sich kurz und sagte: „Kanonier." Darob verwunderten sich die Herren der Kommission sehr. „Warum?" fragte der General. „Ich passe besser dazu." „Warum?" fragte der Alte noch einmal. 20 Er machte ein kluges Gesicht und sagte: „Ich denke mir, daß die Kanoniere einfacher sind und auch für das Land nötiger." Der General nickte bedeutungsvoll und ließ ihn abtreten.

Der Kirchspielvogt[2] Eisohn, derselbe, der mit den Bauern

trank und spielte und dessen einziges Kind nachher betteln gehen mußte und in Elend starb, beugte seinen kurzen Hals zur Seite und sagte: „Aus dem angesehenen Geschlechte der Uhlen, Herr General! Ist aber aus der Art geschlagen; sitzt kein Schneid darin!“ „In dem nicht?“ sagte der General, „in dem nicht? Für den übernehme ich jede Garantie. Ich kann die Menschengesichter taxieren, Herr Kirchspielvogt,[1] und weiß, wie die einzelnen Leute sich im Frieden und in zwei Feldzügen[2] bewährt haben.“

Also ging er im Herbst, gleich nach der Ernte, nach Rendsburg.[3] Geert Dose, der Sohn von dem Dose, der früher auf dem Dingerdonn gewohnt hat, wurde zur selben Batterie gezogen und ging mit ihm.

Rendsburg war damals noch eine stille Stadt. Und wäre sie lebhaft gewesen wie Hamburg und die schönste Stadt im ganzen Lande: was ging diesen Bauernjungen diese Stadt an? Was ging ihn überhaupt die Welt an? Er hatte hier drei Jahre lang zu lernen, was gelernt wurde, und zu gehorchen, was befohlen wurde. Ruhte aber die Arbeit, dann konnte er tun, was er wollte. Dann waren seine Gedanken auf den Feldern und in den Ställen der Uhl.

Es ging ihm gut; es konnte keinen besseren Friedenssoldaten geben. Er war abgehärtet,° klug und gehorsam. Ein Unteroffizier, frisch von der Schule gekommen, der gern von den „vierkantigen Holsteinern“[4] sprach, hatte Neigung, Jörn Uhl zum Schemel seiner jungen Herrlichkeit zu machen. Aber am vierten oder fünften Tage merkte Leutnant Hax, von den Leuten

„der lange Johann" genannt, die Absicht und unterhielt sich kurz mit dem Unteroffizier: da war es aus.

Am anderen Tage, als der lange Johann durch den Stall kam und Jörn Uhl ihm mit Wassereimern begegnete, sagte er: „Uhl, woher haben Sie diesen langen, schweren Schritt? Hab' 5 es bei so jungen Leuten all mein Lebtag nicht gesehen! Als wenn Sie Eisenschienen tragen!"

Die Wassereimer klirrten, Jörn Jhl stand wie ein Scheuerpfahl.° „Ich habe von Kind an schwer gearbeitet."

„Zweijährig in den Pflug gekommen?" 10

„Ja. Und es ist da schweres Land."

„Ich bin aus der Gegend von Itzehoe," sagte der Leutnant. „Kenne die Gegend, bin auch in Wentorf gewesen. Ich denke, der Vater hat einen großen Hof?"

„Zu Befehl. Aber i ch habe arbeiten müssen." 15

„Aha, der Alte nicht?"

„Zu Befehl, nein."

„Die Brüder auch nicht? Was?"

„Nein."

„Sie machen ein Gesicht, so . . . was soll ich sagen? . . . so 20 sorgenvoll. Ist nicht recht von einem jungen Menschen."

„Sie werden in diesem Herbst schlecht pflügen, Herr Leutnant."

Leutnant Hax zog die Augenbrauen, sagte nichts und behandelte Jörn Uhl von Stund an mit Hochachtung, was sich 25 besonders darin zeigte, daß er von ihm das meiste verlangte und ihm die schwersten Aufträge gab.[1]

* * *

In den letzten Wochen des Soldatendienstes hatte er sich besonders stark nach Hause gesehnt, nach den Ställen und Feldern, nach jedem Stück Vieh, ob er es noch anträfe, und nach jedem Wirtschaftsgerät,° das er in den Händen gehabt hatte. 5 Er log und trog sich in die Hoffnung hinein, daß eine gute Zeit kommen würde, daß der Vater älter geworden wäre und die Brüder vernünftiger, und daß er selbst auf den Wirtschaftsbetrieb° einen größeren Einfluß haben würde. Er hatte sich ausgemalt, daß er abends gemütlich mit Elsbe und Wieten 10 zusammensitzen wollte. Ein feines, grünes Kleeblatt wollten sie sein.

Als er dann ungesehen und unerwartet in seine altgewohnte Kammer gekommen war und die Truhe geöffnet hatte, und seinen blauleinenen Stallanzug hervorgekramt und einen neu- 15 gierigen Blick in Littrows Himmelswunder geworfen hatte, sah er sich um und staunte seine Schwester an, die dicht hinter ihm stand. „Sieh," sagte er, „klein bist du geblieben; aber rund und voll bist du. Du bist ein schmuckes Mädchen geworden, so wie es sich gehört."

20 Aber sie machte eine gelangweilte, fast bittere Miene. Er fragte nach ihrem Leben und nach ihrem Umgang. Aber sie antwortete wenig und mißmutig. Ihr Aussehen war wie das eines jungen, vollen und fruchtbaren Maimorgens; aber ihr Wesen war bedrückt wie eines Menschen, dem schon lange 25 hartes Unrecht geschieht.

Jörn Uhl, viel zu klug, um an eigenem Urteil zu zweifeln, und um vorsichtig und bescheiden nachzusehen, was in dem

Schwesterherzen vor sich ging, dachte in seiner Selbstherrlichkeit, er würde sie wohl zurechtkriegen.° Er meinte, sie wäre vereinsamt, und seine Gegenwart würde sie wieder munter machen. So sagte er auch zu Wieten, und die nickte ihm zu. Als er aber aus der Küche ging, warf sie ihm einen langen Blick 5 nach, der nicht gerade von Hochachtung herkam.

Da kam ein Abend, als er etwa vierzehn Tage lang im Hause war: da hatten Hinnerk und Hans junge Leute zu sich geladen, und plötzlich erschien Harro Heinsen in der Hinterstube, wo die drei in langweiliger Unterhaltung um den Tisch saßen. 10 Er hatte bei den Ulanen in Moabit[1] gedient und eine Unsumme Geld gebraucht. Er kam, um Jürgen zu begrüßen, wie er sagte. „Ich wollte dir doch guten Tag sagen. Wir sind ja nun mit dem Soldatenspielen fertig. Kommst du ein wenig mit nach vorne?“ 15

Jörn schüttelte den Kopf und blieb sitzen und hüllte sich in den Rauch seiner Pfeife.

Da setzte Harro Heinsen sich hin und fing an, von seiner Soldatenzeit zu erzählen und zu prahlen, und Jörn, der über alles, was der Moabiter sagte, eine andere Meinung hatte, 20 sagte kein Wort. Da bat er Elsbe, die er immerfort mit seinen schönen Augen ansah, ob sie nicht ein wenig mit nach vorne kommen wollte: sie sollte es doch tun; denn wenn sie käme, würden noch einige andere Mädchen dazukommen, die auf dem Nachbarhofe versammelt wären. Elsbe saß da, als 25 wäre sie von Stein. Dann sah sie auf ihren Bruder; aber der biß sich auf die Lippen und zeigte zu deutlich, daß er dieser Lage nicht gewachsen war.[1] Da packte das Mädchen ihre Handarbeit zusammen, atmete schwer auf und ging mit ihm, und als sie heraustraten, kamen ihnen schon lärmende Mädchenstimmen entgegen. Es war spät am Abend und eine finstere Novembernacht.

Nun ging Jörn in der Stube hin und her und sah dann und wann auf Wieten. Aber die sah mit verschlossenem Gesicht auf ihre Arbeit und sagte nichts. Da lernte er in diesen beiden Stunden etwas Großes und Neues: bittere Sorge um einen Menschen haben.

Zuletzt ging er nach seiner Kammer hinüber und wanderte dort hin und her und stand am Fenster und sah in das Dunkel hinaus. Er klagte Gott und alle Welt an, daß alles, was zu diesem Hause gehörte, in den Schmutz hinein müßte, rettungslos. Es quälte ihn, daß er kein Selbstbewußtsein hatte, und daß er nicht den Mut hatte, mitten unter die Gesellschaft zu treten und zu sagen: „Gebt mir meine Schwester." Er meinte, er würde niemals ein Mann werden. „Ich werde es alles ansehen," sagte er, „ich werde meine Arbeit in Feld und Stall tun und werde zeitlebens als ein Knecht verwendet werden müssen, ganz wie mein Vater von mir gesagt hat."

Aber als er noch so traurig grübelte, wurde eilig die Tür nach dem Hinterhaus aufgerissen, trunkene Stimmen erschallten, die Tür schlug wieder zu, und flüchtige Füße kamen über die finstere Diele. Er öffnete die Kammertür, da fiel sie ihm fast in die Arme, ihr Atem ging rasch und hörbar: „Ich bin ihm davongelaufen," sagte sie.

„Wenn du es so machst,“ sagte er. „Das geht nicht gut. So wild, wie du bist.“

Sie lief hinaus, ehe er ein Wort sagen konnte.

Der Regen klatschte wieder an die nachtdunklen Fenster; aus der Tiefe der Nacht kam wieder das mächtige, dunkle Rauschen der Pappeln. Und er hörte auf die Stimmen der Nacht, und hörte gern auf sie und gab sich ihnen eine Weile willenlos hin.

Aber als er noch so in schwächlichem, untätigem Sinnen hin und her ging, kam ein Ton von draußen durch den Regen, als wenn im März ein Vogel verlegen das erste Lied probiert. Deutlich erkannte er die Stimme seiner Schwester. Im selben Augenblick war er, wie mit einem gewaltigen Sprunge, aus dem Träumen heraus; er ballte beide Hände. Er rang kurz mit der Unentschlossenheit der Jugend, mit der Schüchternheit, welche die langjährige Unterdrückung im Vaterhaus ihm aufgezwungen hatte. In einem Augenblick, in auffahrendem Zorn, hatte der Mann in ihm die Stunde seiner Geburt.[1]

Er riß die Tür auf und kam in die Küche und sah hinaus. Da sah er seine kleine Schwester im Dunkel neben den Weiden stehen, in enger Umarmung mit Harro Heinsen. Er legte seine Hand auf sie und sagte mit harter, selbstbewußter Stimme: „Du gehst hinein! Für dich bin ich verantwortlich.“

Sie wollte erst auffahren, ging dann aber mit ihm. Harro Heinsen lachte verlegen auf und ging nach vorne ins Haus.

Jörn Uhl hatte seine Schwester an die Hand genommen,

wie er es oft getan hatte, als er noch ein Knabe war, und ließ sie mitten in der Kammer stehen.

„Was soll das?“ sagte er.

„Ich muß jemand lieb haben,“ sagte sie trotzig.

„Das hat keine Eile. Es wird ein anderer kommen, der dir Brot geben kann.“

„Brot? Hast du danach gefragt, als du mit der Sanddeern ausrücken° wolltest? Wolltest du wegen des Brotes mit ihr gehen? . . . Es ist langweilig, so jahraus, jahrein hier in dem großen, öden Hause zu sitzen und nichts zu sehen, als grüne Weiden und betrunkene Brüder. Meinst du, daß ich hier versauern will?“[1]

„Gott bewahre!“ sagte er. „Was ist das für ein Jammer! So gehst du auch ins Elend, und ich bleibe ganz allein.“

„Wenn ich selbst will? Des Menschen Wille ist sein Himmelreich. Ich mache dich nicht verantwortlich.“

Da packte ihn der Zorn, daß er mit den Zähnen knirschte: „Ich will es nicht dulden; ich bring' dich morgen heraus aus diesem Hause. Ich bringe dich zu Thieß Thiessen; er ist der einzige Bruder deiner Mutter. Nachher will ich sehen, daß du eine ordentliche Stellung in einem guten, fremden Hause bekommst, weit weg, daß du Harro Heinsen vergißt . . . Hörst du es? Hör' deutlich zu! Ich will nicht, daß du irgend einen von diesen Säufern zum Mann nimmst; sondern du sollst einen von meiner Sorte haben, einen, der arbeiten kann und mag. Mögen Vater und die Brüder sagen, was sie wollen: hier lasse ich mir nicht hineinreden.“

„Ich will nicht! Ich will ihn haben! Lieber einen Tag bei ihm, als zehn Jahre lang bei einem Menschen wie du bist.“

Aber als sie das gesagt hatte, warf sie sich auf den Stuhl, verbarg den Kopf in die Hände und legte ihn auf den Tisch, und sagte mit lautem Aufweinen: „Das kommt davon, daß ich keine Mutter habe. Mutter! Mutter! Wo soll ich doch bloß hin? Ich hab' ihn so lieb was kann ich dafür? Aber es geht niemals gut, das weiß ich; und ich muß zeitlebens dafür büßen.“

So weinte sie, und er stand dabei und starrte mit finsteren Augen in die Nacht und wußte nichts zu sagen. Er wartete, bis sie stiller weinte, nahm sie wieder an die Hand und führte sie in ihre Stube, in der Wieten Klook schon im Schlafe lag.[1]

* * *

Jörn Uhl hatte schon vor seiner Soldatenzeit einsam zur Seite gestanden und hatte auf all das unsinnige Treiben gesehen, wie ein Arbeiter im Kleigraben mitten im Felde die wilden Wagen auf der Straße vorüberfahren sieht und sich wieder über seinen Spaten bückt. Aber es hatte ihm damals noch an Erkenntnis und Übersicht gemangelt: zuweilen hatte er dies ganze wilde Treiben hart verdammt und ein böses Ende vorausgesehen; zuweilen aber hatte er gezweifelt, ob er auch richtig urteilte. Nun aber war er durch die Jahre im Erkennen reifer geworden. Er stand für sich und sah sie: „Da fahren sie! Da jagen sie! Nun fallen sie!“ Und es dämmerte in ihm auf: „Dein Weg, Jörn Uhl, war durch Schicksalsfügung° bisher ein anderer und soll nach deinem eigenen Willen immer ein anderer bleiben."

Nichts bildet den Menschen mehr, als Menschenschicksal sehen.

12. Kapitel

5 Doppelt einsam war Jörn Uhl, einmal, weil Vater und Brüder, Alters- und Standesgenossen andere Wege gingen. Zum zweiten, weil im Innersten[1] seiner Seele eine große, feine Sonntagsstube war oder eine Kirche. Er begehrte, diese Stube oder Kirche, die leer war, auszustatten und schöne Feste 10 darin zu feiern. Er wußte aber nicht, wie er das anfangen sollte. Es war kein kluger und guter Mensch da, der ihm die Wege wies.[2]

Da kam ein Nachmittag, da waren alle Hausgenossen ausgeflogen und nach Meldorf zu Markt gefahren, bis auf Wieten, 15 welche in der Stube saß und nähte. Da ging er, als der Abend kam und es dämmerte, die Diele entlang, so recht in jener Stimmung, wo die Gedanken so gar keine Spitze haben, sondern so weit und breit, so eben und endlos daliegen, wie die weite und breite, endlose und stille Marsch. Da, wie er 20 so über die lange, hohe Diele nach der offenen Halbtür zuging, lag auf der Diele wie ein Teppich von Gold und Silber der Mondschein. Er trat heran und sah nach dem Mond, der im dritten Viertel stand: wie er über Ringelshörn heraufkam und in seiner ganzen goldenen Herrlichkeit auf der Erde lag, 25 auf der schwarzen Heide im Eichengestrüpp am Goldsoot.

Jörn Uhl stand und sah auf ihn, und seine liegenden Gedanken richteten sich auf, langsam und mit steifen Gliedern, und spitzten sich zu. „Mare nubium“[1] sagte er leise. Nachdem er noch eine Weile hingesehen hatte, kehrte er sich bedächtig um, ging nach seiner Kammer und kramte aus der Lade ein langes Fernrohr mit starken Beulen. Das hatte er im ersten Soldatenjahr in Rendsburg um ein Billiges erstanden und noch nie gebraucht. Er stand wieder in der Halbtür und sah nach dem Mond hinauf; und alle die guten Geister freuten sich über Jörn Uhl: „Glück auf! Jetzt hat er wieder eine Liebe.“

Jörn Uhl starrte nach dem Mond hinauf und nannte die einzelnen Meere mit ihren Namen und erkannte die Gebirge und freute sich, daß er auch ihre Namen noch wußte. Und plötzlich, während er genau hinsah, sah er kraft des Fernrohrs zum erstenmal deutlich die einzelnen Krater und schrie leise auf, als er klar und leuchtend sah, wovon das alte Buch geredet hatte, das er in der Lade hatte: Er sah da oben am blauen Himmel, wie die Berghöhen am mare nektar[2] in der Morgensonne glühten.

Da blieb er lange so stehen. Und allmählich, um die Freude in Ruhe recht auszukosten, traten seine Gedanken ein wenig zur Seite und unterhielten sich am Wege darüber, wie er doch ein ganz anderer Kerl wäre, als die anderen jungen Leute, die jetzt auf dem Meldorfer Markt[3] tranken und hinter den Mädchen herliefen. Er dagegen hatte den ganzen Tag gepflügt und sah abends noch nach dem Mond und trieb hohe Wissenschaft.

Unterdes, während Uhls Gedanken so hohe, halsbrecherische Wege gingen, lebte es rings um ihn, überall, in der Luft, in den Bäumen und am Heideabhang, und er wußte und sah es nicht.[1]

* * *

Jörn Uhl stand in seiner blauleinenen Jacke und starrte nach dem Mond hinüber, nach diesem alten, verrosteten und verdorrten und unfruchtbaren Gesellen, und achtete nicht auf alles das, was da rings um ihn in den Bäumen und auf den Feldern und oben auf der Heide lebte und liebte. Er trieb hohe Wissenschaft. Als er aber noch so nach den leuchtenden Bergspitzen sah, die am Rand des mare nektar in der vollen Sonnenglut standen, gingen plötzlich zwei Menschengesichter, Wange an Wange, durch den Mond. Da ließ er verblüfft das Rohr sinken und sah und horchte in die Nacht hinaus. Dann schloß er die Türen und ging in seine Kammer und dachte an die Arbeiten, die er morgen zu tun hatte.

* * *

So vergingen Winter und Frühling, und es ging dem Sommer entgegen, und Jörn Uhl sorgte um die Arbeit des Tages und wartete auf den Schicksalsschlag, der seine Familie vernichten würde. Aber es geschah nichts. Es schien, als wenn die Verhältnisse der Uhl noch gut waren. Es kam zwar ein Schlag für Jörn Uhl; der kam aber von einer anderen Seite.

Es war im Juli in der Heuernte; da flog ein Gerücht[2] von Völkerunruhe und Krieg durch das Land. Und das Land und die Menschen hoben die Sinne und horchten mit Gier auf das dumpfe Rauschen und Tosen. Die Volksseele[1] zog den Lärm in sich. Denn es war da eine alte, stille, lange schon schlafende Hoffnung, die konnte nun erfüllt werden; und es war da ein alter Streit, eine lange Reihe von alten, bösen 5 Klagen und Prozessen, die konnten nun geschlichtet werden. Der einzelne Mensch[2] dachte an diese Dinge nicht: der einzelne Mensch war in Sorge und Not und sah mit Bangen, was da in der Ferne wühlte und toste. Aber in der gewaltigen Volksseele, einem Ding ohne Raum und Zeit, ohne Vergessen und 10 Sterben, wühlten und grübelten diese Gedanken einer alten Vergangenheit und einer Hoffnung, mit der sie wohl tausend Jahre schwanger ging.

Der Jüngste auf der Uhl hörte nicht viel davon; es ging ihm auch nicht zu Herzen. Es war noch nicht die Zeit für 15 ihn gekommen, weiter zu sehen; er sah nicht weiter, als bis zum letzten Graben der Uhl.

Da kam ein Tag im Juli, da gab es ein hildes° Arbeiten im Heu am Deich. Geert Dose, der sich als Großknecht auf der Uhl verdungen hatte, stach mit der Forke tief in die Diemen° 20 und sagte: „Diese Franzosen sollen ja hochnasige Leute sein. Also ist es richtig, daß wir ihnen zeigen, was 'ne Forke ist. Und was denn? Es ist 'mal 'was anderes." Der Kleinknecht fragte, ob er alt genug wäre, um als Freiwilliger[3] mitzugehen. Er war eben achtzehn. 25

Jörn Uhl schüttelte den Kopf: „Seid man still," sagte er, „da kommt nichts danach."

Am anderen Morgen wachte er früh auf und sah seine Kammer hell von Mondschein und dachte: „Es ist noch zu früh, die anderen zu wecken; aber ich will aufstehen und will einmal nach dem Mond sehen." Er hatte den Winter über eifrig in Littrow gelesen und an der Beobachtung der Sterne desto mehr Freude gewonnen, je größer seine Erkenntnis wurde. Er hatte sich Zeichnungen von dem Mond und von den Stellungen der Gestirne gemacht und sich gefreut, daß sie mit Littrows Zeichnungen übereinstimmten, und hatte mehrere Bogen Papier mit gewaltigen Meilenrechnungen gefüllt. Diese ganze Beschäftigung stillte seinen Drang nach Wissen und füllte die freudlose Leere seiner Seele.

Er nahm also das Fernrohr, das nun immer bereit oben in der Lade lag, und ging aus der Kammer über die Diele und öffnete die Tür und wollte hinaustreten, das blanke Rohr in der Hand, da kam der alte Amtsdiener im blauen Rock mit blanken Knöpfen, sah ihn ein wenig verwundert an und sagte dann: „Ich hatte mir wohl gedacht, Jörn, daß du schon aufgestanden wärst; ich habe hier zwei Papiere,[1] eins für dich und eins für Geert. Ihr sollt morgen früh um zehn Uhr in Rendsburg sein, es wird mobil[2] gemacht. Ich muß gleich weiter. Komm gesund wieder, Jörn!"

Jörn Uhl sank das Fernrohr nieder, und er atmete hoch. „Na so!" sagte er und kehrte sich um und ging über die Diele in seine Kammer, legte das Fernrohr an seinen Ort und setzte sich auf die Lade.

„Das kann lange dauern," dachte er. „Es ist ein mächtiges

und tapferes Volk, und es wird hart hergehen. Es ist eine alte, böse Feindschaft ... Hans wird zu Hause bleiben; Hinnerk muß mit. Wer wiederkommt, das weiß kein Mensch ... Es wird hier bunt hergehen. Hans und der Vater ... Elsbe ... Das muß ich Thieß noch alles sagen. Ich gehe über den Heeshof. Heut nachmittag um drei müssen wir fortgehen ... Jasper Krey muß als ständiger Arbeiter angenommen werden. Er wird nicht allzuviel schaffen; aber er wird nichts verkommen lassen. Wo Fiete Krey wohl ist? ... Es ist ein böser Strich[1] durch meine Rechnung. Aber was sein muß, muß sein. Wenn sie uns nicht in Ruhe lassen wollen, dann müssen wir sie erst schlagen; dann kann man nachher wieder pflügen. Es kann ein Jahr dauern und darüber. Jasper Krey ist der einzige, zu dem ich ein wenig Vertrauen habe. Ich will ein vertrauliches Wort mit ihm reden und ihm hundert Mark extra versprechen, wenn ich alles in Ordnung wiederfinde. Ein Jammer ist es: ich habe Vater und Brüder und muß zum Nachbar laufen und ihn bitten: Verwahre mir das Unsrige."

Dann stand er auf, sah sich in der Kammer um und ging, und weckte alle und sagte: „Steht auf. Wir müssen heute noch viel besorgen. Ich und Geert sind zur Fahne gerufen."

* * *

Gegen sechs Uhr abends kamen er und Geert den Waldweg hinunter und warfen einen Blick auf den Heeshof. Da sahen sie Thieß Thiessen mit einem schweren Sack über die Schulter vom Hof weg dem Dorf zugehen und sich immer wieder umdrehen. Sie fingen beide an, zu rufen, und er blieb stehen. Als er Jörn erkannte, schüttelte er trostlos den Kopf, Tränen stiegen ihm in die Augen, und er sagte von ferne: „Jörn, Jörn, ich habe etwas Schlimmes angerichtet! Elsbe ist seit vierzehn 5 Tagen nicht mehr hier, sondern mit Harro Heinsen in Hamburg. Ich habe nicht gewagt, es dir zu schreiben. Und nun schreibt sie, er will mit ihr nach Amerika, und sie fürchtet sich vor Amerika, und sie nimmt Abschied von uns allen, besonders von dir."

10 Jörn sah mit großen Augen auf Thieß. „Gib den Brief her!" sagte er.

Thieß Thiessen warf den Sack hin, den er auf der Schulter trug, wischte sich das heiße Gesicht und suchte nach dem Brief, und kehrte sich um, während er suchte, und sah nach dem Hees-15 hof zurück.

„Was willst du mit all den Papieren? Wo willst du hin?"

„Frage doch nicht, Jörn," jammerte er; „nach Hamburg will ich, und wenn ich sie da nicht finde, will ich nach Amerika."

Geert Dose hatte den Sack befühlt: „Es sind zwei gute 20 Schinken darin," sagte er, „und zwei Speckseiten. Die sind aber von einem kleineren Schwein. Und ein Schweinskopf."

„Für die Reise," jammerte Thieß.

„Bis Hamburg?" fragte Geert Dose höflich.

„Bis Amerika," sagte Thieß schluchzend.

25 „Das läßt sich hören," sagte Geert.

Jörn hatte den Brief gelesen und sah stumm auf Thieß: „Und nun willst du hinterher? Nach ihrem Schreiben muß sie schon von Hamburg abgefahren sein, wenn sie auch noch da wäre, du kannst sie nicht hindern, mit ihm nach Amerika zu gehen."

„Sie soll sich von ihm trennen und soll bei mir bleiben, und kein Mensch soll ihr ein Wort sagen."

Jörn Uhl sann nach: „Du weißt wohl nicht, daß wir Krieg mit Frankreich haben und nach Rendsburg einberufen sind?"

„Ach Gott!" sagte er. „Auch das noch. Ein Unglück über das andere."

„Wir haben keine Zeit, lange zu überlegen," sagte Jörn. Er schüttelte den Kopf; er konnte die Nachricht noch nicht fassen. Die kleine Elsbe mit diesem großen, rohen Menschen in die Welt hinaus? Plötzlich kam ihm ein Gedanke: „Es ist möglich, daß das Schiff wegen des Krieges nicht hat abfahren können. Wenn du sie noch triffst, so tue, was du kannst, und bringe sie hierher nach dem Heeshof."

„Meinst du," sagte Thieß, „daß es glückt?" Er sah sich nach seinem Hof um und schluchzte, und die Tränen liefen ihm über die schmalen Wangen.

13. Kapitel

Es war bei Rendsburg auf der Loher Heide,[1] und Frankreich hatte vor vier Tagen den Krieg erklärt.[2]

Vor vier Tagen war der Gefreite[3] Lohmann — der erst in diesem Jahre an den Folgen der Kriegsstrapazen° gestorben ist — ins Lager gejagt und hatte dem Lagerkommandanten

eine Depesche gebracht. Eine Minute später wußten alle Batterien: es geht gegen Frankreich. Da waren sie ohne Kommando, wie wenn Alarm geblasen wäre, an die Pferde gesprungen und hatten mit fliegenden Händen angefangen, zu
5 satteln und zu schirren. Sie meinten, es ginge sofort los.

Hans Lohmann, des Gefreiten Bruder, zweite Schwere,[1] Nummer drei, rechts am Geschütz, Wischer° und Ansetzer,° war vier Wochen lang stumm und starr. Erst am dritten Tage nach Gravelotte[2] wurde es wieder klar bei ihm. Erstens
10 begriff er nicht, warum es nicht sofort losging, zweitens, warum die Franzosen nicht am anderen Tage auf der Loher Heide erschienen, drittens, als die Batterien endlich unterwegs waren, wie es möglich wäre, daß die Welt so groß wäre; er hatte geglaubt, die Franzosen wohnten gleich hinter Hohen-
15 westedt und Heinkenborstel.[3] Zu dem geographischen Irrtum kam ein sittlicher: Was der Hauptmann ihnen von altem Recht und von Liebe zum Vaterlande und von großen Hoffnungen gesagt hatte, das hatte er nicht verstanden. Aber nachher hatte der Gefreite Lindemann, der für ihn dasselbe
20 war, was für die dunkle Stube die helle Lampe, ihm kurz gesagt, daß die Franzosen den alten König beleidigt hätten. „Sie haben so getan, Lohmann." Und er hob die Hand zum Schlage.

„Wie alt ist er?" fragte Lohmann.

25 „Über die siebzig hinweg."

Von Stund an, als er das hörte, hatte Lohmann klare Erkenntnis und gutes Gewissen. „Wenn sie den alten Mann ins Gesicht schlagen, dann haben wir das Recht, ihnen an die Jacke zu kommen."[1]

Also herrschte bei Lohmann II einige Dunkelheit.

Bei Hauptmann Gleiser aber war helles Licht.

Was hat der Mann in diesen sieben Tagen bis zum Auszug° gearbeitet! Hat er nicht drei Tage lang, vom Morgen bis zum Abend, wie ein Pfahl im Sande gestanden und Menschen und Pferde gemustert? Und nie war es ihm gut genug. Der ist in diesen Tagen auch mehr als einmal starr gewesen. Er, Hauptmann Gleiser, Seiner Majestät schönster Offizier, wie er selbst sagte: er hat in diesen Tagen mehr als einmal behauptet, daß er die schlechteste Batterie hätte, die nach Frankreich zöge.

Die Schmiede° war zum achtenmal an ihm vorbeigefahren, mit sechs gleichen Rappen bespannt, Schritt, Trab, Gal . . . lopp . . . So! Das klappte. Da entstand unten ein Gedränge. Ein langbeiniger Gaul, ein schönes Tier, wollte nicht länger gut tun. Er riß am Halfter, hoppte, kam zwischen die Reservisten,[2] die da mit ihren Bündeln standen, und schien auf seinen Hinterbeinen Polka tanzen zu wollen.

„Wollen ihn kirre machen!" schrie der Hauptmann. „Den Braunen vor."

Der Fahrer, mit starkem Schwunge hinaufgehoben; eben oben, lag er schon auf dem Rücken im Staub.

„Laß dich auf der Stelle begraben! Gefreiter Jürgens! hinauf! Mit d e n Kerlen nach Frankreich!? Ich gehe allein! Ich gehe ganz allein!"

Gefreiter Jürgens lag in der Höhlung im Sande, die der Fahrer gemacht hatte.

Hauptmann Gleiser sah sich um. Er sah sich um wie ein Mensch, der, im Zentrum der Welt stehend, nur sich selbst als Menschen anerkennt. Er wollte das Pferd reiten. Es ist der Mühe wert, dreihundert geringwertigen Menschen zu zeigen, was Hauptmann Gleiser kann. So, mit solchen Gedanken, sah er sich um.

Unter den Reservisten, die da noch in ihren Zivilkleidern standen, hundert und einigen Mann, stand einer ein wenig abseits, in einem alten, blauleinenen Anzug, auf dem große, neue Kniestücke frisch aufgesetzt waren. Er war bei ziemlicher Länge und Hagerkeit eine Rassefigur, breitschulterig, gerade und von stolzem, schmalem Gesicht. Mancher Fürst im Vaterlande würde wünschen, daß Gestalt und Gesicht dieses Bauernjungen in seinem Hause erblich wäre. Auf dem hellen, fast weißen Haar hatte er eine blaue Schirmmütze, und in der Hand hielt er einen mäßigen Koffer. Den Mann entdeckte Gleiser.

„Gefreiter Uhl!“ schrie er.

Der kam heran.

„Leichtfüßiger sind Sie nicht geworden,“ schrie er. „Ist der Alte Holzschuhmacher?“

„Bauer, Herr Hauptmann.“

„Ist mir ganz egal! Können Sie den Deubel reiten, oder sind Sie auch so'n gebeulter Teekessel[1] . . . Los!“

Jedermann von den Männern, der an dem Tage auf der Loher Heide gewesen — die noch leben, haben graues Haar —, der weiß, wie steif und bedächtig der Gefreite Uhl aus Wentorf den grauleinenen Koffer in den Sand stellte, und wie er sich wieder aufrichtete, als knackten ihm alle Gelenke; und wie er, als er sich wieder aufgerichtet hatte und die Hand an den Braunen legte, ein anderer war, wie seine Augen sich aufrichteten, wie aufspringende Löwen, wie er hinauf flog, wie der Braune bäumte und bockte und sich drehte und sich schüttelte, und zuletzt über den Sand jagte, daß er in einer Staubwolke verschwand, und nichts unversucht ließ, um nicht mit nach Frankreich zu kommen; wie er dann aber den Kampf aufgab, und der Gefreite Uhl, den Kopf ziemlich hoch, auf ihm wieder zurückkam.

„Uhl," schrie Gleiser, „Sie reiten das Pferd und sind Geschützführer° vom sechsten Geschütz."

So zog Jörn Uhl als Unteroffizier in den Krieg.

* * *

Acht Tage später zogen sie bei strömendem Regen durch die lange Pappelallee, welche die Vierundsiebziger[1] vor sechs Tagen durchquert hatten, als sie gegen die Spicherer[2] Berge stürmten. Es war ein jämmerliches Wetter und alle etwas müde und geschlagen.

Wer es erzählte oder gesehen hatte, blieb unbekannt: Sie sahen den alten General reiten, und einer sagte es dem anderen: „Er hat eben gesehen, daß sie mit Trommelschlag einen Offizier begruben; dort links von den Bäumen. Da ist er herangeritten und hat gefragt: ‚Wen begrabt ihr da, Leute?' ‚Unseren Hauptmann.' ‚Laßt mich ihn noch einmal sehen,' hat der Alte gesagt, ‚es ist mein Sohn.'"

Gleich nachher ritt er mit seinem Adjutanten an den Batterien, die im Regen dahinzogen, vorüber. Er war keine gute Figur zu Pferde, zu dick und zu kurz. Sie sahen ihm nach und zogen weiter.

5 Ein jämmerliches Wetter. „Sieh da, drei tote Pferde! Junge, die sind dick geworden!"

„Du, was bedeuten die langen Beete? Das ist ja merkwürdig: da haben sie Säbel hineingesteckt?"

„Kannst nicht sehen, Mensch? Das sind frische Gräber."

10 „Für Menschen?"

„Ja, für Menschen. Für wen sonst? Nun laß dein dummes Reden!"

„Sieh! Da steckt ein Gewehr in der Erde. Das hat einer als Krücke gebraucht. Die Krücke steht noch; er nicht 15 mehr."

Jämmerliches Wetter. Wie der Regen durch die Bäume schlägt!

Die Geschütze rasseln und klirren langsam vorwärts. Gräber. Lauter Gräber. Und die Pappeln sind abgeschält, und 20 zerbrochene Zweige zeigen ihre zersplitterten Knochen.

„Wir kommen nicht an den Feind ... Wir Schleswig-Holsteiner? ... Nie und nimmermehr! ... Wir sind den preußischen Eisenfressern[1] viel zu unerfahren und wabbelich.° Wir ziehen nur zur Parade mit. Wir sind bloß da, um 25 hinterdrein zu fahren."

„Die Sechsundsechzig[2] mitgemacht haben, die müssen es ausfressen."°

Wer die Meinung aufgebracht hat, und ob sie richtig ist, das fragt kein Mensch.

In der Nacht biwakierten sie auf den windigen und nassen Höhen westlich von Spichern und warfen vierzehn französische Wagen, die da standen, in die Wachtfeuer. Sie waren alle still und bedrückt, wenn auch viele laut lachten und viel sprachen. Der Feldwebel° knurrte die ganze Nacht, daß die schönen Wagen verbrannt würden, und ließ gegen Morgen die Eisenteile auf den Feuerstätten zusammentragen und freute sich, daß er sieben Franken für die Batteriekasse gewann.

Die Batterien zogen weiter. Es wurde mühselig.° Dies ewige: weiter, weiter. Lieber 'mal 'ran an den Feind, ihn schlagen und dann wieder nach Haus. „Wer soll sonst pflügen und säen? Der Herbst kommt heran. Vater kann nicht allein für den vollen Stall sorgen. Und die Mutter? Und das Mädchen?"

„Wir ziehen immer weiter in Frankreich hinein! Ich glaube: wir haben Weg und Steg verloren. Wenn die Geschichte man gut geht."

Weiter, immer weiter!

Wie ist Wentorf klein geworden! Wentorf, Mittelpunkt und Nabel der Erde! Es gibt ja wohl zehntausend Dörfer in der Welt und Menschen wie Sand am Meer.[1] Erst war ihre Batterie allein gewesen, damals, als sie auf zwei Dampfschiffen über die Elbe setzten. Dann waren sie Regimenter geworden, dann ein Korps, dann ein Heer. Seit gestern waren sie ein Volk.

Die Batterie hielt am vierzehnten auf einer Anhöhe, an einem Kreuzwege. Neben Jörn Uhl hielt Hauptmann Gleiser. Da lagen und marschierten Regiment an Regiment, Kanonen und Reiter und endlose Wagenzüge, Mensch an Mensch, bis 5 an die Höhen in dunstiger Ferne.

Da wandte Gleiser sich um: „Uhl, was sagen Sie?"

Jörn Uhl starrte hin und sagte nichts.

„Sie Bauer! Das Vaterland, Deutschland reißt sich aus alter Not!" Er warf das Pferd herum und sagte nichts.

10 Da sah Jörn Uhl noch einmal auf, und sah all die ziehenden Menschen, die alle nach einem Ziele strebten, und fühlte die Größe der Zeit.[1]

In der folgenden Nacht zogen sie bei Fackelschein über einen Fluß.

15 Am sechzehnten hörten sie Kanonen von ferne, zur Rechten, von Höhen herunter. „Da gibt es ein wenig Geschützkampf! Sieh 'mal an! Aber zweitausend Schritt! Ein wenig Feuerlärm!" Weiter dachten sie nicht nach.

Es kam aber etwas wie Neugier über sie; und über das 20 Ganze kam eine Unruhe, wie eine Jägerunruhe.

Der achtzehnte[2] brach an, und sie sahen wieder, wie vor vierzehn Tagen, frische Gräber, diesmal in der hellen Sonne.

Elf ist die Uhr.

„Ein schöner Tag."

25 Wenn nur die Gräber nicht wären.

Es war doch gut, daß sie in der Reserve[3] blieben. Vorgestern und so immer. Immer hinterher. „Wir sind ja viel zu junge, frischgebackene Truppen, dazu aus der neuen Provinz.[1] Wir kommen nicht an die Front. Und das ist gut ... Und das ist schade ... Nein ... es ist doch gut. Ich muß zu meinem Vater ... Ich muß zu meinem Mädchen. So jung noch! Ich will noch 'was erleben! Zehn Jahre 5 will ich noch leben. Dann meinetwegen."

Elf ist die Uhr.

So still wie am Sonntag in Holstein. Nur das Klappern und Stoßen der Geschütze und das Knarren und Janken des Lederzeuges. 10

„Merkwürdig! ... Da vorne rechts! ..."

„Siehst du? ..."

„Die Schwere biegt wahrhaftig vom Wege ab auf die Höhe!"

„Dort rechts, Mensch! Kannst nicht sehen?" 15

„Was will die da?"

„Weiß ich es?"

„Wie still und schön ist der Tag."

„Wir kriegen in diesem ganzen Feldzuge kein Pulver zu riechen. Bald heißt es: umkehren in die Heimat!" 20

„Es ist doch dumm, so wiederkommen und nichts erlebt haben! Nachher kommen die großschnauzigen Preußen und reden hinterm Bierglas von ihren Heldentaten, daß die Balken sich biegen, und wir müssen das Maul halten."

„Sieh! Da oben die erste Reitende!" 25

„Siehst du?"

„Was will die da oben? ... Mensch, was bedeutet das?"

„Gut schwenken° die jungen Pferden!"

„Da stehen die sechs."

„Das ist so ein übereifriger Hauptmann."

„Vater sagte: bei Idstedt[1] . . ."

5 „Mensch, red' nicht von Idstedt!"

„Was ist das?"

„Die feuern? . . ."

„Die feuern? . . . ."

„Batterie . . . trr . . . aab . . ."

10 Hauptmann Gleiser sieht über seine Batterie hin.

Den Blick vergißt keiner. Das ist Ernst.

Wer sieht noch etwas? Wer hört noch etwas? Wer redet noch?

„Batterie Galopp . . ."

15 Da hält Hans Detlef Gleiser auf seinem hohen, schönen Fuchs; die Sonne blitzt in seinem Helm und in seinen Augen. Das ist seine Freude, seine sechs Geschütze an sich vorüberjagen zu lassen und dann dem Fuchs die Sporen zu geben und noch als der Erste am Platze zu sein.

20 Der Major jagt ihnen entgegen. Er will wohl Stellung bezeichnen . . . Der Major sitzt gut zu Pferde, auch ohne Kopf . . . Wie grausig das . . . Nun stürzt der Tote herunter. Das Pferd rast weiter.

„Was ist das für ein Pferd, das gerade vor Jörn Uhls auf-
25 jagendem Geschütz vorüber rast? Reitet Oberst von Jagemann[2] diesen Braunen?" Seine Seite ist naß und rot von Blut.

„Im Avancieren . . .“°

Die Pferde fliegen zur Seite.

Mit Granaten° geladen! Auf das feindliche Lager!

„Achtzehnhundert Schritt.“

Nun keine Gedanken mehr. 5

„Es ist nicht möglich.“

Keine Gedanken mehr. Ruhig Blut!

Die weißen Zelte . . . Da laufen Menschen. Tausende ziehen dort hin und her, stehen da in Rauch.

Pjj . . jj . . juu . . juu . .[1] Ein Sausen und Pfeifen schwillt 10 auf und ab.°

„Ruhig Blut, Jungens! Wenn ihr's hört, ist's vorüber.“

Es fliegt hoch singend vorbei, schlägt hart vom Radreif ab . . . verkriecht sich mit kurzem, sirrenden° Ton in den Leib des Stangenpferdes.° Das zittert und fällt zur Seite. Der 15 Stangenreiter° sieht es mit zorniger Miene an. „Was so einem Tier einfällt?!“ . . . Pjjuu . . . Sein Zorn ist verflogen. Er hebt mit langgezogenem Schrei die Hände, als hätte ihn einer mit spitzem Pfahl ins Kreuz gestoßen, macht den Rücken hohl und stürzt hinterrücks vom bäumenden Pferde. 20

Jörn Uhl wirft den Kopf herum und sieht auf Leutnant Hax, der hat etwas gesagt; aber es ist nicht zu verstehen. Es brüllt und lärmt und klirrt und donnert.

Ist auch nicht nötig. Er weiß schon so.

„Geschütz vor! Geschütz vor!“° Eins und zwei die Fäuste 25 in die Speichen.

Granaten auf den Arm . . . der Verschluß° ist offen.

„Tschuu . . . uu.“

Die Mücken[1] da wollen stechen; da vorne: die lange, weiße Linie. Aber keine Zeit . . . keine Zeit. Wir müssen uns die Brummer[2] vom Leibe halten . . . dort auf den Höhen.

5 „Auf die Batterien! . . . Fünfzehnhundert Schritt.“

Nummer eins zieht ab. Das Feuer fliegt.

Aus dem Knallen und Krachen ist Melodie geworden. Ein Heer von schrecklichen Tönen fliegt und rast mit wahnsinnigen Augen und verzerrten Gesichtern über die Höhen.

10 Von halblinks her klingt immerfort ein Quäken und Kratzen, ein niederträchtiges Geräusch, als wenn einer mit Eisen in einen Haufen Glasscherben stößt. Eine Garbe davon fliegt quer über die keuchenden Menschen.

„Feuer!“

15 Das Feuer fliegt.

Jörn Uhls Augen fliehen mit. Das war ein Treffer.

Eine Garbe fliegt. Knatternd° knirscht sie vorüber. Ein Leutnant kommt im Trabe gelaufen. Jörn Uhl wirft einen Blick hin. Der Leutnant wird gemäht und fliegt zur Seite.

20 Sein Rücken ist plötzlich in Dunkelrot getaucht.

Leutnant Hax geht von Geschütz zu Geschütz, ganz wie auf der Loher Heide.

Einer stellt sich stramm vor ihn hin; das Blut leckt ihm vorn längs dem Beine herunter und bildet eine breite Biese,° als

25 wär's ein General.

„Abtreten.“°

Der Mann geht fünf Schritt; dann taumelt er.

Einer sagt den Namen: „Sieh da. Geert Dose.“

Leutnant Hax bleibt plötzlich stehen, als hörte er auf ein Kommando.

„Uhl!“

„Herr Leutnant!“ 5

Er dreht sich um. „Sehn Sie 'mal nach. Ich bin im Rücken verwundet.“

„Nichts zu sehen.“

„Kein Loch?“

„Kein Loch!“ 10

„Na, . . . denn nicht . . . die grobe Batterie dort an den Bäumen!“

„Feuer! . . . das war zu kurz.“

„Feuer!“

„So ist es recht.“ 15

Nummer zwei stolpert. Gefreiter Jan Busch. Er taumelt zurück und schlägt die Hände vor den Kopf, als sähe er plötzlich etwas Schreckliches, und fällt schwer aufschlagend hintenüber. Mit gehobenen Händen bleibt er auf dem Rücken liegen, mit denselben entsetzten Augen. Jörn Uhl springt 20 ans Geschütz.

Nummer fünf ist am Fuße verwundet. Stöhnend hinkt er heran und legt zu Jörn Uhls Füßen neue Granaten.

Leutnant Hax schreit den Pferdehaltern zu: „Weiter zurück.“ Es sind noch drei Pferde. Die anderen liegen an der Erde. 25

Und noch drei Mann am Geschütz. Die anderen liegen an der Erde.

Jörn Uhl steht über der Lafette,° hat den Kartuschentornister° hinter sich, die Granaten liegen neben ihm auf der Erde. Er nimmt sie auf. Vorstecker° und Zündschraube.° Mit starrem Auge über Aufsatz und Korn.

Lohmann II zieht ab und braucht den Wischer.

„Lohmann!“ schreit Hax. „Nicht so langsam, Mensch! Röhr di![1] Wir sind *nicht* auf der Loher Heide.“

Lohmann kann nicht anders. „Eins . . . und . . . zwei.“ Ganz wie auf der Loher Heide.

„Feuer!“

Von links her kommt es fürchterlich näher und näher, knarrend und krachend.

Leutnant Hax greift nach seinem Rücken und seufzt laut: „Dee Lohmann . . . dat ist 'n Kerl. Dee kann nie anners.“

Hauptmann Gleiser reitet heran: „Gut, Leute! So ist's gut!“

Vier oder fünf Stabsoffiziere reiten zum zweitenmal vorüber und halten dicht hinter ihnen. Gleich spüren sie es: es surrt und brüllt . . . es splittert . . . es schlägt hart auf . . . es wühlt in der Erde. Das Pferd eines Offiziers fällt in die Knie; der Reiter fliegt über den Hals weg, springt auf und rennt auf ein Pferd zu, das zwischen den Geschützen durchjagt; er greift es; Jörn Uhl hilft ihm; schon sitzt er auf der roten Schabracke.° Die Reiter traben ab. Die Mütze des Generals flaggt;° ein Stück des Randes ist losgerissen; ein Stück Watte hängt heraus und fliegt nach.

Sie arbeiten am Geschütz; sie arbeiten im Schweiße ihres

Angesichts. Immer zu.° Immer zu. Sie keuchen und zielen, stoßen und schieben, rufen und fluchen. Es geht ein sonderbar kurzatmiger, heißer Wind, hin- und zurückstoßend. Die Erde wirft Feuer auf; durch aufwallenden Rauch blinkt es gelb. Aus den undicht° gewordenen Verschlüssen fliegt bei jedem Abzug eine lange, rote Feuerzunge. 5

Sie haben keinen Gedanken als: arbeiten, arbeiten. Sie haben keine Sorge. Sie denken nur: „Es geht heiß her. Wann nimmt es ein Ende?" Sie denken nicht daran, daß der überstarke Feind, der im weiten Halbbogen auf sie dringt, in jedem Augenblick den Ansturm wagen kann. 10

Da kommt Nummer fünf von der Protze° gelaufen: „Keine Granaten mehr!"

Nun ist die Not da, die bittere Not.

Sie stehen wie versteinert am Geschütz, Lohmann mit erhobenem Wischer;° Jörn Uhl, die eine Hand am Verschluß, die andere im Grimm geballt, starrt vor sich in das Blitzen; Leutnant Hax kommt mit schweren Füßen heran und zeigt Lohmann den Rücken: 15

„Ist da noch keen Lock?" 20

„Ja, Herr Leutnant, nun ist da ein Loch, und Blut ist da auch."

„Stehen kann ich nicht mehr. Weggehen mag ich nicht. Ich m a g nicht." Er spuckt verächtlich aus.

Da rast ein Stabsoffizier heran. „Warum feuern Sie nicht?" 25

„Keine Granaten."

„In drei Deuwels Namen! So feuern Sie mit Kartuschen."°

„Befehl!"[1]

Sie feuern blind,° mit Leinwandfetzen° . . . immer zu . . . immer zu . . . eine ganze Weile.

Jörn Uhl, über die Lafette gebeugt, langt in Gedanken nach rechts: da liegen da wieder Granaten.

Das geht besser.

Ein blutjunger Leutnant steht hinter ihnen und lobt sie mit hoher Stimme: „Gut, Unteroffizier! Sehr gut! . . . Kamerad!" Er grüßt zu Hax hinüber, der auf der Erde sitzt, mit dem Rücken am Rad der Protze. Aber Hax sieht ihn nicht; Hax sieht unter halbgeschlossenen Augen verächtlich, mit vorgeschobener Unterlippe, nach der Richtung des Feindes.

Da schweigen links von ihnen die Geschütze. „Was machen die beiden Batterien? Warum schießen sie nicht mehr?"

Schweres Infanteriefeuer kommt halblinks von hinten, vom Waldrande her.

Deutsche Infanterie springt auf, wirft sich hin, kommt näher.

„O . . . die wollen uns helfen . . ."

„Die Geschütze! . . . Warum schießen sie nicht?"

„Schießt doch, Brüder!"

Hier und da steht noch ein einzelner Mann . . . blitzt noch ein Rohr. Unteroffizier Heesch von Eesch bedient mit einem einzigen Mann sein Geschütz. In Rauch und Feuer steht er. Der ist ein Held. Von dem wird man in der Heimat reden noch nach fünfzig Jahren.

„Schießt, Brüder!"

Ein fremdartiges Lärmen und Tosen kommt brüllend näher.

Der junge Leutnant springt heran und schreit überlaut: „Auf die Batterie zur Linken . . . Kartätschen! Kartätschen!“°

„Herr Leutnant,“ schreit Uhl . . . „das ist ja unsere Batterie!“ 5

„Sehen Sie nicht? Sie ist voll von roten Hosen!“

„Herum!“°

Sie greifen alle zu. Die Fäuste in den Speichen. Schwer fällt es herum.[1]

„Kartätschen! . . . Vierhundert Schritt . . .“ 10

Leutnant Hax steht wieder aufrecht, will kommandieren, langt nach seiner Seite und fällt lang hin. Von der verlorenen Batterie kommen drei oder vier Flüchtige. Einer davon fällt im Laufe, wie ein Kind fällt, und hält sich am Rade und fängt an, einzelne Bitten[2] des Vaterunsers zu beten. Die vierte 15 Bitte sagt er zweimal. Er war armer Leute Kind.

Deutsche Infanterie, immer neu aus dem Walde herausströmend, steht, liegt, hier und da, im Haufen und einzeln. Sie stehen und liegen zwischen den Geschützen und feuern gegen den anstürmenden, brüllenden und heulenden Feind. 20

Ein Füsilier, ein flinker, sehniger Mensch mit rötlich rundem Kopf, ist dicht neben Jörn Uhl gesprungen und schießt . . . und schiebt eine neue Patrone° ein.

„Jörn Uhl! Junge! . . . adsum, Jörn!“

Jörn Uhl schiebt eine Kartätsche ins Rohr und schlägt den 25 Verschluß zu . . . Warum soll Fiete Krey nicht neben ihm stehn?

„Dein Schießen nützt nichts mehr. Dat geiht to Enn.“[1]

Eine Granate wühlt die gelblich braune Erde auf.

„Wenn Hinnerk noch so pflügen wollte!“

„Die Postkarte, die ich im Helm habe ...“

5 „An Thieß schreiben. Elsbe noch einmal grüßen.“

„Lisbeth Junker hat ... Hat alles keinen Zweck.“

Er wirft° das Geschütz in die Richtung des Feindes. Fiete Krey hilft stoßen und werfen. Lohmann kann mit dem Wischer nicht mehr durch das Rohr dringen; er langt mit der 10 Hand tief in das brandheiße Eisen. Die Hand ist brandig und der Ärmel raucht.

Der Kartätschenhagel fliegt ... noch einmal ... noch einmal. Sie stocken da drüben. Aber es kommen mehr. Es wimmelt von fremden, roten Menschen, die in Rauch und 15 Feuer vorwärts dringen.

Es geht zu Ende.

Pferde! Pferde! Die Pferde liegen alle an der Erde.

Da rennt Lohmann übers Feld und holt von den Pferden, die da verlassen jagen und traben und stehen, drei; und kommt 20 wieder, und sie schirren mit fliegenden Händen an.

Ab! ... ab! ...°

Ein jammervoller Rückzug.

Fiete Krey sitzt vorn auf der Protze und fährt mit der Kreuzleine.° Lohmann, aufrecht neben ihm stehend, haut mit der 25 Karbatsche° auf die elenden, verwundeten Tiere. Jörn Uhl trabt neben dem Geschütz her und hält den Leutnant, der auf dem Achssitze mit krummem Rücken hin und her schwankt.

„Grade wie in Wentorf," denkt Fiete Krey, „wenn ich in den Apfelgarten gestiegen war, und ich lief weg, und Wieten schalt hinterdrein. Gott steh' mir bei! Was schimpfen sie!"

Zwei Feuergarben teilen den Rauch; sie fegen schräg vor ihnen übers Feld.

„Die dritte ist für uns."

Nein . . . Es ist kein Eisen für sie geworfen; es ist kein Feuer für sie aufgesprungen. Sie kommen lebend bis in den Schutz des Waldes.

Und da stehen zehn bis zwölf Geschütze. Andere kommen noch an, ganz wie sie: mit wankenden, strauchelnden Pferden, mit drei oder vier Mann, denen Jammer und Zorn, Angst und wilde Erregung in den schweißbedeckten Gesichtern steht.

Wie sie arbeiten!

Pferde werden herangezerrt, mit lautem Schelten und kurzen, wilden Worten. Geschosse° werden herbeigeschleppt und in die Kasten gelegt. Der Batterieschlosser,° ohne Mütze, mit wirrem Haar und aufgerissener Uniform, liegt vor einem kranken Geschütz in den Knien; ein Unteroffizier stopft einem Pferde Charpiepfropfen° in die tiefen Wunden, aus denen das Blut sprang. Als wenn man einen Hahn in die Biertonne stößt!

Kommandorufe dazwischen.

„Merkwürdig, daß der Feind nicht hierher kommt."

Drei Geschütze, frisch bespannt und leidlich mit Mannschaft besetzt[1] — darunter versprengte Infanteristen — fahren wieder vor.

Der junge Leutnant arbeitet, schreit, rennt ... Nun kann auch er mit zwei Geschützen wieder abfahren. Ein Offizier hält oben und zeigt mit der Schwertspitze die Richtung: „Da hinüber! An den Waldrand!"

5 Jörn Uhl sitzt auf dem ersten Geschütz, Fiete Krey neben ihm.

Ringsum, aus der Nähe und aus der Ferne, rollt und braust in alter Furchtbarkeit das schreckliche Knattern, Dröhnen und harte Aufschlagen.

10 Als sie den Wald weg zu Ende traben und am Rande ankommen, klingt der Donner ferner.

„Wissen Sie, Unteroffizier?"

„Ich glaube, dahinüber."

„Ich muß 'ran!" sagte das junge Blut und knirscht mit den 15 Zähnen ... „Mein Vetter von der zweiten Leichten[1] ist gefallen; morgen muß ich an seine Mutter schreiben."

„Es sind viele gefallen, Herr Leutnant."

„Es ist ein schrecklicher Tag."

Als sie sich umsahen, war das andere Geschütz nicht mehr da. 20 Der brüllende Lärm hatte nachgelassen.

Vom Himmel war der Abend gekommen.

Und es hob keiner seine Hände und beschwor Sonne und Mond, wie einst der rasende Jude: „Sonne, stehe still zu Gibeon und Mond im Tale Ajalon!"[2]

25 Nein ... nein ...

Sie fahren weiter und kommen an der rechten Stelle aus dem Walde heraus.

Aber die Geschütze werden zurückgezogen. Frische Infanterie steht in Massen und bedeckt das Feld. Der Feind ist still geworden.

Der Abend kommt.

Und wie es stiller wird ... ruft es in den Furchen und an 5 den Büschen: „Hölp mi ... O ... Hölp mi doch.“[1] Und auf der Höhe: „Je prie ... ma mère ... pitié.“[2] Und aus dem trockenen Bachlauf: „Soo dösti ... so dösti ... Mien Moder.“[3]

Es wird stiller. 10

Die am Waldrand steigen von Pferd und von Eisen.

„Meine Mutter hat mir für die höchste Not[4] ein Paket in die Brusttasche gesteckt,“ ... sagt der Leutnant ... „aber ich kann den Arm nicht hochkriegen.“

Da nahm Jörn Uhl es ihm aus der Tasche und gab es ihm, 15 und der bot ihm die Hälfte.

Das Stangenpferd hatte den Charpiepfropfen verloren. Das Blut schoß aus der Wunde. Jörn Uhl sprang auf und riß es zur Seite. Es stürzte. Der Leutnant, vom Blutverlust ermattet, setzte sich auf die Lafette; Fiete Krey warf sich 20 ins Gras.

„Lohmann, geh hin! Sieh zu, wo die anderen stehen.“

Er legte den Wischer, den er wieder in die Hand genommen hatte, in sein Lager und verschwand im Waldwege.

„Ach,“ sagte der Leutnant, „geben Sie mir einen einzigen 25 Schluck. Ich habe meine Flasche dem langen Johann gegeben; der hat sie in einem Hub ausgetrunken.“ Er sagte sonst:

„Herr Leutnant Hax;" aber in dieser Stunde sagte er: „Der lange Johann."

„Sehen Sie, Herr Leutnant?" sagte Fiete Krey, „da kommt einer von der anderen Seite!"

5 Ein Soldat in weiter, roter Hose und kurzer, blauer Jacke kam langsam auf sie zugehinkt. Er hatte den zerbrochenen Unterschenkel mit seinem Seitengewehr geschient und mit der Koppel° umbunden. Aber der Fuß glitt zur Seite, und er schrie laut auf.

10 Fiete Krey stand auf und faßte ihn an und setzte ihn auf die Erde.

„Ich bin ein Franzose," sagte er. „O, o . . ."

„Was?" sagte Fiete Krey und sah ihn verblüfft an.

„Ich bin von Straßburg."

15 „Na, dann tröste dich! Bleib' sitzen und laß dein Quasseln."° Er holte Tauwerk aus der Tasche und richtete das Bein wieder gerade.

Das Tauwerk, das Fiete Krey aus der Tasche holte, löste Jörn Uhls Seele: „Du . . ." sagte er . . . „Wie kommst du 20 hierher?"

„Ich kam gerade an dem Tage, als der Krieg erklärt wurde, in Hamburg an. O, meine Farm! Meine schöne Butterfarm! Nicht weit von Chicago, Jörn! O, meine Frau, und meine beiden schönen Stuten! . . . Schweig' still davon! 25 . . . Laß dein Stöhnen, Straßburger: ich kann nicht mehr für dich tun."

Lohmann kam wieder und meldete, daß da . . . da drüben . . . die Batterien wären. Er stotterte und wankte.

Der Leutnant hatte trübsinnig vor sich hin gestarrt und dann und wann mit schwerem Wehruf nach seinem blutenden Arm gegriffen. „Sind Sie verwundet?" fragte er.

„Nee, Herr Leutnant."

Wenn er nun geschwiegen hätte, wäre alles gut gegangen; aber er griff nach dem Wischer und fing an zu prahlen: „Mit dem Wischer wolle er gegen die Franzosen gehen, ganz allein!"

Da stellte sich heraus, daß er über einen französischen Marketenderwagen,° der verlassen am Wall gestanden hatte, gestolpert war.

„Wir wollen aufbrechen," sagte der Leutnant.

Sie hoben den Elsässer[1] auf die Protze und zogen ab.

„Sie sind auch Holsteiner?" sagte der Leutnant.

„Aus Dithmarschen."

„Ich wohne nicht weit von Plön, und mein Vetter wohnt im nächsten Dorfe. Nun ist er tot. Gesehen habe ich ihn nicht; aber ich weiß es: die von seinen Geschützen sind alle tot . . . Das wird ein schrecklicher Jammer werden. Ich muß es schreiben . . . und ich kann es nicht. Grethe weint sich die Augen aus. Es war so ein lieber, tapferer und kluger Mensch."

„Grethe ist seine Schwester?"

„Ja, wir haben alle zusammen gespielt. Wir sind alle in einem Pott[2] groß geworden, pflegte Onkel zu sagen."

Fiete Krey tröstete: „Es geht mancher Pott entzwei,[1] Herr Leutnant."

„Das Fräulein Grethe ist nämlich meine Braut," sagte das junge Blut. „Wir haben uns verlobt, als wir Abschied nah-
5 men; das ist lange her."

„Ja," sagte Jörn Uhl, „das ist lange her."

„Es sind drei Wochen her, schätze ich," sagte Fiete Krey.

Da schüttelten sie alle die Köpfe.

10 „Drei Wochen? . . . Das ist nicht möglich."

„Vor drei Wochen habe ich noch Häcksel° für die Kühe geschnitten?"

„Eine endlose Zeit ist es her . . . Mehr als sieben Jahre."

So hatte die weite Reise, der mühselige Marsch und dieser
15 furchtbare Tag sich in ihren Gehirnen breit gemacht und alles andere, was dahinter lag, in blaue Ferne zurückgedrängt.

Sie trafen wirklich in einer Senkung am Walde die anderen Batterien. Und wieder war keine Ruhe.

Das ist ein Arbeiten gewesen am Rande des Bois de la
20 Cusse,[2] diese ganze Nacht hindurch! Und als die Morgenröte kam, da standen vierzig Geschütze nebeneinander, wie auf der Loher Heide; zwei waren in Feindeshände gefallen. Pferde und Mannschaft, von den Staffeln° ergänzt, standen wieder neben den schwarzen Rohren, bereit, wenn die Sonne kam, wieder
25 auf dasselbe gelbliche, mit kleinen Steinen übersäte Feld zu fahren, das von Pferden und Rädern zertreten, von Granaten zerwühlt, und mit Leichen und dunklen Blutflecken, zerrissenem

Lederwerk, zerbrochenen Waffen und gesplittertem Holz übersät war.

Aber der Feind kam nicht. Der Feind war kein Tiger mehr in brüllendem Ansprung. Er war ein gebundener Stier, der stöhnend mit den Hörnern in der Erde wühlt. 5

* * *

Am Vormittag wurde Jörn Uhl ausgeschickt, um sich nach einigen Verwundeten zu erkundigen. Er fand nach vielem Suchen den Leutnant Hax, der im hellen Fieber auf seinem Mantel lag.

„Mutter war eben hier," sagte er. „Sie sagte, ich soll nicht 10 immer so laufen, daß ich nicht so heiß werde. ‚Du wilder Junge!' sagte sie und gab mir eine Ohrfeige. Das tut sie immer, aus Spaß, wenn ich so toll gelaufen habe. Dann lache ich und gehe nach dem Spiegel und sage: ‚Nun sieh! Nun sind die Backen noch röter.' Aber hier ist ja kein Spiegel. 15 Hier, wie sieht es hier überhaupt aus! Ihr Kerls, ihr sollt mir auf Ordnung halten ... Ach, Sie sind es, Uhl ... Das war ein schlimmer Tag, und ich glaube, ich habe genug."

„Herr Leutnant ... es steht nicht schlecht ..."

„Die Luft ist so heiß, die kann kein Mensch atmen, na- 20 mentlich nicht, wenn man so laufen muß. Sagen Sie 'mal, warum laufen Sie nicht? Sie sind immer so steif und ruhig ... Ach, ich weiß schon: das kommt vom Pflügen ... Ich habe heute im Traum den rothaarigen Jungen gesehen, den ich einmal mit seinem Hundefuhrwerk von unserem Hof gejagt 25 habe."

„Nicht im Traum, Herr Leutnant. Er war wirklich in der Batterie und hat geholfen.“

„Braver Kerl. Damals auf der Hofstelle hatte er gleich die Hand geballt und schlug auf mich los. Ist nicht christlich, ist aber menschlich.“

„Ist auch wohl christlich, Herr Leutnant: wenn man gegen alles Böse angeht.“

„Recht! Ja: gegen das Böse! Ich will's auch tun. So wahr mir Gott hilft! Immer die Hand geballt und drein gehauen, wie heute. Und wenn man nicht mehr hauen kann, dann muß man spucken. Christlich und menschlich ist all eins. Ich glaube, Mutter baut im Ahlbeker Moor schlechten Hafer.[1] Wenn ich wieder nach Hause komme, will ich so lange pflügen, bis ich so steif bin wie der Unteroffizier beim sechsten Geschütz . . . wie heißt er doch?“

„Uhl.“

„Dann soll alles in Flor kommen, und ich will ein neues Haus bauen; aber die Turngeräte im Hof sollen stehen bleiben. So, nun wollen wir nicht weiter darüber reden. An die Geschütze! . . . Dose, was stehst du da und grienst? Wunderst dich, daß ich so redselig bin? Du sollst wieder beim langen Gott in den Dienst, du Greuel. So, nun protzt ab° . . . Es nützt alles nichts. Die Franzosen sind tüchtige Kerle und kriegen das eiserne Kreuz, und wir kriegen ein Grabkreuz.“

„Was soll ich in der Batterie bestellen, Herr Leutnant?“

„Sie sollen mir nicht immer gerade in die Augen feuern. Ist das eine Weise? ‚In drei Deuwels Namen.‘ sagt er?

Sie sollen mit Runkelrüben schießen, das hat mehr Zweck, als mit dem Dreck von Kartuschen; und Hauptmann Gleiser soll seine Lackstiebel ausziehen."

Hax mochte den Hauptmann nicht leiden.

Jörn Uhl suchte auch Geert Dose, konnte ihn aber nicht finden. Er ging auch am zweiten Tage hin und suchte ihn und fand ihn noch nicht. Es lagen Tausende in ihrem Jammer.

Aber am dritten Tage fand er ihn in derselben engen Stube, in der Hauptmann Strandiger lag, der durch die Brust geschossen war. Beide waren von den Ärzten überhaupt nicht angefaßt worden. Es war ja zwecklos.

Jörn Uhl stand stramm° vor dem Hauptmann. Der sah ihn aus großen, fiebrigen Augen verständnislos an. Du dummer, steifer Jörn Uhl. Dann bückte er sich über den Todwunden auf feuchtem, rötlichem Stroh.

Geert Dose war klar und ruhig. Er grüßte mit den Augen. Er grüßte mit demselben Augenausdruck, mit dem er einst in der Kaserne in Rendsburg gegrüßt hatte: „Jörn, wir beide, wir sind die einzigen Vernünftigen auf der ganzen Stube." Aber nun war es bitterer Ernst.

„Kann ich etwas für dich tun, Geert?"

„Nein, Jörn, ich muß hier sterben. Ich verstehe nicht, daß ich noch immer lebe."

„Kann ich nichts für dich tun? Hast du viele Schmerzen?"

„Schmerzen? Der Rücken hat keine Schmerzen; der ist nicht mehr da. Hier vorn nach der Brust hin bis zum Hals

... Aber das ist auch alles einerlei. Ich wollte bloß, ich könnte noch einmal wieder bei Vater und Mutter sein ... Mutter legte Sonnabends immer das frische Hemd zurecht, und ich muß hier so liegen ... Es stinkt so, Jörn."

5 „Fein ist mein Hemd nicht, Geert; aber es ist besser als deins."

Er warf den Rock ab und zog sein Hemd aus und faßte den Oberkörper des Verwundeten. Da stieß er einen Schrei aus; sein Kopf fiel zurück, und er war tot. Jörn Uhl stand bis 10 zum Knie im blutigen Stroh.

Er sah auf den Toten und zur Seite auf den Hauptmann, der, den Kopf zurück, mit weit aufgerissenen Augen nach Atem rang, und es packte ihn Grauen vor dem furchtbaren Jammer der Menschheit.[1]

15 Als er zur Batterie zurückkam, war Fiete Krey dagewesen und wieder fortgegangen. Wilhelm Lohmann aber wurde gerade auf zwei Stunden ans Rad gestellt, weil er am Achtzehnten betrunken gewesen war. Es war ihm aber zur Tröstung das eiserne Kreuz in Aussicht gestellt, weil er an 20 demselben Tage gewischt hatte, zuletzt mit verbrannter Hand, wie auf der Loher Heide: eins — und — zwei.

Das war der Tag von Gravelotte für die Kinder von Wentorf.

* * *

Es kam das Lager vor Metz, in nassem Stroh, in bösem 25 Geruch. Ungeziefer die schwere Menge. Mancher wurde krank und mußte nach Haus. Jörn Uhl blieb gesund, tat seine Pflicht und dachte an die Uhl, wo Erntezeit war und der Pflug lief.

Es kam der schwerste Teil des Krieges: die langen Märsche in den Bauch von Frankreich hinein, und im Marschieren ein Kampf nach dem anderen, den ganzen Winter hindurch. Heute 5 kein Wasser, morgen kein Brot; heute kein Feuer, morgen keinen Atem; heute kein Haus, morgen kein Hemd.

Und die Bauern des Landes wurden jeden Tag kommandiert: „Dort unterm Nußbaum! Grab ein Grab, paysan! C'est mon bon camarade, cochon!“ 10

Da kam es soweit, daß sie zum Hauptmann sagten: „Herr Hauptmann, aus diesem schrecklichen Kriege kommt keiner von uns wieder nach Haus.“ Und der Hauptmann ging zur Seite, stand lange und sah nach Osten in die Ferne. „Und kommen wir nicht bald wieder nach Haus, so sind wir auf der Welt nicht 15 mehr zu brauchen. Wir sind keine Menschen mehr. Wir sind wie unreine Tiere geworden.“ Sein Haar war in diesen Monaten grau geworden.

Jörn Uhl zog mit, hielt sein Geschütz blank, hielt seine Leute in leidlicher Zucht und dachte: „Wenn die Pflugzeit wieder- 20 kommt, m u ß ich auf der Uhl sein.“

Im Anfang Februar, an einem regnerischen Abende in einer kleinen Stadt, fehlte der Unteroffizier Uhl beim Appell. Die Nachtpatrouille fand ihn in einer Nebenstraße im Rinnstein liegen. Als sie ihn in die Mitte nahmen und ins Lazarett 25 brachten, jammerte er nach der Weise Fiebernder über Neben- sachen: über den Schmutz auf seinem Rock, und daß er seine

Mütze verloren hatte. Sie brachten ihn ins Bett und gingen davon. Da die Lazarettgehilfen° ihn aber nicht bewachten, so stand er in derselben Nacht auf, zog sich wieder marschbereit an und ging wieder auf die Straße. Man fand ihn morgens an
5 einer Mauer gelehnt, im traumschweren Schlaf. Er wurde ins Lazarett geschafft, wo er an Typhus krank lag. Es quälte ihn die Einbildung, daß der neusilberne Geschützaufsatz° abhanden gekommen wäre, und daß seine Leute meinten, er, Jörn Uhl, hätte ihn heimlich beiseite geschafft, aus Feigheit,
10 um nicht mehr gegen den Feind zu müssen. Diesen quälenden Traum hat der Kranke über hundert Meilen weit mit sich getragen. Der Traum wich erst, als er in Straßburg im Lazarett in sorgsame Pflege kam.[1]

14. Kapitel

Die Leute dieser Gegend sind zu verschiedenen Zeiten in ver-
15 schiedener Stimmung in ihre Heimat zurückgekehrt, als Sieger und als Besiegte. Denn das Land Schleswig-Holstein[2] ist von grauen Zeiten her eine rechte Wiege von Völkern und Fürsten gewesen.

Jörn Uhl kehrte nicht im Gefühl des Siegers heim. Er
20 empfand durchaus nicht, daß die Heimat die Pflicht hätte, sich wegen seiner Wiederkehr in Grün und Blau und Gold zu werfen, wie sie tut, wenn sie Feier macht. Er fand es vielmehr ganz richtig, daß es trübseliges Wetter war und lange, schwere

Nebelschiffe° zu beiden Seiten des Weges auf den niedrigen Feldern lagen.

Er sah in der Dämmerung, daß sie schlecht gepflügt hatten, und daß das Weizenfeld ungeschickt gesät war. Das Hecktor der Weide war heruntergebrochen und lag soweit in den Weg 5 hinein, daß die Wagenspur einen Bogen machte. Sie waren alle zu träge gewesen, das Holzwerk beiseite zu werfen. Er legte sein Bündel ins feuchte Gras und stellte das Tor wieder auf.

Als er aus dem Baumgang herauskam, sah er aus den hohen, 10 unverhangenen Fenstern breiten, ruhigen Lichtglanz kommen, der fiel auf die Steinplatten vor der Tür und streifte den Türpfosten von Sandstein, daß das Gold der Buchstaben schimmerte, die da eingegraben waren: die Namen der Uhlen, die nacheinander auf diesem Hofe gesessen hatten. Junge Leute 15 traten redend über die Schwelle, ins Wetter zu sehen. Jörn ging tiefer in das Dunkel der Pappeln den Weg der Knechte, um das lange Hinterhaus herum nach der Gangtür zu, die in die Dreschdiele führte. Die jungen Leute sahen ihn undeutlich gehen, und einer sagte: „Der will bei Wieten Klook am Fenster 20 stehen." Gleich darauf hörte er seines Bruders Stimme: „Mensch, wenn ich nicht wüßte, daß er die Ruhr im Leibe hat, so hätte ich gesagt, das ist Jörn."

Er mühte sich, mit seinen eisenbeschlagenen Stiefeln möglichst wenig Geräusch zu machen, kam an die Tür und wunderte sich, 25 daß sie offen stand; denn Wieten pflegte für dies alles gut zu sorgen. Die Hand zum Schutz in der Finsternis vor sich hingestreckt, ging er langsam die große Diele hinauf. Einmal rakte° sein Arm an Holz: das war die Schrotkiste° vor den Pferderaufen.° Gleich darauf stieß sein Fuß an liegendes 5 Stroh. Er merkte an dem weichen, vollen Rauschen, daß es Hafergarben waren. Er bückte sich und griff in den Kopf der Garbe, die gereift hatte und geerntet war, während er in Frankreich gewesen, und die nun vor dem Drescher lag. Da fing er an, sich heimisch zu fühlen.

10 Er kam langsam und zögernd heran, bereit, gleich nach seiner Kammer zu gehen, wenn Fremde in der Küche wären. Aber da saß nur Wieten auf einem Stuhl und strickte beim unsicheren Licht des Herdfeuers, die Brille auf der Nase, und sah über die Brille weg auf ihn, und griff nach der Brille und sagte mit 15 verhaltener, zitternder Stimme: „Na, da bist du ja . . . Mein Junge . . . Ich habe den ganzen Tag auf dich gewartet. Ich habe Kaffee aufgesetzt. Sieh . . . der ist bald gut."

Sie war aufgestanden und wollte sich nach der Gewohnheit unserer Leute bezwingen, und langte nach dem Kessel, der 20 überm Feuer stand. Aber die heiße Sehnsucht und die übergroße Freude, daß sie ihn gesund wieder hatte, tat der auslangenden Hand Gewalt an und drängte sie aus der Richtung. Da lag die bebende Hand auf seinem Arm.

„Wieten!" sagte er. „Mien[1] ole Wieten!" Und er griff 25 schüchtern nach ihrer Hand und nahm sie in die seine. „Freust dich so sehr, daß ich wieder da bin? Bist du immer gesund gewesen, Wieten? Bist du noch fix und rüstig, alte Deern?"

Sie nickte, da sie vor aufsteigenden Tränen nicht sprechen konnte. Dann legte sie den Strickstrumpf auf den Tisch, der am Fenster entlang lief, und sagte: „Bring's nach der Stube, Lena."

Da erst sah er ein großes Mädchen, das am Aufwasch° stand 5 und nach ihm hinsah. Sie kam jetzt in den Schein des Herdfeuers, und er sah sie an, und sie gefiel ihm; denn sie war groß und stark und stattlich von Gang. Dazu war ihr Gesicht frisch von Farbe, weiß und rot und weich gerundet, und das Haar gelb und ein wenig wellig; nur an den Ohren waren kleine 10 Locken, so groß, daß man einen Finger hineinstecken konnte. Er meinte, noch niemals so ein frisches und zugleich ordentliches Mädchen gesehen zu haben. Dazu gefiel ihm auch, wie sie ihm zunickte und „guten Abend" sagte und ihn so frei neugierig und ernst freundlich betrachtete, von oben bis unten. 15

Es war ein gutes Zeichen, daß er nach seiner Heimkehr wegen dieses Mädchens die erste Frage tat: „Wo hast du d i e denn her, Wieten?"

„Das ist Lena Tarn," sagte sie. „Sie ist seit November Großmädchen ... Nun trinke. In den Vorderstuben ist 20 wieder großer Hopphei.° Hinnerk hat Pferde gekauft und muß natürlich zu dem teueren Preise auch noch den Weinkauf zahlen ... Sie bekommt zwanzig Taler Lohn; viel zu viel."

„Ist sie so, wie sie aussieht?"

„Na, du weißt, Jörn: da ist immer etwas daran auszusetzen 25 ... Sie singt mir zu viel."

„D i e singt? Die sieht so verständig aus."

„Du meinst: sie ist eine Heilige, weil sie so rein und ernst aussieht, nicht? Ist sie lange nicht, Jörn. Alles andere."

„Wild?"

„Nein, das kann ich nicht behaupten, Jörn. Sie ist bloß so singig. Auch ist sie so patzig° und so geradeaus mit dem Mund. Das mag ich bei einem Mädchen nicht leiden ... Hörst du?"

Man hörte sie in der Stube vor sich hinsingen.

„Wer soll denn singen, Wieten, wenn junge Mädchen es nicht sollen? ... Wohnt sie bei dir in der Stube?"

„Ja ... Da schläft sie auch. Das hat sie sich ausbedungen.° Sie ist von ordentlichen Eltern und hält sich ehrbar. Das muß ich ihr lassen. Ich sage: sie ist bloß zu singig und zu rechthaberisch.° Weiter sage ich nichts ... Nun trink, Jörn!"

Er trank und aß und sagte: „Setz' dich auf deinen Stuhl, Wieten, und sage: Wie kam es, daß du mich erwartetest?"

„Wie es kam? Meinst du, daß ich nicht in allen Gliedern spürte, daß du unterwegs warst? Die Türen wären die ganze Nacht offen geblieben, Jörn, und ich wäre nicht vom Herd gegangen. Das kannst du glauben."

Sie hatte sein Bündel geöffnet, breitete die Wäsche aus und staunte über den guten Zustand derselben, und er erzählte, daß eine mitleidige Frau ihn reichlich beschenkt hatte, als er im Lazarett gelegen.

„Und dann, Jörn," sagte sie: „es wurde hohe Zeit, daß du kamst."

Sie ging nach der Waschküche und kam wieder, und stocherte mit der Feuerzange in der Torfglut, und nun weinte sie. „Es kann mir doch nicht einerlei sein, wie es auf einem Hofe hergeht, auf dem man alt und grau geworden ist. Elsbe ist ins Elend gegangen. Und was soll aus dir werden? Ihr beide 5 seid mir wie leibliche Kinder. Darum muß ich dir alles sagen: Dein Vater fährt jeden Nachmittag in die Stadt, und nachher sitzt er hier im Dorf in der Wirtschaft von Torkel, und du weißt, der hat ein liederliches Weib und zwei verdorbene Töchter. Und deine Brüder sind auch mehr als Trinker und 10 Mädchenjäger geworden: ich weiß, daß einige ihnen drohen, sie sollen Geld zurückbezahlen, das sie sich erschwindelt haben. Ich bin in Ehren grau geworden, Jörn."

Nun stand der Jammer riesengroß vor ihm. Er trat ans Fenster, und sie trat auch hinzu, noch weinend, und sah von 15 ungefähr aus dem Fenster. Es war aber Mond- und Sternenschein, wenn auch neblig und wolkig. Und sie fing an zu klagen, daß sie den Pflug nicht hatte fortschaffen lassen, der da an der Auffahrt lag. Man sah das blanke Eisen im Schein des Mondes. „Der Knecht war betrunken und wollte nicht 20 in den Regen hinaus. Wenn dein Vater nun heute nacht nach Hause kommt, könnten die Pferde scheuen."

„Die Pferde sind Nachtreisen gewohnt," sagte er. „Komm, wir wollen schlafen gehen."

„Willst du nicht nach vorne gehen und deinen Brüdern 25 sagen, daß du wieder da bist?"

„Nein ... Ich bin ihnen noch zu früh gekommen. Wir

wollen schlafen. Ist das Mädchen schon zu Bett? Sorge dafür, daß sie den Lumpen da vorne nicht in die Hände fällt; es wäre schade. Elsbe ist dahin; laß das genug sein."

Am Morgen, gegen sechs Uhr, als es noch dunkel war, kam 5 Jasper Krey in die Küche. Er war ein wenig verdutzt,° als er Jörn neben Wieten am Herdfeuer stehen sah; aber dann sagte er ruhig, als wenn es sich um den Unfall eines Wagenpferdes handelte: „Du mußt 'mal mitkommen, Jörn. Der Wirt hat umgeschmissen und ist in den Pflug gestürzt. Ich 10 glaube: er hat zuviel bekommen." Er zeigte auf die Stirn.

Wieten Klook schrie laut auf und warf die Hände vors Gesicht; „Der Pflug!" jammerte sie. „Ich habe es kommen sehen; aber ich konnte keinen Finger rühren."

Jörn Uhl sprang hinaus und fand seinen Vater. Er lag 15 beschmutzt und durchnäßt im nassen Grase und in Wasserlachen. Das dünne Haar war ganz voll Blut. Er redete mit undeutlicher Stimme irre, er wollte hier im Bette liegen bleiben, sagte er, sie sollten nur hingehen und pflügen, er könnte es nicht. Und er sagte, er wäre beim Abfurchen unter den 20 Pflug gekommen. Die Pferde hatten den umgeworfenen und zerbrochenen Wagen weiter geschleppt und standen vor dem Scheunentor.

Sie trugen Klaus Uhl ins Haus und legten ihn aufs Bett. Der Arzt wurde geholt und stellte fest, daß Erschütterung und 25 schwerer Schrecken den Schlaganfall° herbeigeführt hätten, zu dem der Verunglückte seit Jahren geneigt hätte. Er könnte noch lange leben; der Zustand würde sich vielleicht etwas bessern; schwerlich werde der Kranke wieder gehen können; seinen klaren Verstand werde er wohl nicht wiederbekommen.

* * *

Am dritten Tage kam der kleine Weißkopf auf den Hof. Er kam zu Jörn, der mit stillem Gesicht die Pferde fütterte, und sagte: „Ich habe von dem Unfall deines Vaters gehört und 5 habe jetzt ein Anliegen° an dich. Wenn es dir recht ist, so wollen wir beide mit deinen beiden Brüdern zusammen in der Kammer sitzen, in der du damals wohntest, als du noch ein Junge warst."

„Da wohne ich auch heute noch," sagte Jörn. 10

„So!" sagte der Alte und sah ihn aufmerksam an. „Das sieht dir ähnlich. Es tut mir leid, daß deine Schwester Elsbe, die damals so freundlich mit mir war, so unglücklich verheiratet ist, wie ich gehört habe."

Jörn antwortete darauf nichts, und führte den Alten in die 15 Kammer, und ging hinaus und rief die Brüder. Sie kamen widerwillig und sahen mit ihren schönen, hochmütigen Uhlgesichtern verächtlich darein.

„Hören Sie genau zu!" sagte der Alte. „Ich bin von der Sparkasse hierhergeschickt und bin zugleich in eigenem Namen 20 hier. Wir beide, die Sparkasse und ich, hatten vor zwölf Jahren einen größeren Geldposten frei und boten ihn unter der Hand aus. Ihr Vater nahm ihn als erste und einzige Schuld auf seinen Hof, der sie, wenn auch mit genauer Not, tragen konnte. Wir wunderten uns, daß er seinen Hof so 25 schwer belastete. Er sagte aber, er wolle sein Bargeld zu guten

Geschäften brauchen, die er machen könnte, und wir glaubten ihm; denn er galt damals noch für klug, gewandt und wohlhabend, wenn er auch ein sehr reichliches Leben führte. Nachher aber, als wir wohl merkten, daß es bergab mit ihm ging, 5 und als auch die erwachsenen Kinder das Ihre taten, das Vermögen zu verringern, da haben wir auf ihn geachtet, und haben ihn vor zwei Jahren gewarnt und haben ihm endlich, als Gefahr vorhanden war, daß der Hof unter Wert kam, gekündigt. Vor drei Tagen hat er den Brief bekommen. Am selben 10 Abend ist er verunglückt, und zwar so schwer, daß er, wie ich höre, zwar das Leben noch ziemlich lange bergen kann, den Verstand aber schwerlich wiederbekommt."

„So?" sagte Hinrich. „Also so steht es! So, so!" Er war weiß im Gesicht geworden, und seine Augen blickten scharf.

15 „Ja, so ist es," sagte der Alte und nickte mit dem Kopf. „Und nun haben Sie die Wahl. Entweder wir treiben den Hof zum Konkurs:° dann ist anzunehmen, daß ihr alle drei, ohne einen Pfennig zu retten, in die weite Welt gehen müßt; oder wir überlassen dir, Jörn, für die gesamte Schuldenlast 20 den Hof und sehen zu, was du herauswirtschaftest. Für die kleineren Schulden, die etwa noch da sind, hättest du auch aufzukommen. Euch beiden aber bieten wir jedem 2000 Mark, womit ihr abgefunden wäret und den Hof zu verlassen hättet. Das ist unser Vorschlag."

25 Jörn saß und starrte auf die Lade und war glücklich: „Mir der Hof! Ich der Herr!" Und er schämte sich vor seinen Brüdern.

Hinnerk gab Hans einen Wink und ging mit ihm hinaus, und wie von selbst kamen sie an das Bett des Vaters. Wieten Penn, die daneben saß, ging hinaus.

Sie waren sonst immer nur zu ihm gekommen, damit er ihnen einige Goldstücke gäbe. Jetzt standen sie da um andere 5 Dinge. Aber er lag in schwerem Schlaf und hörte nicht.

Da fing Hinnerk an zu behaupten, daß der Weiskopf löge: es stände nicht so schlimm und man müsse vorsichtig sein. Aber wie sie noch ein wenig so redeten, merkten sie, daß sie beide an der Wahrheit des Berichtes nicht zweifelten, und 10 wurden stumm.

Sie sahen sich noch einmal um und gingen hinaus. Auf der Mitteldiele ging der Weißkopf hin und her und sagte:

„Wollt ihr die Zweitausend annehmen?"

„Können wir sie heute bekommen?" 15

„Heute nachmittag vier Uhr ist unser Vertreter in der Holländerei[1] zu sprechen. Er wird mit euch zum Notar gehen."

Da gingen sie hinaus, packten ihre Sonntagsanzüge in ihre Soldatenkoffer und befahlen, daß angespannt würde. Jasper Krey sollte sie fahren. Jörn ging ihm nach in den Pferde- 20 stall: „Das Gespann ist mein," sagte er stolz und hart, „du bist mir verantwortlich, daß es heute abend wieder auf der Uhl ist."

Draußen, als sie neben dem Wagen standen und noch einmal über das große Gewese hinsahen und über die breiten 25 Felder, die westlich von Ringelshörn liegen, der beste Teil des Hofes, waren sie ernst und still. Hinnerk stand mit knirschenden Zähnen und weißem Gesicht. Hans sagte zu dem Jüngsten: „Vater hat die größte Schuld; aber wir haben auch nicht getan, was recht war. Es ist recht so, daß du hier Bauer wirst. Sieh zu, daß es nicht in fremde Hände kommt." Er kehrte sich um und stieg auf den Wagen.

Dann fuhren sie davon und sahen sich nicht wieder um.

Als Jörn vom Wagen zurückgetreten war und ihm lange nachgesehen hatte und sich langsam, in schweren Gedanken versunken, nach der Tür hinwandte, stand da neben dem Weißkopf die kleine, magere Gestalt von Thieß Thiessen.

„Jörn! Jörn!" sagte er. „Dieser alte Mann, den ich seit dreißig Jahren kenne, hat mich aus Hamburg hierher kommen lassen, damit ich dir in diesem Wirrwarr rate. Jörn, mein Junge: das habe ich immer gesagt: Was gehen uns vergangene Zeiten an? Laß die Toten ruhn! Was sollen wir mit Wulf Isebrand[1] und mit Napoleon? Ja, selbst über meine Schwester, sage ich: sie ruhe in Frieden! Und damit gut. Aber was *vor* uns liegt, Jörn: danach müssen wir neugierig ausschauen; das muß uns Sorge machen! Der Rest der Weltgeschichte, Jörn, da liegt unsere Not. Und sieh, der Rest der Weltgeschichte, soweit sie dich angeht, ist dir jetzt vor die Füße gelegt . . . Ich bin eben bei deinem Vater gewesen, und Wieten hat mir alles erzählt. Komm herein! Die Störenfriede sind weg; Vernunft regiert auf der Uhl. Komm, wir wollen eine Tasse Kaffee trinken, und zwar neben der Lade in deiner Kammer. Ich soll dich von Lisbeth grüßen; ich glaube: tausendmal."

15. Kapitel

Wenn ein großes Ereignis plötzlich unter die Menschen tritt, als ein finsterer Riese, und im Eintreten sie mit seinem Ärmel streift, dann zucken die Seelen der Berührten und bleiben in einer zitternden Bewegung, die je nach der Größe und Plötzlichkeit des Ereignisses andauert. In diesem Zustand zeigt sich der Charakter der Menschen offener; ihr Mund ist redseliger; ihre Ohren sind wacher. Sie sind wie tiefgepflügtes Land, aus dem der starke Geruch frischer Erde aufsteigt.

Sie saßen in der Kammer. Goldgeränderte Tassen mit blauen Blumen standen auf der Lade. Die beiden Alten hatten ihre kurzen Pfeifen angezündet und trösteten vom hohen Standpunkt ihrer Erfahrung und ihrer gesicherten Lebensstellung herab das bedrückte junge Blut.

„Wir wollen dein Glück," sagte der Weißkopf und machte sein freundlichstes Gesicht, „und wir wollen unser Geld."

„Besonders das letztere!" sagte Thieß.

„Jetzt," sagte der Alte, „ist der Hof etwas über Wert belastet; denn da sind noch einige Wechselschulden,° und das Inventar ist nicht das beste. Wir würden also Geld verlieren, wenn wir den Hof zum Zwangsverkauf brächten. Darum lassen wir dir den Hof."

„Du sollst ihnen das Geld verdienen, Jörn," sagte Thieß.

„Ja. Das soll er. Und sich selbst den Hof. Denn wenn die Preise etwas steigen, was nach jedem Kriege geschieht, wird er sich allmählich aus den Schulden herausarbeiten, bis er sagen kann: Der Hof ist mein."

„Was sagst du dazu, Jörn?" fragte Thieß.

„Was ich sage?" rief Jörn Uhl und machte zum erstenmal 5 in seinem Leben beim Sprechen eine lebhafte Handbewegung, indem er seine beiden großen, leeren Hände ausgebreitet hinhielt. „Soll Vater im Bett vom Hof getragen werden? Soll ich die Uhl fahren lassen? . . . Was ich tun kann, daß ich hier bleibe, das werde ich tun. Das kannst du glauben, Thieß."

10 „Gut," sagte der Weißkopf. „Nun laßt uns von 'was anderm reden." Er rauchte kräftig aus der kurzen Pfeife und sah wohlwollend auf Jörn, der wieder mit geschlossenem Gesicht dasaß.

„Du mußt heiraten," sagte er. „Es ist nicht gut, daß der 15 Mensch allein sei, weder bei Tag, noch bei Nacht, weder in der Not, noch in der Freude. Du hast Anlage, ein Einspänner° zu werden." Und er fragte, halb ernst, halb im Scherz, ob er ihm eine vorschlagen sollte. „Auf der Geest," sagte er, „weiß ich Nester mit goldenen Eiern. So wäre dir und uns 20 mit einem Mal geholfen."

Aber Jörn sagte: „Die Haushälterin bleibt bei mir; ich brauche keine Frau."

Als er das sagte, war das rotblonde Mädchen hereingekommen, mit dem Rahmguß° in der Hand. Sie hörte, was 25 der neugebackene junge Bauer sagte, und machte ein hochmütiges Gesicht und dachte: „Was redet der altklug!"

„Weißt du," sagte der Alte behaglich, „daß ich deine Haushälterin schon vor vierzig Jahren gekannt habe? Ich habe Lust, euch zu erzählen, und besonders dir, was ich von ihrer Jugend weiß."

Als Lena Tarn hinausgehen wollte, sagte er: „Wenn du Zeit hast, bleibe hier und höre zu. Es kann dir nicht schaden, die Geschichte zu hören. Es ist etwas wie aus alter Zeit: als wär's aus dem Rugenberg[1] gegraben, in dem die Hünengräber[2] liegen. Die Geschichte ist so weit wie die Welt und so tief wie das Menschenleben."

Also sagte der Alte, hatte die Augen weit geöffnet, sog vergeblich an seiner Pfeife und legte sie neben sich. Das junge Mädchen setzte sich neben Thieß Thiessen, den sie heute samt dem Weißkopf zum erstenmal sah, und dachte: „Das ist ein merkwürdig Kleeblatt," und sah während der Erzählung mit drollig neugierigem Mienenspiel von einem zum anderen. Die Menschen, unter denen sie saß, interessierten sie mehr als die Geschichte. Es muß aber gesagt werden, daß sie am meisten nach Jörn hinsah, und sein stilles, langes Gesicht mit den tiefen, klugen Augen mit stillem Verwundern, ohne Scheu, mit zutraulicher Neugier betrachtete.

Und er erzählte die Geschichte von Wieten Penn.

* * *

Als der Weißkopf seine Geschichte beendet hatte, griff er nach seinem Stock und sagte, er wolle gehen. Er ließ anspannen und fuhr mit Thieß Thiessen in die Stadt. Jörn Uhl ging an seines Vaters Krankenbett und löste Wieten Penn ab. Als sie aus der Stube hinausging, sah er ihr mit einem langen Blick nach.

Er verbrachte die Nacht in dem großen Lehnstuhl, in dem 5 seine Mutter an Winterabenden gesessen hatte, und wachte über den unruhigen Schlaf seines Vaters. Und wie er so saß und grübelte, wanderten seine Gedanken nach zwei Richtungen. Bald sann er nach, wie er nun diesen oder jenen Teil der Wirtschaft einrichten wollte, und wie sich nun wohl die ganze 10 Zukunft gestalten würde: bald aber war er mitten in den wunderbaren, erschütternden Begebenheiten, die der Weißkopf erzählt hatte.

Und allmählich, wie das Dunkel der Nacht vorrückte und die Mitternachtsstunde kam — in den Pappeln wühlte und 15 rauschte der Westwind und warf schweren Sprühregen schräg gegen die Fenster, der Kranke starte mit ausdruckslosen Augen nach oben, Jörn Uhl dachte an das Urteil des Arztes: „Er kann lange so hinleben; aber die Herrschaft über seinen Körper wird er nicht wieder bekommen" —: da kam zum erstenmal in Jörn 20 Uhls Seele das Gefühl der Unzulänglichkeit° der Menschenkraft, das Gefühl der Bedürftigkeit, das Gefühl: Wohin, meine Seele, in deiner schrecklich großen Einsamkeit und Verlassenheit. Und nun war es doch gut, daß er in der Schule von dem ‚Vater im Himmel' gehört hatte; sonst hätte er sich in 25 dieser Stunde vor den übergewaltigen, dunklen Gestalten, die feindlich rings um ihn standen in der Nacht, allzusehr gefürchtet, ja er hätte sie vielleicht angebetet. Aber nun lief er in bangem

Vertrauen zu den unsichtbaren, starken, segnenden Mächten, die im Evangelium sind.

Und das war ein gewaltiger Schritt, den der bisher immer noch so sichere Jörn Uhl da machte. Denn nur dem Demütigen gibt Gott Gnade, wie ein kluger Mann richtig gesagt 5 hat. Nur denen, die tief forschen, viel und ernst fragen, nur denen, die bewundern, staunen und demütig verehren: nur denen öffnen sich die Pforten zu einem ganzen, weiten Menschendasein. Zu den Weiten und Tiefen des Menschendaseins, den wunderbaren, schönen, gelangen nur die Nichtwissenden. 10

16. Kapitel

Es ist auf keinem Hofe in der Marsch so gearbeitet worden, wie in diesem Sommer und Herbst auf der Uhl. Wenn der Nachtwächter morgens um vier seine letzte Runde machte und am sogenannten Westereck[1] stehen blieb und pflichtgemäß nach der Uhl hin dreimal ins Kuhhorn blies, dann sah er die langen 15 Ställe schon erleuchtet und sah auf dem Herde die Flammen lodern.

Es war ein scharfes Regiment. Der junge Bauer hatte nur in jener Nacht gebetet; jetzt war er beim Arbeiten. Seine Nase trat bedeutend hervor, und seine Augen flogen mit scharfen 20 Blicken aus ihren Tiefen. Er wurde etwas länger und hagerer und sein Wesen herrisch. Der Name ‚Landvogt,' der sieben Jahre lang vergessen gewesen, kam wieder auf.

Das ging nicht ab ohne Anstoß und bittere Worte.

In der Küche wollte es auch nicht gehen. Wieten mußte fast den ganzen Tag neben dem Bette des Kranken sein, der sonst unruhig wurde und wie ein Kind schrie. Da wollten die in der Küche Lena Tarn nicht gehorchen. Da besprach er die 5 Sache mit Wieten und wurde mit ihr einig, daß sie ganz und gar, Tag und Nacht, für den Vater da sein, dabei nähen, stricken und flicken sollte; Lena Tarn aber sollte in Küche und Kuhwirtschaft° Herrin sein, doch so, daß sie in wichtigen Fällen zu Wieten in die Stube käme und Rat holte.

10 „Mach' das so, Jörn!" sagte Wieten. „Mir ist es lieb, wenn ich die Last los bin; ich bin nun sechzig."

Also ging Jörn Uhl mit strengem, hochmütigem Gesicht in die Küche, mit vorgeschobener° Unterlippe, und setzte den versammelten Schürzen in kurzer Rede die Lage der Dinge aus-15 einander. Lena Tarn, die mit aufgekrempelten, weißen Armen am Aufwasch stand, nickte kurz zustimmend mit dem rotblonden Kopf, ohne von der Arbeit aufzuhalten oder sich gar nach dem bedächtigen Redner umzusehen. Das zweite Mädchen aber flog wie ein Pfeil aus der Küche, ballerte die Tür hinter sich 20 zu und verließ am selben Nachmittag den Hof.

So kam der Winter. Jörn Uhl ging langbeinig und schwerfüßig über seine Felder und durchdachte einen Plan, einen Teil des Hofes zu drainieren und diese Arbeit selbst auszuführen und damit jährlich viel Tagelohn zu sparen.

25 Es kam das Frühjahr. Der Maitag brachte neue Leute auf den Hof, die weder die Standeserhöhung[1] des Bauern, noch das Emporsteigen Lena Tarns erlebt hatten. Von da

an ging es besser: des Bauern Stimme schallte sicherer und voller über die Hofstelle. Und er konnte zu Wieten Penn gehen, die am Fenster saß und über die Brille weg auf den Hof sah, und konnte zu ihr sagen: „Es geht gut mit der Lena. Es ist Zug° in der Sache. Du kannst ganz ruhig sein." 5

Dann kam der Morgen des zehnten Mai. Die Sonne stand weißstrahlend am blauen, tiefen Himmel. Ihr Schein vermischte sich mit der aufsteigenden Feuchtigkeit der Erde zu leichtem, lichtdurchglänztem Nebel. In der Ferne an den Meerdeichen stand der Nebel als bläulich weißer Dunst. Der 10 alte Dreier, den Handstock bei jedem Schritt fest und vorsichtig auf die Erde stoßend, schlich am Hof vorüber. „Jörn," sagte er, „einundzwanzigmal habe ich am zehnten Mai das Vieh auf die Weide gebracht."

Da wartete Jörn, bis der Alte in der Ferne verschwunden 15 war, dann rief er in die Diele, daß es schallte: „Wir wollen ausjagen! Und die Frauensleute sollen helfen."

Darauf wurden zuerst vierzig Ochsen, zwei- und dreijährige, starke Tiere, einer nach dem anderen, an die Tür geführt und losgelassen. 20

Darauf kamen die Kühe, acht an der Zahl, große, rotbunte Marschkühe. Die Frauen führten sie. So zogen die Frauen, Lena Tarn in stattlicher Größe voran, die Wurt[1] hinunter. Wenn die Sonne einen Weg durch die Pappelzweige fand, war ihr Haar so voll Feuer wie das glänzende Haar der Rotbunten. 25

Aber da gab es eine Unterbrechung. Der große, dreijährige Stier hatte sich losgemacht, da es ihm in dem leerwerdenden

Stall zu langweilig wurde. Er stand plötzlich in der Stalltür und kam gemächlich auf die Frauen und die Kühe zu. Da
war es gut, daß Lena Tarn, die immer an alles dachte, den
dreibeinigen Milchbock von festem Holz in der Hand hatte, um
5 ihn am Heck der Weide niederzulegen. Sie stellte sich ihm
mit funkelnden Augen entgegen und sagte: „Steh, du Lump;"
denn sie war nicht seine Freundin. Und sie schwang das höl-
zerne Dreibein. Aber der Rote kam ruhig näher, nichts als
Sicherheit, Kraft und Trotz. Da warf sie einen raschen, zorn-
10 sprühenden Blick auf die Mannschaften, die mit ihren Peitschen
oben am Scheunentor standen: „Was steht ihr da, ihr Tapse?"°
hob den Schemel und schmetterte ihn dem Roten vor den Schä-
del. Das erschreckte ihn so, daß er sich abseits begab, wo er in
die Hände der Männer fiel. Lena Tarn aber hatte den ganzen
15 Nachmittag eine auf- und absteigende Röte in den Wangen,
weil der Bauer sie mit Augen wie ein junger, übermütiger
Mann angesehen hatte. Das machte ihr heimlich Freude
und Sorge.

Zuletzt kamen die Kälber, mehr als zwanzig. Sie be-
20 nahmen sich schlimmer als Schulkinder; und das will 'was
sagen. Zwei von ihnen entdeckten den Burggraben und
sprangen mit mächtigem Satz hinein. Der Junge, der sie
am Strick hatte, bekam nicht genug Zeit, zu überlegen, ob er
gemeinschaftlich alles mit ihnen erleben oder ob er seine Sache
25 von der ihren trennen sollte: er machte den letzten Sprung mit.
Nun standen die drei bis an den Hals im dunklen Wasser, alle
drei starr vor Erstaunen, und rührten sich nicht.

Da wurde der Bauer böse. Er schalt ‚den Lümmel von Jungen,‘ stellte die Peitsche an die Wand und kam in langen Schritten von seiner Höhe herunter und mischte sich unter die Menschen und Tiere. Es war auch Zeit, daß dem Hallo ein Ende gemacht wurde; denn die Mädchen an der Stalltür schrien und lachten, und Lena Tarn stand mit spöttischem Gesicht und zusammengekniffenen° Augen am Hecktor. Also faßte er auf halber Höhe den größten Übeltäter, der gerade seinen Verwunderungsaugenblick hatte und dumm um sich glotzte,° am Strick, und wollte mit ihm abgehen. Der aber bekam gerade in diesem Augenblick einen Gedanken, einen Einfall oder so etwas und sauste mit dem langbeinigen Jörn Uhl die schräge Hauswurt hinunter. Die Mütze flog, die Erde bebte, die Küche kreischte: ein kühner Sprung, Wasser spritzte hoch auf. Nun standen da fünf im Wasser.

Endlich kam doch alles in Ordnung. „Weil wir zuletzt Hand anlegten,“ sagten die Mädchen. Es wurde still auf dem Hofe.

Lena Tarn ging wieder in die Küche und sah immer das Gesicht, das Jörn Uhl gemacht hatte, als sie gegen den Stier anging. Sie war sonst immer in der besten Laune; aber wenn sie, wie in den letzten Tagen, körperlich nicht ganz wohl war, hatte sie Neigung zum Zorn. Also machte sie ein finsteres Gesicht, so gut und so lange sie es konnte. Bald aber, wie sie noch so da stand und arbeitend hin und her ging und fühlte, daß neue, frische Gesundheit ihr durch die Glieder strömte, änderte sich ihr Gesicht. Sie ging eilig in ihre Kammer, schloß sie ab und kam dann wieder. Und nun waren ihre Augen schon strahlend, sie plierte° ein wenig gegen die Sonne, warf die Lippen auf, lächelte gedankenvoll bei sich selbst, und dann, der Wasserfahrt des Bauern gedenkend, lachte sie hell auf, und hub an zu singen.

Jörn Uhl kam an diesem Tage auch nicht zur Ruhe. Die scharfe Fahrt ins Wasser hinein hatte sein Blut in Wallung° gebracht; die Frühlingssonne tat das Ihre. Es wehte einen wie junge Lebenskraft an und zwang, hoch auf zu atmen, und in die bunte Welt zu sehen, und den Kopf in den Nacken zu legen und die Lerche zu suchen, die oben am Himmel stand und sich vor Freude nicht lassen konnte.

Es kam etwas Feiertägiges über ihn, und er kam auf den Gedanken, ins Dorf zu gehen und heute die Steuern zu zahlen, die fällig waren. Er zog also den Sonntagsrock an und ging langsam den Feldweg entlang, besah den jungen Weizen, der schon einen kräftigen Schuß getan hatte, und dachte indes auch an Lena Tarn. „Wenn sie ‚schafft,‘ wie sie sagt, sind ihre Augen streng und eifrig auf die Arbeit gerichtet. Wenn sie aber angeredet wird und mit jemandem spricht, lacht sie gleich. Die Arbeit scheint ihr das einzige Gebiet, wo ruhiger Ernst am Platze ist. ‚Das muß sein,‘ sagte sie. Aber gegenüber allen anderen Dingen ist sie zorniger oder guter Laune, meist guter. Bloß gegen mich ist sie immer kurz und manchmal grollig. Daß ich das Pech hatte und mit dem unklugen Biest zu Wasser mußte, das hat ihr mächtig Spaß gemacht. Wenn sie bloß dürfte, so würde sie mir das dreimal täglich aufs Butterbrot schmieren und sagen: ‚Da hast du’s.‘“

Als er noch so ging, begegnete er dem alten Dreier,[1] der nie auf der breiten Dorfstraße ging, sondern, da er mit ganzer Seele an der Landwirtschaft hing, bis an seine letzten Lebenstage die stillen, grünen Graswege beging, an deren beiden Seiten das Ackerland ihm nahe und seine Frucht seinen alten Augen sichtbar war. Die frische Jugend mäßigte ihren Schritt und ging neben dem bedächtigen Alter und hörte, wie schon so oft, gute Ratschläge, die mit Geschichten aus der Väterzeit und mit eigenen Erfahrungen erhärtet wurden.

„Vor allem, Jörn! Wie alt bist du? Vierundzwanzig? Ja nicht heiraten, Jörn! Auf keinen Fall! Das wäre jetzt das dümmste, was du tun könntest! Jedes Lebensalter hat seine separate Dummheit, Jörn; die deine wäre heiraten. Ich habe bis in die Dreißig gewartet und dann vorsichtig gewählt. Sie brachte sechstausend Mark mit, Jörn; das war für die damalige Zeit viel. Unter fünfzigtausend darfst du es nicht tun! Laß dir Zeit, sage ich dir."

„Das ist selbstverständlich," sagte Jörn, „daß ich wenigstens noch zehn Jahre warte. Wieten ist noch gesund und munter und kann noch lange nach dem Rechten sehen."

An der Wegbiegung nahm er von dem Alten Abschied und ging rasch weiter und dachte: „Der Alte ist doch stumpf geworden; das ist mir heute besonders aufgefallen . . . Schöne, weiche Luft heute. Es ist doch schöner, so allein zu gehen und seine Gedanken laufen zu lassen, hin und her, wie heute morgen die Kälber liefen, statt neben dem Alten zu gehen und Lebensweisheit zu hören. Ich weiß nun auch schon selbst, was klug ist. Ich habe nicht gedankenlos in den Tag hineingelebt wie meine Brüder. Heiraten? Jetzt heiraten? Ich werde mich hüten. Nach dreißig!"

Er zog seinen Rock aus und hing ihn über den Arm.

„Sie sah gut aus, als sie dem Roten den Schemel gab. Gestern sah sie nicht so gut aus, hatte nicht so blanke Augen, fuhr Wieten an und sagte nachher zu ihr: ‚Nimm's nicht übel, Wieten: ich habe schlecht geschlafen,' und lachte.

„Merkwürdige Luft! Als wenn man sie trinkt. Und sie schmeckt gut. Es ist doch gut so, daß ich heil aus dem Kriege gekommen bin, und daß ich noch jung bin und kann an dem großen Hofe zeigen, was an mir ist. Nachher, wenn die Jahre vergehen — und die vergehen rasch — und ich fest im Sattel sitze, nehme ich mir eine schmucke Frau mit Geld und gelbem Haar. Es gibt auch reiche Mädchen, die so lustig sind und frisch, und einen so stattlichen Leib haben. Es schießen immer neue Mädchen auf, in jedem Jahre, dicht wie neues Gras. Gott mag wissen, wo sie alle herkommen. Es muß nicht gerade diese sein."

Er zog den Rock wieder an und kam unter die Dorflinden; und der schwerhörige Kirchspielschreiber[1] stand vor seiner Tür, in schlechter Stimmung. Denn im Laufe des Tages waren nicht weniger als sechs Geburten angemeldet worden.

„Uhl," sagte er, „man sollte denken, daß der Krieg darin einen Eindruck gemacht hätte. Aber mit nichten. Das Gegenteil. Wir werden in diesem Jahre nicht mehr als fünfzig Todesfälle haben, Jörn, aber über hundert Geburten. Wo soll endlich die Nahrung herkommen? Weißt du was? Das Land wird nicht größer, und jede Kuh braucht sechs Scheffel. Viel zu viel Publikum! . . . Komm herein, Jörn." So redete er und zählte mit zwinkernden Augen die Goldstücke, die Jörn Uhl auf den Tisch legte, drehte jedes Stück zweimal um und trug den Posten sorgfältig ein.

Jörn Uhl, als verständiger Mann, als Besitzer eines großen Hofes und Steuerzahler, gab dem Kirchspielschreiber vollständig recht und beredete dies alles mit ihm. „Wohin soll das laufen, wenn das Volk so zunimmt?" Und er sagte zuletzt laut: „Das Heiraten vor fünfundzwanzig muß einfach verboten werden." Mit diesen Worten ging er davon, voll von dem stolzen Bewußtsein, daß er mit einem so verständigen, erfahrenen alten Mann, wie dem Kirchspielschreiber, gleicher Meinung in so hohen Dingen war.

Als er auf die Hofstelle einbog, sah er auf der weißen Holzbank zwischen den Linden, seitwärts der Haustür, einen alten Mann sitzen, wie einen Tagelöhner im Sonntagsrock. Er hatte beide Hände auf den Eichenstock gelegt und war wegemüde. Lena Tarn stand neben ihm mit einem auffallend ernsten Gesicht, zeigte auf Jörn Uhl und sagte: „Da kommt der Bauer."

Der Alte stand vor dem Bauern auf und gab ihm die Hand, und setzte sich wieder und fing nach der Gewohnheit der Gegend vom Wetter und vom Felde an. Lena Tarn brachte stillschweigend den Kaffee, setzte sich ihnen gegenüber und fuhr fort, den französischen Soldatenmantel zu flicken, den Jörn Uhl mitgebracht hatte.

„Ich komme wegen einer Sache ...," sagte der Alte. „Meine Frau läßt mir keine Ruhe. Du hast doch bei der zweiten Schweren gestanden, Hauptmann Gleiser? Na, da stand doch auch Geert Dose, der nach seiner Soldatenzeit bei 5 dir diente? Ist es nicht so? Na siehst du, das ist mein Sohn ... Was nun seine Mutter ist ..."

„Er war einer der Ersten, der verwundet wurde."

„Nun läßt Mutter mir keine Ruhe: sie fragt jeden Abend, wo er wohl den Schuß bekommen hat, und wie es dann ist ... 10 ich meine, ob so einer sich lange quälen muß. Sie meint neun Tage. Es ist ja junges, gesundes Blut und das Sterben wohl sauer genug. Und ob er wohl noch 'was gesagt hat."

„Ja ..."

Der Alte war ein wenig kleiner geworden und sah mit großen, 15 stillen Augen über seine Hände weg in den Sand. „Wenn du mir das erzählen willst, wie es in Wahrheit gewesen ist. Man erzählt sich, daß du zuletzt bei ihm gewesen bist. Dann kann ich ihr nachher sagen, was sie vertragen kann."

Da erzählte Jörn Uhl bedächtig von Geert Doses Wunde, 20 Heimweh und Tod,[1] und verschwieg nichts.

Lena Tarn hatte in ihrem Leben noch nichts weiter gesehen und gehört, als was innerhalb des Dorfes geschah, hatte sich auch um andere Dinge nicht gekümmert. Bei dem Wort „Krieg" hatte sie ein großes, sehr buntes und feuriges Bild vor 25 sich gesehen: oben helle, runde Wolken, unten brennende Häuser, dazwischen laufende und reitende Menschenhaufen, der Feldherr voll Orden, Hurrarufen, Helmschwingen, Wachtfeuer, „Nun danket alle Gott."[1] So hatte es im Lesebuch der Schule gestanden. Von dem grausamen Jammer und der himmelschreienden Qual des einzelnen Soldaten hatte sie nichts gewußt. Sie hörte zu, das Gesicht in Schmerz zusammengezogen. In der Tiefe ihrer Seele aber zuckte und lachte heimlich die Freude: daß du heil zurückgekommen bist, Jörn Uhl.

Der Alte sagte nicht viel mehr. Er stand bald auf und ging still davon. Bis zum Ende der Allee gab der Bauer ihm das Geleit. Er hat diese Ehre sonst niemandem angetan, weder vorher, noch nachher. Lange stand er und sah ihm nach, wie er so steif und schwer dahin ging, einen rechten Tagelöhnergang. Vier Stunden hatte er zu gehen. Ein schwerer Gang und ein schweres Ankommen.

Durch den Baumgang zurückgehend, kam ihm das Behagen des Tages wieder. Durch die schwankenden, frühlingsgrünen Blätter sah er den sonnenhellen Platz, dahinter das lange, breit ruhende Haus: Lang und hoch das dunkle, graue Strohdach, im roten Mauerwerk, im grünen Rahmen die blinkenden Fenster, an der Haustür breit gewachsen echter Wein, vor dem Weinlaub die weiße Bank mit dem Tisch davor, und auf der weißen Bank Lena Tarn mit der stolzen, kriegsbereiten Haltung und all ihrer frischen, vollen Jugendblüte.

Da flog ihm ein Wort in den Sinn, das er während des Feldzugs einmal in einer Zeitung gelesen hatte, die sich zur Batterie verirrt hatte. Da war in einem Weihnachtsartikel von dem kommenden Frieden die Rede gewesen und in hochtönender Rede von den „Werken des Friedens.“[1] Das großartige Wort hatte ihm damals gefallen. Jetzt machte das ruhevolle, wunderschöne Bild, daß er sich seiner erinnerte. Und in seiner schwerfälligen Weise machte er nach Art des 5 Katechismus Frage und Antwort daraus: „Werke des Friedens? Was ist das? Als da sind: Pflügen, Säen, Ernten, Häuser bauen, Heiraten, Kinder erziehen.“

Lena saß da mit so tiefgebeugtem Kopf, als könnte sie gar nicht singen, noch das Dreibein überm Kopf schwingen, noch 10 Augen haben voll von Mutwillen. Die Maisonne lachte und zeigte mit Strahlenhänden auf den gebeugten Kopf: „Sieh doch, Jörn Uhl, wie das funkelt; fass' es nicht an, das ist lauter Feuer!“

Als er vorbeigehen wollte, deutete sie, ohne aufzusehen, auf 15 ein blaues Heftlein, das neben ihr auf dem Tisch lag, und sagte mit ziemlich patziger° Stimme: „Ich will über Butter abrechnen.“

Solch eine Butterabrechnung° war ihr sehr zuwider, weil es eine Sache von Mißtrauen war; mußte ja aber sein. Sie 20 gab dem Heftlein noch einen verächtlichen Stoß und richtete sich ein wenig auf. Er setzte sich zu ihr und besprach genau die einzelnen Zahlen, die sie absichtlich, aus Trotz, um ihre Abneigung gegen jegliche Abrechnung zu zeigen, unordentlich geschrieben hatte, so daß er einige davon nicht genau lesen konnte. 25 Es war nötig, daß sie ihren brennenden Kopf über das Buch beugte, das er in der Hand hielt. Nun fing er an, umständlich und genau zusammenzuzählen, um zu sehen, ob die Summe, die sie darunter geschrieben hatte, auch stimmte. Halblaut nannte er die einzelnen Zahlen. Sie paßte indes einen Flicken ein, bog sich links und rechts, die ästhetische Wirkung des Flickwerkes zu beachten, und summte dazu wie eine Hummel, die halb gutmütig, halb zornig eine andere im Blumenkelch sitzen sieht. Es dauerte nicht lange, so hörte er aufmerksam zu. Die Zahlen gingen ihm durcheinander. Er wurde ärgerlich und stand auf: „Ich will in der Kammer weiter rechnen." „Das finde ich ganz richtig," sagte sie.

Abends, als es dämmerte, schlenderte er noch durch den Querweg, um zu sehen, ob die ausgelassenen Tiere wohlauf wären. Aber während er sonst eine halbe Stunde lang hinter seinen Tieren stehen konnte, ihre Vergangenheit und ihre Zukunft überdenkend, sah er heute über sie weg in die Luft und kehrte wieder um. Als er auf der Hofstelle ankam, drehte er sich rund um. Und als kein Mensch zu sehen war, da lachte er leise auf.

Spät am Abend fing es an zu regnen. Er saß in seiner Kammer am offenen Fenster und rauchte die halblange Pfeife und fühlte sich, wie meist in dieser Stunde, auf diesem Platz neben der Lade, in diesem kleinen, eigensten Reiche, unendlich behaglich. Es kam in diesen Stunden der Sinn für Gemütlichkeit° zur Geltung,° der von der Thiessenseite her in ihm war.

Im Hause war es totenstill. Draußen rieselte und plauderte der Regen. Aus den Apfelbäumen kamen weiche Vogelstimmen. Er sah hinaus und wartete und glaubte zu hören, wie es leise lachte und wie die Blätter sich auftaten. Ums Fenster war ein buntes Regen und Leben.

Die Gestalt der Sanddeern ging an ihm vorüber. Er sann und sah vor sich hin und kam in Gedanken wieder zu Lena 5 Tarn. Sie saß neben ihm auf der weißen Bank und beugte sich über das Buch. Er riß sich aus seinem Sinnen, richtete sich ein wenig im Stuhl auf und sagte langsam und getragen: „Werke des Friedens."

Da ging die Tür, und Lena Tarn kam herein und blieb 10 unschlüssig an der Tür stehen.

„Komm her!" sagte er. „Was willst du?" Er war so erregt, daß er mit Mühe sprach.

„Ich will mir das Buch wieder holen. Ich meinte, Sie wären noch unterwegs im Querweg."° Sie suchte das Buch 15 auf der Lade.

Da redete er sie an und sagte: „Du bist in den letzten Tagen nicht gut gelaunt. Fehlt dir was?"

Sie warf den Kopf in den Nacken und sagte kurz: „Es fehlt einem wohl 'mal 'was; aber es geht bald wieder vorüber."

20 „Du freust dich wohl, daß Wieten jetzt bei dem Kranken schlafen muß und du deine Kammer allein hast?"

„Warum? Es ist mir ganz gleichgültig. Wer ein gutes Gewissen hat, kann immer gut schlafen, allein oder zu zweien."

„Dann mußt du ein schlechtes Gewissen haben; denn gestern 25 abend, als ich durch den Gang kam, hörte ich dich im Schlaf rufen."

„Na ja . . . Ich bin nicht wohl gewesen."

„Ach was . . . du nicht wohl? Der Mond hat das getan; der hat in deine Kammer geschienen.“

„Ich sage aber: das kann auch eine andere Ursache haben.“

„Ich sage, das kommt vom Mond.“

Sie sah ihn zornig an: „Als wenn Sie alles wissen! Ich habe überhaupt nicht im Schlaf gerufen, sondern in hellem Wachen. Es waren drei Kälber ausgebrochen und sprangen im Grase umher. Ich sah sie deutlich im Mondschein. Die rief ich.“

Er lachte spöttisch: „Das sind gewiß Mondkälber gewesen.“

„So? Ich glaube nicht. Denn ich habe sie heute morgen selbst wieder hineingebracht; und da habe ich denn gesehen, daß die Stalltür offen stand. Ich denke mir, der Knecht ist heute nacht auf Freite° gewesen. Du hast immer so fliegende und losschießende Augen und kümmerst dich um jeden Quark: mich wundert, daß du das nicht gesehen hast.“

„Sagst du ‚du‘ zu mir?“

„Du ja auch zu mir! Ich bin fast ebenso groß wie du, und ein Graf bist du ja nicht, und ebenso verständig wie du bin ich auch.“ Sie trug den Kopf ziemlich hoch, und während sie das Buch von der Fensterbank riß, als wenn es da im Feuer läge, sah er den prächtigen Zorn in ihren Augen.

„Nimm dich in acht vorm Mond!“ sagte er. „Sonst mußt du heute nacht wieder Kälber hüten.“

Er war aufgestanden, wagte aber nicht, sie anzurühren. Sie sahen sich aber an, und jeder erkannte, wie es um des anderen Willen stand. Er hatte wieder den Blick, den er

heute morgen schon einmal gehabt hatte, so einen siegesgewissen, übermütigen Blick, so einen Blick, als wenn er sagen wollte: „Ich weiß ganz genau, wie solch ein Mädchenzorn zu deuten ist.“ Ihre Augen aber sagten: „Ich bin zu stolz, dich liebzu-
5 haben. Ach, ich habe dich so lieb.“ Sie ging zögernd in die dunkle Tiefe der Kammer, als wollte sie ihm Zeit lassen, noch etwas zu sagen oder nach ihr zu langen. Er war aber zu schwerfällig dazu und lachte verlegen.

Die Nacht brach herein. Es war eine wundervolle, ruhige
10 Nacht.

Jörn Uhl hatte sich hingesetzt und stand wieder auf: „Ich will doch 'mal nach dem Mond sehen. Es ist merkwürdig klar.“

Er nahm das mannshohe Gestell, das er selbst gezimmert hatte, und aus der Lade das Fernrohr. Es war aber statt
15 jenes alten, buckeligen Rohres ein stattliches Nachtrohr mit einem dreieinhalbzölligen Objektiv. Der Professor vom Gymnasium, der von den astronomischen Neigungen des jungen Bauern gehört hatte, hatte ihn eines Tages besucht und ihm das Rohr besorgt. Es war der erste und einzige Luxus, den
20 er sich erlaubt hatte.

Als er aber möglichst geräuschlos über die Mitteldiele ging, stand ihre Kammertür noch offen, und sie trat auf die Schwelle und lehnte sich an den Pfosten.

„Bist du noch wach?“ sagte er beklommen.
25 Sie sagte: „Es ist noch nicht spät.“

„Der Himmel ist so klar: ich will noch 'mal nach den Sternen sehen. Hast du Lust, so kannst du mitkommen.“

Sie blieb erst stehen; aber dann hörte er, wie sie ihm nachkam.

Er stellte das Dreibein mitten auf den Rasen.

Er suchte am Himmel und richtete das Rohr und sah hinein, und richtete es genau und sagte mit verhaltener Stimme: „Nun sieh hinein.“ 5

Sie stellte sich ungeschickt, daß er seine Hand auf ihre Schulter legte, und fragte: „Was siehst du?“

„O,“ sagte sie. „Ich seh' ... ich sehe ... ein großes Bauernhaus, das brennt. Es hat Strohdach. O! ... Alles brennt; 10 das Dach ist ganz in Flammen. Funken fliegen darüber hin. Es ist ein richtiges altes, dithmarscher Bauernhaus. .. O, nein, doch! Ich habe nie geglaubt, daß auch auf den Sternen Bauern wohnen. Auf welchem Stern ist das denn?“

„Na,“ sagte er. „Das ist gut! Nein, Deern! ... du bist 15 entweder nicht recht klug oder ein großer Schelm.“

„Was denn nun wieder?“ sagte sie und sah ihn erstaunt an.

„Du hast zuviel Phantasie,“ sagte er ernst, „die ist bei der Wissenschaft von Schaden ... Was siehst du sonst?“

„Ich sehe ... ich sehe ... seitwärts von dem Bauernhause 20 eine Planke, die ist dunkel; denn das brennende Haus ist dahinter. Aber in die brennende Diele kann ich tief hineinsehen. Drei, vier Garben sind schon vom Boden heruntergefallen und liegen brennend auf der Lohdiele.° O, wie ist das schrecklich! Zeige mir ein anderes Haus, das nicht brennt ... Zeige mit 25 ein Haus, weißt du, zeige mir einen Bauernhof, wo sie gerade dabei sind, die Kälber auszujagen.“

Er lachte fröhlich auf. „Du Schelm,“ sagte er, „du möchtest wohl auch dein Dreibein am Himmel sehen, was? So: Hoch überm Kopf!“

„Du hättest das Dreibein haben sollen! Den Tag vergesse ich dir nicht, du ... und wie du mich ansahst! Das kannst du glauben!“

Er hatte noch niemals jemand an seinen Beobachtungen teilnehmen lassen. Nun wunderte und freute er sich über ihr Erstaunen und ihre Freude. „Das hast du nicht erwartet was? Ja, siehst du! Was du da gesehen hast, das war ein Nebelstern, Orion heißt er.“

Sie sagte aufatmend: „Ich kann es wohl verstehen, daß es dir Freude macht.“

Er nickte und sagte: „Weil du so verständig redest, sollst du auch den Mond 'mal sehen. Warte ein wenig.“

„Du tust, als wenn du das alles da oben zu verschenken hast. Her mit dem Mond!“

Er stellte und faßte sie wieder am Arm, als wenn sie ein unbeholfenes Kind wäre.

Nun wunderte sie sich über die Maßen: „Was sind das? Beulen? Wie in unserem kupfernen Kessel! Ganz genau so: wenn er blank gescheuert überm Herd hängt und morgens das Feuer nach ihm hinauf scheint.“

„Die Beulen sind Berge und Täler. Kannst du links am Rande die Gebirgsspitzen sehen? Sie werden von links her von der aufgehenden Sonne hell erleuchtet, und nach rechts hin fällt ihr dunkler Schatten aufs Land.“

Sie schüttelte verblüfft über das, was sie sah und was er sagte, den Kopf, verlor das Bild aus dem Rohr und richtete sich wieder auf, sah mit bloßen Augen hinauf und sagte: „Ich habe das ja in der Schule gehört, von den vielen tausend Meilen Entfernung und Umfang und so 'was. Aber ich habe Lehrer Karstensen das nie geglaubt. Er log es zwar nicht. Aber ich dachte immer, er hätte es sich aufbinden° lassen. Aber nun scheint es mir fast, daß doch 'was Wahres daran gewesen ist."

„So! . . . Und nun hast du genug gesehen und weise genug geredet. Geh hinein! Du erkältest dich, und dann träumst du wieder und siehst im Traum, ich weiß nicht was. Wirst du schlafen können?"

„Ich will's versuchen."

Wieder wollte er die Hand nach ihr ausstrecken; aber die Hochachtung vor ihr hielt ihn zurück. Er meinte, er dürfte sie nicht so, gewissermaßen unterwegs, ergreifen. „Mach' rasch," sagte er, „daß du fortkommst."

Sie ging, und er blieb. Er stellte das Rohr noch auf den Mittelstern an der Deichsel des großen Bären, und stellte es noch einmal auf den Mond, und beobachtete die Umrisse der Meere, um eine Karte vom Mond zu vervollständigen, die er angefangen hatte. Es verging die Zeit. Er war eifrig geworden, stand da mitten auf dem Rasen und hantierte geräuschlos an seinem Rohr. Und verwarf noch einmal wieder das junge Leben, das vor einer Stunde so schwer neben ihm geatmet hatte, und kam wieder in das alte Geleise, daß der alte Dreier doch recht hätte. „Mach' nicht d i e Dummheit, Jörn!" ... und doch: „Fein ist sie und gut... Was muß die für köstliche Augen haben, wenn die einen Mann so recht mit Zutrauen ansehen wird."

5 Vom Felde her kamen die bekannten Nachttöne. Er hörte das alles; aber es war ihm alles so gewöhnlich, daß er es nicht zu Herzen nahm. Aber plötzlich, während noch die Gänse über ihm schrien, war ihm, als hörte er dicht überm Hausdach und dann zur Seite an der Hauswand leichten Schrei 10 einer Gans und schwaches Flügelschlagen. Er sah sich um und dachte: Fliegen die Wildgänse heute abend durch den Garten?

Aber als er hinsah, stand da unter dem Hausdach im hellen Mondschein eine weiße, menschliche Gestalt, hatte die Hand 15 über die Augen und tastete mit der anderen gegen die Mauer, als wollte sie da ins Haus hinein, wo doch gar keine Tür war, und redete dazu in erregten, eilfertigen Worten: „Die Kälber sind im Garten: Du mußt besser aufpassen! Steh doch auf, Jörn, und hilf mir!"

20 Jörn Uhl kam in drei langen Schritten über den Rasen und rief leise ihren Namen: „Ich bin schon hier ... Hier stehe ich ... I ch bin es ... So! So! ... Nun sei man still ... Ich bin es ... Sonst ist niemand hier."

Sie war verstummt und fing an, sich mit der oberen Hand-25 fläche die Augen zu reiben, wie ein Kind sich den Schlaf aus den Augen reibt, und klagte auch nach Kinderweise. Da umfaßte er sie und sagte wieder, wo sie wäre, und führte sie nach der Stalltür und suchte sie zu trösten. „Siehst du, hier ist schon die Stalltür. Hier bist du hindurchgegangen, du Träumerin; durch den ganzen Stall bist du im Schlaf gegangen. Hast du die Mondkälber gesucht? Ach, du Hansnarr! . . . So, hier brauchst du nicht bange zu sein. Nun bist du bald in deiner Kammer.“ 5

Als sie nun endlich ihre Lage klar erkannte, erschrak sie, warf ihre Hände gegen ihr Gesicht und stieß wehe Laute aus: „O, o, wie ist das schrecklich.“ Aber er liebkoste sie und nahm ihr die Hände vom Gesicht und sagte herzlich: „Nun laß das Klagen. Laß es nun so sein, wie es ist.“ So kamen sie bis zur offenen Tür, die zur Kammer führte. 10

Nach dem Morgenkaffee zog Jörn Uhl, ganz wie gestern, den Sonntagsrock an und ging ins Dorf. Der Kirchspielschreiber war besserer Laune als gestern. Er wunderte sich weiter nicht. „Ist recht, Uhl!“ sagte er. „Es ist nicht gut, daß der Mensch allein sei; man muß ihm eine Gehilfin geben. Maria Magdalena Tarn, eheliche Tochter des Kätners Jasper Kornelius Tarn in Todum. Neunzehn Jahre alt! Noch jung, Jörn! Aber alt werden sie von selbst.“ 15 20

Als er zurückkam und durch den Apfelgarten ging, lag da unweit der Gartenpforte auf der Steinbrücke eine Wildgans, die noch lebte. Er tötete sie und nahm sie mit in die Küche, wo das Mädchen mit heißen Wangen vor der Herdglut stand. Er zeigte ihr den Vogel und sagte: „Sie hatte einen Flügel gebrochen und lag auf den Steinen.“ 25

Sie warf einen scheuen Blick auf das Tier und sagte nichts.

„Na," sagte er verlegen. „Nun möchte ich bloß wissen, was du von mir denkst. Was?" Als sie nichts sagte, trat er ein wenig näher: „Du bist doch sonst immer ein großer Held gewesen, besonders mir gegenüber. Wirf den Kopf in den Nacken und schilt mich ordentlich aus, ich hab's verdient."

Sie schwieg aber still, legte nur beide Hände an die Schläfen und starrte in die Glut.

Da zog er ihr die eine Hand sanft vom Haar herunter und faßte sie an und ging mit ihr über die Diele durch die Verbindungstür ins Vorderhaus. Sie folgte ihm willenlos, die Augen an der Erde, die eine Hand noch immer im Haar. In der Wohnstube führte er sie zu dem großen Stuhl, der am Fenster stand, und drückte sie hinein. „So," sagte er weich, „hier sind wir ganz allein, Lena. Bist traurig, kleine Deern, und bist sehr böse? Ist dir all dein schönes Lachen vergangen?" Er setzte sich auf die Lehne und fing an, ihr Haar und Wange zu streicheln und ihre Hände, die im Schoß lagen. Aber sie sah ihn nicht an. „Hier in diesem Stuhl, sagt Wieten, hat Mutter manchen Sonntagnachmittag gesessen. Da gehörst du nun hinein."

Sie sagte noch immer nichts.

„Ich bin beim Kirchspielsschreiber gewesen, Lena, und habe alles in Ordnung gebracht, und im Juni ist Hochzeit. . . . Sagst du noch nichts?"

Da umfaßte sie seine Hände und sagte leise: „Du meinst, damit ist alles gut." Und sie bedeckte ihr Gesicht mit den Händen und weinte.

Da fing er an, sie sehr zu streicheln und zu küssen: „Kind, laß doch bloß dein Weinen! Bist ja meine kleine, feine Braut! Sei doch nur wieder fröhlich!“ Und in seiner Not sagte er: „Ich will's auch nicht einmal wieder tun. Lach' bloß wieder.“ Zuletzt, da er sonst keinen Schmeichelnamen mehr wußte, nannte er sie „Rotkopf“. Da mußte sie lachen; denn das war der Name der besten Kuh, welche vorne als erste im Stalle stand. Nun hob sie auch den Kopf und sah ihn lange an, unbeweglich. Und dann kam Jörn Uhl richtig in das Weiche und Wohlige,° wie er meinte, es verdient zu haben.

* * *

Es war ein glückliches Jahr. Sie waren stolz, einer auf den anderen und auf den stattlichen Hof, dem sie mit gravitätischem Ernst vorstanden.

Lena Tarn hatte keine Anlage zum Sorgen und Grübeln. Sie lebte wie ein Kind vom Tage. Darum hatte sie ihm auch wohl so sehr gefallen, weil sie in diesem wichtigen Punkte so anders war als er. Sie lebte sorglos wie ein Vogel. Seht die Vögel unter dem Himmel an! Sie säen nicht. Und sie werden doch satt.[1] Sie begehrte nichts für sich, machte keine Kosten. So meinte sie, m ü ß t e es gut gehen. Sie meinte, sie könnte es mit ihrer treuen Arbeit zwingen.

Einmal, im Herbst, fiel es ihr doch auf, daß er wohl Sorgen hätte. Er kam vom Dorf her über den Hofplatz, und sie bemerkte durch das Türfenster, daß er im schweren Grübeln stehen blieb. Sie ging zu ihm hinaus und sagte: „Hast du so viel Sorge, Jörn? Komm, setz dich ein wenig her zu mir auf die Bank."

„Ich sitze hier nicht gern. Es sieht so großartig aus, als wenn die Leute hinsehen sollen: Seht, da sitzt der Bauer und
5 seine Frau."

„Du bist der Bauer und ich die Frau. Merkwürdigerweise. Ich bin noch als dreizehnjähriges Mädchen mit nackten Füßen durch Sand und Heide gelaufen, und die Hinterwand von meines Vaters Haus war aus Backtorf gemacht." Sie stützte
10 den Arm auf den Rundtisch und legte die Wange in die aufgestützte Hand und sah ihn sinnend an: „Aber da liegt auch gerade der Fehler. Du hättest eine reiche Frau haben müssen, dann hättest du keine Sorgen, du armer Jörn Uhl."

Er sagte nichts.

15 Da fuhr sie leiser fort: „Arbeiten mag ich und kann ich, und lachen kann ich auch. Und wenn es sich bloß ums tägliche Brot und um Kleidung handelte, so wollte ich dich und einige Kinder mit meinen Händen satt machen und kleiden. Aber hier wird mehr verlangt. Mein Händerühren soll Silber
20 machen und mein Singen Gold."

„Sei man ruhig," tröstete er. „Ich kriege die Zinsen wohl zusammen. Ich muß freilich die beiden Zweijährigen verkaufen, die hätte ich gerne noch ein Jahr behalten."

Ihr kam schon wieder das Lachen. „Nachher vergreif' dich
25 man nicht und verkaufe nicht deine eigenen Kinder."

„Was wird das kosten?"

„Ach, du armer Jörn Uhl! Was wird das kosten? Nicht

viel. Ich lege mich in Wietens Kammer; dann muß Wieten vier oder fünf Tage lang für zwei Kranke sorgen. Dann stehe ich wieder auf und gehe an meine Arbeit."

Er war von Kind an gewohnt, allein zu grübeln. So war er ein Mensch geworden wie ein Haus mit einer hohen Mauer rund umher. Das junge Weib lachte, sang, arbeitete und liebte, und kam mit alledem nur bis vor das Tor seiner Seele. Sie klopfte zuweilen an; er ließ sie nicht ein. Sie war ihm zu gut, zu lieb und zu fröhlich. Was sollte sie in seine dunkle, sorgenvolle Seele sehen?

Wenn sie ein höheres Alter erreicht hätte und hätte sorgenlosere Tage auf der Uhl erlebt, so wäre sie eine von jenen köstlichen Bauernfrauen geworden, die wir hier und da im Lande haben, die mit immer guter Laune, mit raschem Wort und flinken Händen, ziemlich energisch und ein wenig behäbig, der fröhliche und starke Mittelpunkt des ganzen Hofes sind. Aber nun war sie noch zu jung, um zu wagen, mit ihrer ganzen Natur herauszutreten, und war noch zu sehr unter dem Druck ihrer armen Jugend, um selbstbewußt zu sein. Aber: als wenn sie wußte, daß sie nicht viel Zeit hatte, warf sie eine Fülle von Liebe und Freude auf alle, die um sie wohnten.

Abends, wenn sie mit ihm allein war, war sie seine Freude.

„Weißt du, was mich ärgert?" fragte sie eines abends.

„Ja, ich weiß."

„Daß ich wegen der Leute nicht singen darf, du. Damals, als ich noch ein junges Mädchen war, da sang ich den ganzen Tag; es ging ja niemand 'was an, auch dich nicht, obgleich du immer so hochnasig an mir vorübergingst. Aber nun muß ich mich zusammennehmen. Ich darf auch nicht alles sagen, was mir gerade einfällt. Das ist fast noch schlimmer."

„Du hast den ganzen Tag gesummt."

5 „Aber nicht gesungen ... Nun? ... Sag 'mal 'was!"

„Denn man los! Aber nicht so laut!"

Nun sang sie allerlei alte und neue Weisen, am meisten alte Volkslieder, mit verhaltener Stimme. Dazwischen versteckte sie ihren Kopf zwischen seinem Arm und seiner Schulter und 10 lachte: „Das sollten die Leute wissen." Dann stützte sie den Kopf in die Hand, und lag gelehnt über ihm und reihte ihre drolligen, bunten Einfälle aneinander, und ließ sie vor ihm spielen, wie die Mutter die bunte Kette über dem liegenden Kind.

15 Sie hatte am Morgen noch für die Menschen gesorgt und einem neugeborenen Kalb die erste Milch gegeben. Sie hatte eine besondere Liebe und Gabe, dem hilflosen Neugeborenen zu helfen. Dann, in einer unruhigen Eile und mit fliegenden Händen, setzte sie noch Wasser aufs Feuer. Dann kam sie zu 20 Wieten hinein ...

Wieten Klook stand schon neben ihr und legte die Hände um sie.

„Du bist unvernünftig," sagte sie. „Komm, leg dich hin. Deine Stunde ist da."

* * *

25 Es war ein feiner, aber kräftiger Knabe. Und wenn es auch gegangen war nach dem Wort: „Du sollst mit Schmer-

zen Kinder gebären,"[1] und wenn sie auch zu ihrer großen Verwunderung matt und müde dalag: am anderen Morgen summte sie doch schon dem Kinde das erste Schlaflied; und obwohl Wieten warnte und von Jörn verlangte, daß er ein Machtwort spräche, stand sie doch am sechsten Tage auf. Sie sorgte den Tag über allein für ihr Kind und ging sogar nach der Küche und trug das Wasser, ihr Kind zu baden, und sang leise, und war stolzer und glücklicher als jemals eine Königin gewesen ist. Jörn Uhl ließ es geschehen. Er war so stolz darauf, daß er eine so kräftige Frau hatte: „nicht so zimperlich° wie die anderen." Jörn Uhl war zu jung und zu dumm.

* * *

Als Jörn Uhl am vierten Tage vom Kirchhof heimkam, sah er die Knechte und Mädchen beieinander stehen; er wies sie an ihre Arbeit. Auf der Mitteldiele blieb er stehen und horchte. Er hatte hier oft gestanden und gehorcht, aus welchem Raum das Summen käme und der leichte, tapfere Schritt, ob sie in der Stube oder in der Küche wäre. Als er noch so horchte, hörte er das hohe Weinen des Kindes. Da ging er in die Stube. Da saß sein Vater hinterm Ofen und hatte die kalt gewordene Pfeife in der hin und her fliegenden Hand und schalt, daß Wieten nicht für ihn sorgte, und am Bett stand Wieten und beugte sich über das Kind. Und es war unordentlich in der Stube.

17. Kapitel

Es war ein trüber November. Nasser Westwind fuhr schon tagelang in die Pappeln, daß es rauschte und wühlte wie in schweren Wellen. Da kamen eines Abends die beiden Brüder von Hamburg ins Haus.

5 Sie taten, als wenn sie nur 'mal nachsehen wollten, wie es um den kranken Vater stünde und um des Vaters Hof. Aber der Vater drehte den Kopf zur Wand. Als sie hinausgegangen waren, schalt er, daß alle die jetzigen Uhlen nichts taugten, er wäre der einzige tüchtige Uhl gewesen. Sie kümmerten sich 10 auch weiter nicht um ihn, gingen breitbeinig durch Haus und Ställe, lobten einiges, tadelten mehr und erzählten von dem Heu- und Strohgeschäft, das sie hätten, und von einem großen Fuhrwesen. Am selben Abend gingen sie ins Wirtshaus, nachdem sie wegen „Mangel an Goldgeld" sich von Jörn 15 zwanzig Mark hatten geben lassen. Spät in der Nacht kamen sie heim.

Jörn Uhl schlief in dieser Nacht nicht, er lag auf dem Rücken, starrte mit offenen Augen nach oben und grübelte. Er wußte, daß sie am Ende waren und daß sie Geld von ihm wollten. 20 Er hatte gesehen, daß ihre Röcke fleckig waren und vorn an der Brust ausgefranst. Es stieg ihm heiß in die Wangen, daß Kinder der Uhl so im Wirtshaus saßen.

Am anderen Vormittag sagten sie wie beiläufig° zu ihm: „Du, wir wollen uns von Fritz Rapp etwas Geld geben lassen.

Er bot es uns an. Kapital ist da in Hamburg alles; ob eigenes oder fremdes: das ist egal. Also wollen wir es nehmen. Wegen Leben und Sterben kannst du den Schuldschein unterschreiben."

„Ja ... ja," sagte Jörn Uhl. „Das kann ich ja ... ich sitze allerdings schwer genug davor und bin als Bürge nicht zu brauchen."

„Es ist nur Formsache," sagte Hinrich. Das war der Ton, auf den der Jüngste keine Antwort wußte.

Am Nachmittag wurde die Sache erledigt. An demselben Abend reiste Hans wieder ab, um mit dem erhaltenen Gelde einen falschen Wechsel zu bezahlen, um den er angeklagt werden sollte. Hinrich aber blieb. Er klagte über Rheumatismus in seinem kranken Beine und sagte, daß er von der feuchten und weichen Marschluft Erholung hoffte. Er trieb sich in den Wirtshäusern der Gegend umher und kaufte sich auf den Namen seines Bruders einen neuen Anzug.

Eines Abends, gegen Weihnachten, kam er in die Kammer, als Jörn in der Dämmerung allein saß: er wolle zehn Mark haben. Jörn sagte ruhig, daß er ihm nichts geben wolle. Da begannen Hinnerks Augen zu funkeln: Geld werde er doch los; er habe sich bei Rapp auf seines Bruders Namen schon dreihundert Mark geben lassen. Jörn Uhl blieb noch ruhig, obgleich ihm die Stimme bebte: er werde ihm nie wieder etwas geben; er brauche es ja nur dazu, um die Schande der Familie von Wirtshaus zu Wirtshaus zu schleppen. Da schrie der verrohte Mensch auf und hob die Hand gegen seinen Bruder.

Da kochte dem das Blut über; Feuer schoß ihm aus den Augen: er warf sich gegen den Trunkenen, drückte ihn hart und stieß ihn aus der Tür.

Von da an verhielt sich der Hinkende ruhig im Hause. Er ließ sich von dem Mädchen oder von vorübergehenden Kindern Kümmel holen und saß mit des Nachbarn Knecht, der liederlich war, in seiner Kammer und warf sich ins Bett und schlief seinen Rausch aus. Zu den Mahlzeiten erschien er selten. Er schien sich an Branntwein zu sättigen.

Jörn ertrug das schweigend, mit finsterem, verschlossenem Gesicht. Der alte Dreier hatte zu ihm gesagt: „Laß ihn nicht aus den Augen, Jörn! Fritz Rapp hat nichts Gutes mit dir im Sinne, weil du Hinnerks Schulden nicht bezahlen willst. Sie haben gesagt: sie wollen ihn vierzehn Tage lang satt Kümmel machen."

Wenn der Trinker hinaus wollte, stellte sich Jörn ihm gegenüber und sagte kurz und hart: „Du bleibst hier."

Eines Tages aber, im Frühling, war er doch davongegangen. Nun trieb er sich ein ganzes Jahr lang in der Gegend als Vagabund umher, arbeitete so viel, daß er genügend zu trinken hatte und beschimpfte Vater und Bruder und kam zuweilen mit seinen Saufgenossen am Hofe vorbei und schrie und prahlte.

Der alte Uhl war eines Tages im Frühling aus dem Lehnstuhl aufgestanden und hatte wieder angefangen, auf einen Stock gestützt, mühselig zu gehen. Bald stand er, gegen die Wand gelehnt, und sah nach dem Wege hinüber. Nachher ging der alte, schwere Mann, die Hände tief in den Taschen, barhaupt, mit unordentlichem, grauem Haar, schwerfällig um das Haus und spähte aus, ob nicht einer des einsamen Weges käme, dem er vorschimpfen und klagen könnte, wie sehr „Klaus Uhl und seine Kinder“ den Hof verlotterten° und verlumpten.° Er war ganz in den Glauben gekommen, daß er 5 jener Hinrich Uhl wäre, der den Stammhof gegründet und die Familie zu Ansehen gebracht hatte. Einmal traf es sich, daß der Alte da stand, als der Hinkende des Weges kam: da gab es ein rohes Schelten hin und zurück, daß Jörn Uhl die Scham seiner Seele vor dem Knechte, der ihm im Futtergang° 10 entgegenkam, nicht verbergen konnte: er schüttelte verzweifelt den Kopf; dann stieß er in blindem Zorn die Forke in die Mauer, daß der Stiel splitterte. Solche Zornanfälle kamen in diesem Jahre häufiger über ihn. Sein Charakter fing an, brüchig zu werden und nach dem Finstern und Harten zu 15 neigen.

* * *

Das alte Mädchen, dessen Haar dünn und grau wird, besorgt mit alter Treue, doch mit geringerem Ehrgeiz und Erfolg, als in ihren jungen Jahren, den schweren Hausstand; sie sitzt und näht und flickt nun für drei: für den Alten, für 20 Jörn und für das Kind. Wenn der Blödsinnige von draußen hereinkommt, setzt er sich schwer in den großen Lehnstuhl und stößt kurz und verdrießlich heraus: „Erzähl' 'was!“ Dann erzählt sie ihm alte, bunte Geschichten,[1] wie die Volksseele sie im Traume erzählt. Einige sind besonders närrisch, 25 andere besonders wunderbar, andere besonders grausig. Abends

greift sie nach Brille und Bibel. Sie wählt immer Stücke aus dem alten Testament.[1] Unheimliche Wunder, große, wilde Taten, kräftiges Scheltwort: das wählt sie. Zum Neuen Testament hat sie nie rechte Stellung nehmen können. Es
5 lag von Haus aus Sonniges genug in ihrer Natur; sie war ein weiches, anschmiegendes Kind gewesen, als sie mit Anna Stuhr und ihren Kindern in der Waldlichtung Zigeuner gespielt hatte. Aber die schrecklichen Erlebnisse,[2] die dann folgten, und die einsamen Dienstjahre auf großen Marschhöfen,
10 und daß sie dann mit dem Unglück der Uhl verkettet wurde: das alles hatte ihre widerwillige Seele aus der Sonne tiefer und tiefer in den Schatten geführt. Sie fand das Ewige nicht mehr in der Sonne; sie suchte es im Dunkeln. Sie fand das Bild der Welt und des Lebens nicht mehr in der hellen, grünen
15 Waldlichtung, sondern in der grauschwarzen Luft, die unter alten, hohen, dichten Tannen ist.

Der Herr des Hofes ist ein grüblerischer, finsterer Mann, dem die Lippen trotz seiner Jugend scharf aufeinanderliegen, wie zusammengewachsen. Er geht nicht ins Dorf, weiß auch
20 nicht, was darin geschieht, hat auch kein Interesse daran. Er geht nicht in die Kirche. Seine Gedanken gehen nicht weiter als rund um den Hof, soweit die Felder der Uhl gehen. Und dann laufen sie noch an drei Stellen über die Uhl hinaus, nach dem Grabe Lena Tarns, und nach der Kirchspielschreiberei,°
25 wo die Abgaben bezahlt werden, und nach dem schönen, neuen Haus des Weißkopfs unweit der Kirche in Schenefeld.

Wenn man ihm heute sagen würde: das Vaterland ist in

Gefahr, er müßte mithelfen, so würde er sagen: „Vaterland? Ihr wißt doch, daß ich alle Hände und alle Gedanken übervoll habe. Der Hof überschuldet, der Vater blöde, der Bruder ein Lump, Lena Tarn im Grabe? Vaterland?"

Um die Handwerker zu sparen, flickt er selbst an Krippen, 5 Türen und Lattenwerk. Er geht mit dem Kalkeimer ums Haus, setzt ausfallende Steine ein, und schämt sich vor den Dienstleuten. Aber der Hof darf nicht verfallen: der Weißkopf könnte kommen und könnte sagen: „Der Hof verfällt. Geh' weg vom Hof!" Von diesem Hofe, um den er schon als 10 Kind sich gequält hat? Und wohin dann mit den beiden, die sich drinnen die Geschichte vom Knecht erzählen, der beim Pflügen den eisernen Topf fand, der war bis oben voll von Talern?

Das Kind läuft einsam und sich selbst überlassen in den 15 Ställen umher. Immer von schweigsamen Leuten umgeben; da es doch neugierig ist, erfährt es nur nüchterne und traurige Dinge, und bekommt etwas Altkluges, redet vierjährig in langgezogenem Plattdeutsch von dem Preiswert der einzelnen Tiere und versucht im Stallwinkel mit dem alten Knecht Sechsund- 20 sechzig zu spielen.

In jedem Jahre kam Lisbeth Junker aus Hamburg, um einige Tage im Lehrerhause zu besuchen. Sie kam dann auch nach der Uhl, „um nach dem kleinen Jürgen zu sehen." Ihr Haar und ihre Augen hatten noch immer das frische Sonn- 25 tägliche, Unberührte; und ihre Gestalt war noch immer voll aufstrebender, stolzer Kraft. In den grauen Augen und um den festen, roten Mund lag ein Zug tiefen Ernstes. Den kleinen Jürgen an ihren Knien, erzählte sie mit den scheuen Blicken und mit der hohen, weichen, verlegenen Stimme von ihrem Leben in der Stadt. Sie wäre noch immer bei der 5 Tante und hätte es gut, sagte sie. „Unser kleiner Laden liegt neben dem Gymnasium und nicht weit von einer großen Volksschule. Die Kleinen und Großen kaufen ihre Kleinigkeiten bei uns, Schreibbücher und Tinte und was sie sonst brauchen, und für die Primaner und die Professoren übermitteln wir 10 zuweilen größere Bestellungen."

Er sah ehrerbietig ihre feine, stolze Schönheit und dachte: Wie fern ist sie dir! Sie eine Prinzessin, du ein armer, roher Knecht. Was will sie hier mitten in deinem Elend? Er sagte verlegen und höflich: „Du bist zu jung dazu, Lisbeth."

15 Sie schüttelte den Kopf. „Was soll ich sonst, Jürgen? Ich hätte ja sonst keinen Lebenszweck. Dies ist doch viel besser als irgendwo ein Anhängsel° sein?"

Damit war das Gespräch schon wieder am Ende. Sie versuchte, von alten Zeiten zu sprechen; aber die lagen ihm 20 fern, wie hinter breitem, finsterem Wald. Er war zu dicht von schweren Gedanken umringt, um den schüchternen Druck ihrer Hand zu verstehen, und den Schmerz in ihren Augen, wenn sie Abschied nahm. Dann kam sie vielleicht am zweiten Tage noch einmal wieder, um „noch einmal einzusehen." 25 Wieder gab es eine karge° Unterhaltung. Sie erzählte und fragte und merkte mit ihrem feinen Gefühl, daß er mit seinen Gedanken nicht dabei war. Dann ging sie. Unterwegs flog brennende Scham über ihre Wangen. Am Abend in Hamburg wieder angekommen, weinte sie, bis sie sich satt geweint hatte.

Einmal, als das Kind drei oder vier Jahre alt war und am Wege gespielt hatte, kam es an der Hand eines jüngeren, blondbärtigen Mannes in die große Diele und rief: „Vater, das ist der Pastor.“[1] 5

Jener andere,[2] der einst so breit, im Bewußtsein seines Wertes, durchs Dorf gegangen war, und so sicher und laut über den rechten Glauben gepredigt hatte, hatte in einer größeren Stadt ein Pfarramt[3] überkommen. Dieser Neue war 10 noch jung an Jahren, war von Natur ein Kind und sagte seine Meinung über alles. Es war alles wahr, was er sagte; aber es war nicht alles angenehm. Er paßte nicht zu den Uhlen; er paßte nicht zu diesen harten, klugen und vorsichtigen Menschen, bei denen man die Wahrheit schräg hinter ihren Worten 15 mühsam suchen muß. Er bekam im Laufe der Jahre immer mehr Gegner. Zuletzt schrie die ganze Gemeinde: sie begehrte einen anderen, sie begehrte einen Sicheren, einen Breitspurigen, einen, der voll öliger Salbung° wäre und zugleich ein guter Kartenspieler. Die evangelischen Gemeinden können drei- 20 hundertfünfzig Jahre nach Luthers Tod[4] noch keinen Pastor ertragen, der nichts weiter ist, noch sein will, als ein schlichter, ehrlicher Mensch. Es gibt viel schweres und ganz zweckloses Herzeleid in den Landpastoraten.°

Damals war er noch ein frischer Mann, war erst ein halbes 25 Jahr in der Gemeinde und war voll sonniger Hoffnung: er wollte es wohl fertig bringen; er wollte durch seine ehrliche

Liebe und Arbeit alle für sich gewinnen und damit für das stolze, schöne Evangelium.

Der Pastor redete ein weniges über Wind und Wetter und sagte dann: „Wir haben die Absicht, nächsten Sonntag in der
5 Kirche eine Gedenktafel für die Gefallenen aufzustellen. Nun wollte ich Sie bitten, daß Sie doch auch kommen. Ich weiß wohl, daß Sie kein Kirchgänger sind; aber bei dieser Feier sollten Sie doch nicht fehlen."

Jörn Uhl sagte, nicht unfreundlich, die Augen an der Erde:
10 „Ich bin nicht in der Stimmung, Herr Pastor, so etwas mitzumachen. Sie werden wissen, daß es mit meinem Vater nicht richtig ist, und was ich hier sonst durchgemacht habe, und wie es mit meiner ganzen Lage steht. Es ist mir die Lust zu allem Feiern vergangen."

15 „Das verstehe ich," sagte der Pastor und sah ihn mitleidig an; „aber wir wollen ja nicht tanzen. Dazu hätte ich Sie nicht eingeladen. Es ist ein Totenfest."

Da sah Jörn Uhl mit freundlichem Blick auf: „Ich kann wirklich nicht kommen," sagte er, „es geht über meine Macht.
20 Aber ich will daran denken, wenn Sie in der Kirche feiern. Es sind lauter brave Jungen, alle vier, die auf der Tafel stehen werden. Bei Geert Dose habe ich in seiner Todesstunde gestanden. Ich will nachher auch hinkommen und die Tafel sehen."

25 Der Pastor sah ihn an, und hatte ihn gern, und sagte: „Ich muß wohl zufrieden sein." Dann gaben sie sich die Hände und gingen auseinander.

Am Sonntagabend nahm er den Kleinen an die Hand und ging mit ihm übers Feld nach dem Kirchensteig, dem Dorfe zu, und kam ungesehen auf den Kirchhof und in die Kirche. Da hing an der Wand im Dämmern die helle Marmortafel im Eichenrahmen, von Eichenlaub umkränzt. Er konnte die 5 Namen noch lesen. Unter den Namen stand: „Sie starben für das Land." Er nickte. Die schlichte Tafel und das kurze Wort erfreuten ihn.

Da kam noch jemand in die Kirche, und als er sich umsah, war's der Pastor, der fragte gleich: „Gefällt es Ihnen so?" 10

„Der Spruch ist gut," sagte Jörn Uhl.

„Viele in der Gemeinde," sagte der Pastor, „hätten gern ein schwungvolles, hohes Wort gelesen ... Genau genommen," sagte er ernst, „tut ja jeder ernste Mensch dasselbe, was diese vier getan haben. Diese taten es in drei Tagen oder in 15 drei Wochen mit gehäuftem Jammer. So tat es auch Ihre junge Frau, Uhl, in wenig Tagen; sie ließ ihr Leben für Sie und das Kind. Andere tun es in vielen Jahren, sei's für ihre Kinder, sei's für eine Idee, oder was sonst Edles eine Menschenseele treibt, freiwillig zu leiden. Wir haben gestern 20 eine Arbeiterfrau begraben. Sie kam selten in die Kirche; aber ihr ganzes Leben ist ein heißes und treues Sorgen für Mann und Kinder gewesen. Das Dienen, das Sich-opfern, oder das Helfen und Treusein oder wie man es nennen will das ist das rechte, menschliche Königtum. Das ist auch das 25 rechte Christentum."

„Das kann ich wohl verstehen," sagte Jörn Uhl. „Das ist

eine Sache, die einen ehrlich und klar anschaut.“ Er nickte und sah den Pastor an, als erwarte er noch ein weiteres Wort hierüber.

„Der Heiland,“[1] sagte der Pastor, „hat durch sein köstlich schönes und reines Leben und seinen sonderbar erschütternden Tod, und durch seine guten, starken und stolzen Worte eine mächtige Fülle von Gedanken und Leben in die Menschheit geworfen, als ein blinkendes Feuer, wie er sagte. Nun nimmt sich der eine dies, der andere das, und die eine Kirche dies und die andere das, und jeder setzt sich mit dem Feuerscheitlein,° das er sich genommen hat, in eine Ecke und besieht es, und läßt es qualmen oder flammen, je nachdem er Rauch oder Feuer lieber hat, und sagt: ‚Das ist des Heilandes Wahrheit.‘ Viele tun noch ihre eigene Weisheit hinzu, viele sogar ihre Unehrlichkeit, ja viele sogar ihren bösen Willen. So ist des Heilandes wirkliches Bild bei einigen versteinert, bei anderen verkleidet, bei anderen sogar so verzerrt, daß man von seinem edlen Angesicht nichts mehr sieht. Und dabei ist es doch gar nicht so schwer, auch nicht für den Ungelehrten, sich aus den ersten Evangelien ein Bild von ihm zu machen, so klar und deutlich, daß man die Grundzüge seines Wesens, Willens und Lebens erkennt. Soviel ich sehe, so ist es dies, was er uns zu sagen hat: Wir sollen Vertrauen haben, daß Gott im Himmel uns zu aller Zeit, auch im größten Dunkel, mit starkem, immer wachem Willen und mit immer guter Absicht zur Seite steht, und von diesem fröhlichen Glauben aus sollen wir wacker gegen alles Böse in uns und um uns streiten. Den Rücken durch das Gottvertrauen als durch eine hohe, starke Mauer gedeckt, sollen wir für das Gute kämpfen und am endlichen Sieg, erst auf dieser, dann auf der anderen Seite, nimmer zweifeln. Das, meine ich, ist das ganze Christentum. Wenn aber einer zu diesem Gottvertrauen nicht kommen kann — denn das ist nicht jedermanns Sache —, und kann ohne Gottvertrauen das Gute und Liebe tun: so soll man es genug sein lassen und sich freuen."

„Dem, was Sie da sagen, muß jeder gute Mensch sofort zustimmen," sagte Jörn Uhl. „Man braucht nicht lange auf einem Bein zu stehen und nachzugrübeln, wozu wir keine Zeit haben. Man hat auch nicht nötig, den Verstand, den Gott einem gegeben hat, erst selbst unmündig zu machen und dann das anzunehmen, was sie einem vorhalten: Friß, Vogel, oder stirb."

Der Pastor lachte hell auf: „Nichts ist sicherer," sagte er, „als daß die Sache, die Jesus den Menschen hat bringen wollen, eine sehr einfache, eine ursprüngliche und klare war. So weiß ich nicht, welche es gewesen ist, wenn es nicht die war, die ich vorhin genannt habe."

Sie gingen miteinander bis an die Grenze des Kirchhofs. Der Pastor fing an, nach dem Feldzuge zu fragen. Jörn Uhl war ein wenig aufgetaut und erzählte bedächtig von der Bedrängnis bei Gravelotte, und von dem nassen Lager vor Metz, und von den langen, bitterbösen Wochen um Orleans. Dann sagte er, er hätte keine Zeit mehr: „Wir haben eine Fohlenstute im Stalle stehen, und der Junge, der dabei sitzt, ist nicht ganz zuverlässig."

So gingen die beiden auseinander, jeder mit guter Meinung über den anderen. Der Pastor ging ins Dorf hinein, seine Gedanken und Taten an die harten Menschen zu bringen und zu erreichen, soviel ein Hund erreicht, der gegen einen vorbeifahrenden Lastwagen bellt. Jörn Uhl ging nach seinem Hof zurück in die dunkelste Stunde seines Lebens.[1]

* * *

Die Sonne schien. Der Wind wehte. Der kleine Junge lief in Sonne und Wind über die Hofstelle und hielt die Hände hoch überm Kopf, als wollte er auffliegen.

Aber die Uhl ist tot.

18. Kapitel

Die Uhl ist tot. Die Menschen, die auf einem toten Hofe wohnen, werden meist geizig und schmutzig.

Das geschieht auf der Uhl nicht.

Wieten hat ihr Haar glatt und ordentlich gestrichen; der kleine Junge ist sauber gekleidet, wie das Kind eines Arbeiters, der eine ordentliche Frau hat; der Bauer geht im Sommer in Blauleinen, im Winter in englisch Leder, die Weste bis an den Hals zugeknöpft. In der Lade, ganz zu unterst, liegt unbenutzt der dunkelblaue Anzug, den er sich machen ließ, als er mit Lena Tarn Hochzeit machen wollte.

Auch innerlich verrohen die Leute auf der Uhl nicht. Dafür sorgt schon das Andenken Lena Tarns, der Gütigen, und das ernste, stille Wesen Wieten Klooks; dafür sorgt bei dem Bauern der angeborene Sinn für das Ehrenwerte, Reinliche.

Aber eine andere Gefahr[1] ist da: die, daß der Bauer ein Einsiedler wird, ein Wunderlicher. Er war schon einmal in dieser Gefahr, damals, als seine erste Liebe ein so unglückliches Ende nahm. Jetzt kommt die Gefahr wieder. In der traurigen, sorgenvollen Einsamkeit bricht wieder mit Macht der starke Trieb hervor, zu grübeln, zu ergründen, zu erkennen. Und jetzt kommt diese Gefahr über einen Mann, dessen Seele müde, verbittert und fast verzweifelt ist. Aber während er damals alles allein in sich verarbeiten mußte, den langen Leib auf dem strohgeflochtenen Stuhl, so halfen ihm jetzt Menschen und Sterne.

Hinten im Apfelgarten, am Rande des Burggrabens, stand ein Gartenhaus, dessen Mauern noch gut waren. Aber das Dach war verfallen. Er riß es herunter und zimmerte selbst ein neues, das drehbar war, und machte Spalten darin und baute in dem Rundraum° zwei gute, steinerne Pfeiler, und stellte auf den einen den Refraktor und auf den anderen das Passageinstrument,° und stellte Bücher und Uhr aufs breite Fensterbrett und nagelte Tabellen und Sternkarten an die Wand. Das alles tat er selbst, ohne jemandes Hilfe.

Er saß zuweilen die halbe Nacht hinter Karte und Okular, und sah tief in ein gewaltig gelehrtes Buch, und schüttelte oft den Kopf und hatte die Stirn voll Furchen, und schlug zuweilen, erstaunt über das, was er gefunden hatte, mit der flachen Hand aufs Knie, daß es schallte. Und so war's gut.

Es war ein Sprung aus einem Feld voll Dornen und Disteln auf einen hohen Wall, wo den staubbedeckten Arbeiter ein frischer Wind umwehte.

Und Menschen halfen ihm.

Das Kirchspiel wollte eine neue Entwässerung der ganzen Gemarkung° vornehmen, eine Sache, die genaue Vorarbeiten nötig macht, sich durch Jahre hinzieht, vielen Arbeitern Brot gibt und viele Tausend Mark kostet. Sie hatten drei Jahre lang darüber nachgedacht, wie sie es am schlausten und billigsten ins Werk setzten, ob sie es nicht ohne gelehrte Leute durchsetzen könnten, die bekanntlich heidenmäßige Rechnungen schreiben. Da kamen sie zu dem jungen, schweigsamen, gelehrten Bauern, der auf der Uhl saß wie in Spinneweb, und fragten ihn um Rat. Der überlegte die Sache acht Tage lang und zeichnete auf den großen Grundbuchkarten° der Gemeinde die halben Nächte durch, wobei er den langen Zeigefinger oft an die lange Nase legte, als ob er genau messen wollte, wer länger wäre. Dann trat er vor die Kirchspielsherren° und erklärte ihnen: *er, er selbst*, wolle die ganze Ausführung leiten, unter ihrer eigenen Oberaufsicht; und sie sollten ihm seine Arbeit bezahlen, so und so, immer zu Neujahr, wenn das Jahrespensum° zu ihrer Zufriedenheit ausgeführt wäre. Sie erstaunten sehr und baten ihn, hinauszugehen, und berieten lange und lebhaft. Mit knapper° Stimmenmehrheit wurde sein Anerbieten angenommen.

Er führte die ganze Arbeit in fünf Jahren aus, wie er mit ihnen abgemacht hatte, und hatte den doppelten Nutzen, daß er eine kleine Beihilfe für seine große, immer leere Kasse gewann, und daß er eine Arbeit mehr hatte, welche zweckloses Sorgen und schwerblütiges Grübeln unterbrach.

Die Arbeit wurde noch dazu Veranlassung, daß er in Botanik und Mineralogie hineinkam. Auf den vielen Gängen über 5 die Gemarkung der Gemeinde, die Geest und Marsch, Moor und Heide hatte, sammelte er Kraut- und Unkrautsamen und erfreute den Professor in der Stadt mit guten, sauberen Präparaten; und als sie die neuen, tiefen Gräben durchs Land zogen, erfaßte ihn die Neugier, die verschiedenen Erdarten und -schichten zu untersuchen und zu bestimmen, und der alte Professor bekam saubere Zeichnungen und peinlich genauen Begleitbericht.° 10

Menschen halfen ihm.

Der kleine Junge wuchs heran und lief mit unermüdlichen Fragen im kurzen Trabe neben dem Vater her durch Haus 15 und Scheune, und ritt und fuhr mit ihm zur Schmiede; und eines Tages ging er allein ins Dorf und brachte einen kleinen Jungen als Spielkameraden mit, so wie die einsame Taube sich einen Genossen holt. Von da an bewirkte der Verkehr mit Kindern, daß Gedanken und Reden kindlich wurden. Und 20 Jörn Uhl, der bisher vergeblich versucht hatte, den rechten Ton der Unterhaltung zu treffen, saß nun zwischen den beiden, kleinen Kerlen auf der Bank neben dem großen Scheunentor und hörte klug zu, wie sie miteinander redeten, und fand den Ton, und baute ihnen einen Kaninchenstall,° halb in der Erde, 25 halb über der Erde, wie es sich gehört.

Als er fünf Jahre alt war, trug er dem Vater von Feld zu

Feld Meßkette und Stäbe nach. Und als er sechs war, und er im Anfang der Ernte hörte, daß sein Vater gegen Wieten klagte, er müßte wohl einen Dienstjungen eigens wegen des Zwischenfahrens annehmen, da behauptete der kleine Kerl, er
5 getraue sich wohl, das zu tun. Und dann hat er während dieser heißen und hilden Ernte vier Wochen lang den ganzen Tag den Erntewagen gefahren. Und war stolz wie ein König, und lachte hell auf und trampelte vor Vergnügen mit den Füßen, als der alte Knecht den letzten vollen Wagen am Heck-
10 tor des Aukrugs° umschmiß, da, wo die Einfahrt so beschwerlich ist. Das war i h m nicht widerfahren. Jörn Uhl stand an der Ecke des Weges und sah des Jungen Freude und hätte fast gelacht.

Von Wuchs waren des Kindes Eltern gleich gewesen, groß,
15 weit gebaut und gelenkig; aber die Augen hatte der Junge von seiner Mutter; und es schien, daß er auch viel von ihrer freundlichen Natur und ihrem hilfbereiten Sinn geerbt hatte. Wenn er, mit dem Hofhund oder den Kindern spielend, einmal hell auflachte, trat der Vater aus der Tür und sah mit verlorenen
20 Gedanken auf das Kind.

Menschen halfen ihm.

Eines Abends — es war ein Jahr nach der Unterhaltung in der Kirche — wagte Jörn Uhl es und ging übers Feld nach dem Kirchensteig° ins Pastorat. Es war nach dem Abend-
25 brot. Die rissen die Wohnstubentür auf, verwundert, wer da noch käme. Da stand Jörn Uhl da, in seinem guten, dunkelblauen Anzug und in seiner ganzen, stattlichen Eckigkeit.°

Er wurde hereingebeten und trat ein, indem er sich unter der niedrigen Tür des alten Hauses tief bückte.

Es stand in der Mitte der niedrigen Stube ein viereckiger Tisch, und alle vier Seiten waren besetzt. An der einen saß der Pastor und las. An der anderen saß seine Frau; die war 5 schmuck und ein wenig zart, und war kinderlos; die las auch. An der dritten Seite saß die Stütze der Hausfrau, irgend ein junges Ding, meist so um achtzehn herum, und meist eines Lehrers Tochter, und meist in guter Laune; die las auch.

An der vierten Seite saß der Vater des Pastors. Er war 10 ein alter Mann, war in seiner Jugend mit bei Idstedt über die Koppel° gesprungen und verwundet worden, und hatte auch nachher im weiteren Leben als Handwerker auf dem Lande allerlei Buntes erlebt und noch Bunteres gesehen, und pflegte zu sagen: „Ich brauche nicht mehr in Büchern zu lesen; mein 15 Leben ist ein Buch." Er saß seitlich am Tisch und rauchte und erzählte; und niemand hörte danach. Nur wenn es ihnen neu war und interessant, sahen sie von ihren Büchern auf und fragten: „Wie war das, Vater?"

Irgendwo in die breiteste Lücke gedrängt, saß ein kleiner, 20 munterer Junge von zehn Jahren. Er hatte keine Eltern und ging beim Pastor auf die Fohlenweide.[1] Der las auch.

Nun kam Jörn Uhl, nachdem er gebückt eingetreten war. Und es war kein Platz für ihn. Zuletzt stand das junge Mädchen auf und gab dem Jungen verstohlen einen Wink, 25 und beide setzten sich im Hintergrunde der Stube auf das Sofa, stellten ein Spiel zwischen sich, und spielten eifrig.

Also hatte Jörn Uhl nun richtig einen Platz, und die Unterhaltung konnte vor sich gehen. Und zuerst, da der Pastor meinte, der Besuch hätte ein bestimmtes Anliegen,° redete er ein wenig Allgemeines und wartete auf das Besondere. Das
5 ging spärlich. Dann, als das Besondere nicht kam, und der Gast seßhaft blieb, merkte der Pastor, daß Jörn Uhl wirklich und wahrhaft gekommen war, bloß um einige gemütliche Stunden zu verleben, wozu er seit Jahr und Tag mehrfach eingeladen worden war. Nun kam das Gespräch auf Weltbe-
10 gebenheiten und stieg von da, auf Veranlassung der Frau, zu den Sternen empor. Und es kam an diesem Abend bis dahin, daß Jörn Uhl ein Blatt Papier vor sich hatte, und mit einem Bleistift, den er wie einen Forkenstiel anfaßte, eine flüchtige Karte entwarf und in bedächtigem und richtigem Hochdeutsch,
15 mit langsamen Schritten und in ruhiger Unterhaltung, mit dem gesamten Pastorat die Milchstraße entlang, immer der Nase nach, quer über den Himmel spazierte.

Das Pastorat atmete erleichtert auf, als sie die Haustür hinter ihm zugemacht hatten. Der Pastor sagte: „Habe ich
20 zuviel gesagt? Ist er nicht ein feiner und kluger Mensch?" Die Frau sagte: „Diesmal hast du recht gehabt: es ging sehr gut."

Er kam nach vierzehn Tagen wieder und kam dann immer so ungefähr alle vierzehn Tage. Wenn die Unterhaltung nicht recht mehr wollte — da weder Jörn Uhl, noch der Pastor,
25 noch seine Frau Gesellschaftsmenschen waren —, so wurde ein Buch genommen und vorgelesen. Ja, es geschah, daß der Pastor so wild auf ein Buch war, in dem er gerade las, daß er

gleich sagte: er könne heute abend nicht davon lassen. Dann sprach Jörn Uhl mit dem Alten über Krieg und Kriegsfahrten, oder mit der Frau über allerlei Lebensschicksale.

Mit den Büchern, die vorgelesen wurden, griff der Pastor erst ganz und gar fehl. Er kam mit „Faust“ und las vor, 5 danach mit Reineke Fuchs. Jörn Uhl hörte zu; aber als sie fertig waren und er um seine Meinung gefragt wurde, schüttelte er ganz stark den Kopf. „Nein, Herr Pastor,“ sagte er, „das ist nichts für mich; mit solchen Dingen hat Wieten Klook mich in meiner Kindheit überfüttert. Sie pflegte gerade solche 10 wilde und unzuverlässige Geschichten zu erzählen wie diese, und Fiete Krey, der bisher in Wisconsin eine Butterfarm gehabt hat und nun in Chicago einen Holzhandel anfängt — er hat es mir geschrieben —, der und meine Schwester, die hörten genau zu; aber für mich war das nichts. Ich machte unterdes 15 Schwellen aus Stopfnadeln und legte Schienen aus Wietens Strickwieren und baute eine Eisenbahn, und als ich etwas älter wurde, las ich in Littrows ‚Wunder des Himmels.‘ Solche Dinge sind meine Neigung. Aber ich habe immer etwas anderes tun müssen.“ 20

Da versuchte es der Pastor mit Reisebeschreibungen und Lebensgeschichten. Und das ging. Sie lasen die Reise eines Nordpolfahrers und eines Wüstenwanderers, und die Lebensgeschichte eines Staatsmannes, die er selbst erzählt hat, und die Lebensgeschichte Jesu, die Markus erzählt hat. Sie lasen 25 dies Büchlein, wie sie die anderen gelesen hatten, und stritten sich sehr.

Zuletzt, im dritten Jahre des Verkehrs, kam es so weit, daß der Pastor sagte: „Wir haben beide friesisches Blut in uns, Uhl. Sind wir aber Friesen, so müssen wir Weltweisheit verstehen können; das kann nicht anders sein. Wir wollen 5 die Zähne zusammenbeißen und ein dickes und schweres Buch lesen, das ein Bauernjunge aus Langenhorn[1] zusammengeschrieben hat, der jetzt ein großer Professor ist."

Und so geschah es. Und manchmal sahen die beiden sich dumm an. Und manchmal schien es, daß der Bauer mehr 10 davon begriff als der Pastor. Der ist niemals ein Weltweiser geworden.

So halfen Menschen und Sterne, daß Jörn Uhl über böse, einsame Jahre hinweg kam.

19. Kapitel

Er hatte es gewagt und hatte dreißig Hektar vom besten 15 Land mit Weizen besät. Er wollte einen tüchtigen Zug tun. Wenn es glückte, konnte er nach der Ernte zum erstenmal von der großen Hypothek abtragen; bisher hatte er sich mit den Wechselschulden der Brüder geplagt. Der Weizen kam gut durch den Winter. Der Weizen schoß regelmäßig und dicht 20 auf. Die Hoffnung war sehr groß. Die Hoffnung war sehr nahe. Da fiel sie ins Wasser. Das Jahr wurde das berüchtigte, schlechte Weizenjahr.

Was Jörn Uhl widerfuhr, ist mehreren widerfahren. Wir erzählen die Geschichte vieler. Es ist uns, als wenn viele vergrämte und harte Gesichter auftauchen und sagen: „Du erzählst unser aller Leid.“

So Ende Juli ging Jörn Uhl eines Abends in die Marsch hinunter und begegnete dem alten Dreier. Der blieb stehen, stützte sich schwer auf seinen Stock und atmete laut. „Du, Jörn,“ sagte er, „hast du schon gesehen, daß die Mäuse im Weizen sind?“ 5

„Nein,“ sagte der. „Ich war vorgestern da und habe keine einzige gesehen.“

„Vorgestern waren es wenige; gestern waren es viele; heute sind es eine schwere Menge. Mir ist bange um den Weizen, Jörn. Alle fünfzig Jahre sind sie da. Vor hundert Jahren, hat mir mein Vater erzählt, haben sie drei Jahre lang den Weizen und die Weiden verdorben; da hat ein guter dithmarscher Bauernhof nicht mehr gekostet als eine Pfeife Tabak und einen Weidenstock.“ 10 15

Jörn Uhl ließ den Alten stehen und kam an dem Hafer vorüber und sah noch nichts, ging weiter und stellte sich ans Hecktor und sah in seinen Weizen. Rechts von ihm, so daß er den Wasserspiegel sehen konnte, floß die ziemlich breite Au. Als er noch so stand und über das weite, wogende Feld sah, war ihm, als wenn nicht weit von ihm ein Weizenhalm plötzlich verschwand, und wieder . . . nun da . . . nun da. Als wenn eine Hand leise aus der Erde langt und ihn herunterzieht. Er wischte sich mit der Hand über die Augen; er meinte, es wäre Augenverblendung. Aber da sah er es: wie eine Maus sich auf die Hinterbeine hob, ein Biß, noch einer: der Halm fiel 20 25 herunter und lehnte sich schräg an seinen Nebenmann. Es war eine feine, zierliche Arbeit. Er sah übers Feld und sah wohl mehr, als zu sehen war: als wenn das ganze Feld lebt.

„So!“ denkt er. „Das ist das Ende.“

Er steht noch so in Gedanken: da hört er es im dunklen Wasser rieseln und leise plätschern; und wie er hinuntersieht, schwimmen, ziehen und wandern sie da quer durchs Wasser tausend und abertausend. Da kehrt er sich kurz um und geht nach Hause.

„Wenn n u n der Vater tot wäre. Wenn der n u n sterben wollte, heute oder morgen! Soll der noch in seinem Lehnstuhl vom Hofe getragen werden? Sollen alle Leute die Armut sehen, die wackligen Möbel und die zerrissenen Polster?“

Er geht gleich in die Stube, um zu sehen, wie es dem Vater geht. Wieten kommt ihm entgegen: „Es geht wie gewöhnlich, Jörn; aber er will heute nicht aufstehen; ich glaube, er bildet sich jetzt ein, daß er im Bett am sichersten ist.“

„Im Bett sicher! Ach, Wieten! Wieten, es gibt ein Mäusejahr! Ein Mäusejahr, wie in diesem Jahrhundert noch keines gewesen ist. Die Mäuse sind im Weizen; sie sind auf der Hofstelle, sie nagen am Bettpfosten, sie fallen uns bei lebendigem Leibe an. Es geht mit uns zu Ende, Wieten.“

„Jörn!“ sagte sie. „Ach Gott, Jörn; nun rede doch nicht so!“

Sie schüttelt den Kopf und geht hinaus. Klein ist sie und geht etwas vornüber und hat etwas Unbeholfenes und Verschüchtertes. Arme Wieten, dein ganzes Leben eine einzige

Sorge. Rasch nachdenken! Nachdenken! Denn in jeder Sekunde fallen zehn Weizenhalme. In jeder Minute ärmer! ... Ja, was hilft nachdenken! Nachdenken hilft nicht mehr. Ein Wunder hilft noch."

Er ist wieder einmal hinuntergegangen, um den Jammer 5 zu sehen. Es kommt ihm einer entgegen, der hat auch ein Weizenfeld da unten und hat auch Schulden bis an den Hals. Der ist ordentlich alt geworden in den paar Tagen.

„Was sagst du, Jörn?"

„Ja, was soll ich sagen, Peter? An unserem Pflügen hat's 10 nicht gelegen. Es ist außer unserer Macht."

Der nickt und geht an ihm vorüber. Er hat fünf Kinder im Hause.

Im Anfang August fängt es an zu regnen, und es ist Hoffnung vorhanden, daß eine Krankheit unter die Mäuse kommt 15 und sie so rasch wegsterben, wie sie gekommen sind. Aber der Regen ist warm und weich und anhaltend. So recht ein Regen, bei dem selbst Kinder es aufgeben, auf gut Wetter zu hoffen, und in Haufen unter der Dachtraufe stehen und sich was erzählen: Damals, als die Sonne noch schien ... So 20 eine Woche, noch eine Woche, nun die dritte. Es ist ja Erntezeit? Wann soll denn die Sichel in der Sonne blinken?

Nun hat es keinen Zweck mehr, nach den Weizenfeldern zu gehen: da ist nichts mehr zu suchen.

Er kam wieder nach Hause und fühlte einen dumpfen Kopf- 25 schmerz und dachte bei sich selbst: „Ich grüble mir noch den Kopf kaputt ... Es ist dumm, immer zu fragen: warum?

wohin? aber es ist merkwürdig: ich kann nicht davon wegkommen. Es ist gerade, als wenn man in ein dunkles Haus geschleppt wird. Man rennt wieder heraus an die Sonne; aber gleich wird man wieder ins Haus hinein geschleppt und muß durch jedes muffige Loch kriechen."

Er ging in seine Kammer, setzte sich in den Stuhl und warf die Beine auf die Lade, daß es krachte. „Was steht da auf der Lade? ‚Der Segen des Herrn machet reich ohne Mühe?[1] Das wäre! Na, denn man zu! Ich bitte um etwas Segen ohne Mühe! Ich bitte um etwas Segen *mit* Mühe! Wenn *der* Spruch in der Bibel steht, ist die ganze Bibel nichts wert und der Herrgott auch nichts."

Er fuhr mit der Hand über den Kopf, als müsse er dort öffnen und freimachen, was unter schwerer Last lag. Wie ein Mensch, der unter einem schweren, hohen Haufen Stroh liegt, und immer mehr wird aufgepackt, und dumpfer wird der Kopf, und ängstlicher wird das Atmen. Er blieb so sitzen, und grübelte mühselig und angstvoll, und fuhr sich immer über das Haar, als suchte er dort Wirbel, Klinken und Schlösser, die er lösen könnte, um frei von dem schweren Druck zu sein; und kam in einen dumpfen Schlaf und wachte wieder auf.

Da war ihm, als wenn er in seinem Leben verirrt war. Es war ein Augenblick: als wenn ein Knecht, der unweit seines Wagens steht, sieht, daß seine Pferde wild auffahren und im Todesschreck davonrasen wollen. Jörn Uhl sprang heran und warf sich seinen Gedanken entgegen. Er riß an schäumenden Gebissen; seine Zähne knirschten; er sah aus wilden Augen in noch wildere hinein. Aber er wurde zurückgestoßen, daß er in die Knie sank. Nun rasten sie davon. Hei, wie sie jagen und stürzen! Wer kann d i e halten? Hei, laß laufen, was laufen will . . . 5

Wie war das doch? Er war ja doch auf der Lateinschule gewesen? Wie war es denn nun geschehen, daß er doch hier in Sorgen saß? Wer hatte doch den Hof bekommen? Hinrich nicht, der war tot; den hatte er tot im Sarge gesehen. Wer denn? Der Älteste natürlich. Aber wie war es möglich, daß 10 er das nicht wußte? „Ich habe wohl eine schwere Krankheit durchgemacht," dachte er, „da gehen manchmal die Gedanken weg; das kommt nachher alles wieder in Ordnung." Aber d a s war doch sicher: er hatte doch auch lange Jahre auf dem Hofe gelebt. Wie kam das denn? Ja . . . das kam so . . . 15 richtig! . . . Der Vater trank, und da mußte er das Gymnasium verlassen und mußte schwere Jahre durchmachen. Aber nun war alle Not vorüber: mit Lena Tarn war das Glück gekommen. Er hatte die Stelle an der Sternwarte bekommen, so als Diener des Professors. Er ging hin und her, und 20 wollte sich darüber freuen, und war doch in großer Unruhe und machte die Tür auf und wollte Lena Tarn fragen, ob sie mit dem kleinen, festen Gehalt von neunhundert Mark auskommen könnte und dachte: die lacht natürlich übers ganze Gesicht und sagt: „Kleinigkeit! Macht Spaß! Alle Tage 25 Pfannkuchen in Fett umgekehrt!" Als er aber die Tür öffnete, ging gerade der Knecht über die Diele. Da stutzte er und machte die Tür wieder zu. Dabei stieß er mit einem harten Gegenstand gegen die Türpfosten. Er sah hin, was er da unter dem Arm hätte: da war es das Fernrohr samt dem Wollappen, mit dem er die Metallstücke des Rohres zu reinigen pflegte, und er wußte nicht, wie er beides in seine Hand bekommen hatte, da es das alte Rohr war, das ganz zu unterst in der Lade lag. Er biß die Lippen zusammen und wurde blaß, und seine Stirn wurde naß von furchtbarer Angst.

„Verrückt,“ sagte er.

Er ging wieder hin und her, in furchtbarer Not, in schrecklicher Angst. Er suchte, was er eben gedacht hatte, und quälte sich mit der Vergangenheit und konnte sich nicht zurechtfinden. „Es ist mir wohl nichts geglückt,“ dachte er. „Es ist alles schief gegangen . . .“

„Das sagte der alte Klaus Johann auch, der sein Leben selbst verbrüddelt° hatte; der erzählte jedermann: er hätte kein Glück gehabt . . . so ist es auch mit mir.“

Und plötzlich erschien ihm sein Leben so: nicht als lauter Mühe und Arbeit, sondern als lauter Irrtum und Sünde. Die schlechten Gedanken, die bei allen guten Menschenwerken, auch bei den besten, nebenan laufen, wie häßliche, schwarze Hunde neben edlen, trabenden Pferden, die wurden riesengroß. „Wo ist deine Schwester Elsbe? Du hast nicht auf sie geachtet, nun ist sie verloren gegangen. Wo ist dein Bruder Hinnerk? Du hast ihn geschlagen und vom Hofe gejagt; auf der staubigen Landstraße ist er ein Trinker geworden; du wolltest den Hof allein haben. Wie war das mit dem Pflugeisen:

wolltest du, daß dein Vater hineinfiel? Wo ist Lena Tarn? Du verbotest ihr wohl das Singen? Du sagtest, sie solle vom Bett aufstehen, sonst wolltest du sie schlagen. Du bist ein schlechter Mensch und ein Mörder. Sie kommen! Hör' . . . sie suchen dich. Sie wollen dich wegschleppen . . . durchs ganze Dorf!"

„Ich muß 'mal sehen," sagte er mit fliegender Stimme, „ob das alles wahr ist, was sie sagen." Er nahm das Rohr und ging nach dem Gartenhaus hinunter und legte das Rohr auf, alles mit fliegender Hand, und dachte nicht daran, den Schutzdeckel abzunehmen, der überm Objektiv lag, und sah hindurch und sprach überstürzend bei sich selbst: „Schwarz wie die Nacht. Es ist wirklich wahr. So ist meine Seele. Nichts, gar nichts Gutes. Kein Fünkchen Licht und kein Stern am ganzen Himmel. Das ist nicht zu ertragen. Wenn es so steht, wo soll man denn hingehen? Mann kann ja keine drei Schritt vor den Augen sehen. Das ist ja 'n Leben wie 'n Maulwurf. Hinnerks Leiter steht im Mittelfach° in der Scheune. Ich will weg hier. Hier will ich weg, eh' die Leute es merken. Es muß doch irgendwo Licht sein . . ."

Er schob das Instrument mit derselben Eile wieder zusammen und wollte hinaus: da sah er einen Schatten vor sich und sah erschreckt auf. Da stand Wieten Klook in der niedrigen Tür und sah mit verzweifelten Augen auf ihn.

Da wußte er, daß er kein Verbrecher war, sondern ein Irrer. „Gott sei Dank!" sagte er. „Gott sei Dank!" Und wollte rasch verbergen, daß es so dunkel und wirr in ihm war, und sagte mit verzerrtem Gesicht, als wollte er lachen oder freundlich sein: „Ich wollte 'mal nach einem Stern sehen, dort . . . über den Cirruswolken."

Aber sie trat rasch an ihn heran und sah ihm hart in die Augen: „So?" sagte sie . . . „So? Nein, das nicht! Das geht nicht!" Sie ergriff seine Hand und führte ihn durch den Garten. „Nein, Jörn . . . das geht nicht! So hat Lux[1] nicht gefiedelt! Das fehlt noch gerade! Hier heißt es: Kopf hoch, mein Junge. Dein Sohn soll nicht sagen, sein Vater hätte sich das Leben genommen. Da kommt nichts danach. So den Pflug mitten auf dem Stück stehen lassen und am hellen Mittag davonlaufen. Bist dreißig Jahre alt? Das ist ein schlechtes Feierabendmachen."

Er tat zuerst ganz erstaunt. Dann wurde er verlegen. Endlich kam er aus weiter, dunkler Ferne wieder in sich selbst hinein; es wurde heller um ihn, und er fühlte wieder den dumpfen Druck im Hinterkopf. Er wußte wieder, wo er war und wie es um sein Leben stand.

„Schwer ist es," sagte er mühsam.

„Warte!" sagte sie, „ich hole dir kaltes Wasser. Du sollst frieren. Bleibe hier sitzen, hörst du? Bleibe hier sitzen! Ich komme gleich wieder, dann will ich den ganzen Abend bei dir bleiben."

Sie lief in die Küche und war so ruhig dabei, daß die beiden Mädchen nicht merkten, in welcher Not sie war. In der Wohnstube riß sie den Jungen an sich und lief mit ihm über die Diele zurück. Er saß da noch auf der Lade. Sie gab ihm zu trinken, und als er die Schale hoch aufatmend vom Munde setzte, stand der kleine Junge an seinen Knien und sagte: „Jung',[1] Vater, was bist d u aber blaß! Nun sieh man zu, daß du nicht krank wirst!"

„Was soll das alles helfen, Wieten?" sagte er. 5

„Ja, ja, Jörn. Du hast recht. Aber einerlei, schwer oder nicht; die Sache muß durchgeführt werden. Kommt Zeit, kommt Rat. Nun sollst du dich hinlegen und einen tüchtigen Schlaf tun. Flink: ich weiß, was sich gehört. Sieh 'mal, wie müde du bist! Leg' dich rasch hin! Schlafe wie jener: 10 der kam in den Schlafberg und schlief sieben Jahre. Schlafe, mein Junge."

Es war ihm eine Wohltat, daß die beiden, die ihm gehörten, um ihn waren und so schön mit ihm taten. Er lächelte müde und stand mit schweren, steifen Gliedern auf, legte die Jacke 15 ab und legte sich hin. Sie blieben neben seinem Bett sitzen.

Als er nach zwei Stunden nach schwerem Schlafe erwachte da eine Stimme ihn rief, stand der ältliche Knecht vor seinem Bett. Es war Abenddunkel, und der Knecht sagte: „Wir 20 wissen nicht, wo Wieten ist: sie ist vor einer Stunde weggegangen, wir meinten, zum Nachbar. Sie ist aber nicht da. Nun sagt das Kleinmädchen, sie sei den Feldweg nach Ringelshörn hinaufgegangen. Was kann sie da wollen? Da wohnt ja kein Mensch; und es ist dunkel, und die Gräben sind voll 25 Wasser; und sie sagt selbst, daß sie im Dunkeln nichts mehr sehen kann."

„Wo ist der Kleine?“

„Der spielt in der Stube bei seinem Großvater.“

Jörn Uhl sprang aus dem Bett und fuhr in die Jacke. Er war plötzlich ganz gesund. „Ich gehe ihr nach,“ sagte er und sprang aus dem Hause. Der kalte Regen schlug gegen seinen unbedeckten Kopf und erfrischte ihn. Er ging den breiten Weg hinauf, und dann in den Fahrweg hinein bis an den Fuß von Ringelshörn, und fand nichts. Da er wegen der schweren, regnerischen Luft nicht viel sehen konnte, stand er ratlos und wollte gerade ihren Namen rufen, da kam ihm der Gedanke, noch den Fußsteig hinauf zu gehen, der durch die Mulde hinaufführt. Als er eben in das Tal hineingegangen war, sah er vor sich am Goldsoot eine kleine, gebückte Frauengestalt stehen und wußte gleich, daß sie es war und was sie da suchte.

Er ging auf sie zu; aber sie hörte ihn schon kommen und kam ihm entgegen und sagte traurig: „Es ist nichts damit. Ich habe mich zu lange nicht darum gekümmert, oder ich bin zu alt und stumpf dazu.“

Er legte den Arm um ihre Schulter und nahm sie mit: „Komm rasch wieder nach Haus. Du wirst ja ganz durchnäßt. Komm, ich will dir meine Jacke übern Kopf legen. So.“

Sie ging gebückt und mühsam neben ihm. „Früher,“ sagte sie schämig, „als ich noch ein junges Ding war, da waren alle diese Dinge lebendig; aber nun ist das so allmählich gestorben.“

„Was wolltest du?“

„Ich weiß nicht. Ich wollte 'mal sehen, ob ich etwas erreichen könnte; aber es sah mich alles stumm und tot an."

„Es ist nichts damit, Wieten!"

Sie schwiegen eine Weile. Er hatte den Arm um ihre Schulter gelegt und leitete sie auf die trockenen Stellen des feuchten Weges.

„Das kommt," sagte sie, „weil man nicht mehr daran glaubt. Das weißt du auch selbst: wenn einer kein Interesse mehr an Sonne, Mond und Sternen hat, dem sagen sie auch nichts mehr; und wenn man nicht mehr am Hausstand arbeitet, verfällt er. Das ist mit allem so. Die Gleichgültigkeit macht alles tot; die Liebe macht alles lebendig. Ich habe diese Dinge lange vergessen gehabt, nun sind sie vom langen Liegen gerostet."

„Du bist nun ganz mutlos, Wieten, das mußt du nicht sein."

„Ja siehst du, Jörn ... vorhin, als ich dich da in deinem Gartenhaus fand, da dachte ich: Wenn es so wird, was dann? Und da bin ich in meiner Angst hierher gelaufen."

„Wieten, dies hier hilft uns nicht. Heide und Wasser, Wind und Regen: das ist wohl alles noch hilfloser als der Mensch. Da muß man nicht hingehen und Hilfe suchen."

„Sage das nicht, Jörn! Es liegt hinter unserem Leben ein Geheimnis. Wir leben nicht wegen dieses Lebens, sondern wegen des Geheimnisses, das dahinter liegt. Und es muß möglich sein, das Geheimnis zu raten, und wer es rät, hat Klarheit und Wahrheit. Und in solchen alten, heiligen Dingen und Geschichten: da muß es doch am ehesten liegen.

Von alters her haben unsere Vorfahren es da gesucht, und einige haben es gefunden."

„Ja, Wieten, da hast du recht: das mit dem Geheimnis, ich glaube, das ist wohl so, wie du sagst. Aber ich glaube nicht, daß wir es finden und raten können. Das ist gerade so, als wenn ein Mensch über sich selbst wegspringen will. Mensch bleibt Mensch, Wieten, Esche bleibt Esche. Und zum Menschen gehört, daß wir dies alles nicht wissen noch sehen. Es kann gern sein, daß es ganz offen, und breit und lebendig, rund um uns liegt oder steht, lacht oder weint; aber wir haben keinen Sinn, es zu sehen oder zu hören."

„Es mag wohl sein," sagte sie gedankenvoll und traurig. „Man muß dann eben so weg arbeiten, bis es Abend wird, und immer gut und lieb sein, soviel man kann."

„Richtig, Wieten: das steht im Neuen Testament."

Sie hob den Kopf ein wenig, während sie kurzatmig neben ihm herging. „So? Steht das da? Was steht da denn ... weißt du ... von dem Geheimnis?"

„Ja ... soviel ich verstanden habe, Wieten, denn steht da: daß wir hier nicht dahinter kommen; wir sollen aber das beste Zutrauen haben, daß alles einen inwendigen, guten Sinn und Zweck hat. Danach, nach dem Tode, sollen wir es weiter bringen, daß wir hinter das Geheimnis kommen und die Dinge sehen, nicht wie sie scheinen, sondern wie sie sind."

„So, das sagt Christus? So ... das wundert mich. Das mag denn wohl so sein. Aber ich bin von Kind an immer so heißhungrig gewesen: ich wollte immer wissen, was es wohl mit uns und allen Dingen eigentlich wäre, und habe immer gemeint, man müßte es finden können." Sie fing an zu weinen.

„Das Suchen ist vergeblich, Wieten. Ich meine, daß Christus selbst gesagt hat, daß auch er nicht alles wüßte. Er sagte, es wäre auch nicht nötig, daß wir's wüßten; wir sollten nur immer Vertrauen haben und rein und lieb sein. Er war gegen alles Von-oben-treten und Alles-wissen-wollen, gegen alles Hassen und Hartsein. Habt Zutrauen, sagte er, und seid rein und barmherzig."

„Na ja . . . und man kann wohl zu dem, was er sagt, Vertrauen haben, denn er war klug und gut; und es ist kein Zweifel, daß er das Beste gewollt hat, und er ist dafür gestorben, als er noch ganz jung war. Also müssen wir uns daran wohl halten, Jörn, und sehen, wie es abläuft."

„Ja, Wieten: denn wollen wir man zusammenstehen und den Nacken steif halten, du liebe, alte Deern."

Als er sie bis an die Küchentür gebracht hatte, gelüstete es ihn, noch eine Zeitlang mit bloßem Kopfe in der frischen Luft zu gehen.

Der Regen hatte aufgehört; Wind war nicht. Als er sich weiter vom Hofe entfernte, verloren sich die letzten Töne, welche die Stille des Herbstabends störten. Er kam in Träumen an Ringelshörn heran und stieg hinauf und ging langsam, ziellos schräg über die Heide, die in ödem Graudunkel um ihn lag. Allmählich, als er so ging, löschte der Tag das letzte Licht, so daß er nichts wie Nacht sah, rings um sich. Da kam er noch

einmal in ein trauriges Grübeln über Vergangenes und über seine Zukunft. Und, wie er da tief hinein kam, war ihm, als wenn die Heide sich zu beiden Seiten hob, daß sie wie schwarze Höhen wurde, an denen hohe, finstere Tannen hinaufstiegen,
5 und als wenn er also in einem tiefen Tal dahin ging. Und es war so einsam und so dunkel und tot, und er kam in eine solche Tiefe, daß er sich fast so sehr fürchtete wie vorhin im Gartenhaus. Dazu erschreckten ihn Erscheinungen, die wie körperlich waren. Sein Bruder Hinnerk ging mit bösem
10 Gesicht nicht weit von ihm, und Lena Tarn ging vorüber, als kennte sie ihn nicht, und Geert Dose stand da mit der blutigen Biese,° und viele andere gingen ruhelos und ziellos und traurig vorüber. Und die Erscheinungen und die Landschaft, durch die sie gingen, hatten etwas Schauriges° und Verzerrtes.°

15 Aber als er noch so in großer, furchtbarer Einsamkeit, doch auch nicht ohne heimliches Behagen — wie ein Kind vor Gespenstern —, mitten im Land der Schmerzen dahinging: da dachte er an das Wort, das er vorhin selbst gesagt hatte, daß man an das Gute glauben müsse, es möge laufen, wie es
20 wolle. Und gleich, als er das gedacht hatte, wurde es ein wenig heller, und die Gestalten bewegten sich ruhiger und bekamen freundlicheres Aussehen, und er sah einen schmalen Weg, der hinauf führte, der ging erst zwischen hohen Tannen durch, die wie stolze Männer standen, so daß er sich schämte
25 vor den Bäumen, und seinen Stock fester aufstieß und gerader und mutiger ging. Es kam ein frischer Wind und stärkte ihn, und er kam wieder zu der Fläche der Heide hinauf und sah

deutlich die Linie am Horizonte, wo die Heide aufhört und man zur Marschebene hinunter steigt. Da stand er still und horchte.

Und als er so stand, da alles um ihn still war, kein Wind wehte, kein Vogel schrie: da hörte er ganz hinten vom Walde 5 her ein schweres Stoßen und Dunsen,° als wenn mit langsamen Schlägen viele schwere Hämmer dumpf auf schweres Holz und Eisen niederfielen; die fielen so schwer und gewichtig, als schmiedete jeder Schlag ein ganzes Menschenleben. Vom Walde her aber kamen über die Heide her viele leise, rasche 10 Füße, daß es wie ein großes, tiefes Rauschen war, als wären zehntausend unterwegs, die Stellungsbefehle,[1] noch heiß vom Feuer, kleinen Menschenkindern in die Hände zu drücken.

So stand er eine Zeit und lauschte auf das Arbeiten der ewigen, verborgenen Mächte. Dann wandte er sich ab und 15 ging in stillen, gefaßten Gedanken nach Haus.

Als er in die Küche trat, um nach Wieten zu sehen, begegnete sie ihm, und sah zu ihm auf, und wunderte sich über sein stolzes, schönes Gesicht, daß sie erschrak.

* * *

Am anderen Nachmittage kam der Weißkopf auf den Hof 20 und fragte freundlich nach dem Befinden des alten Uhl. Als er dann mit Jörn Uhl in der Kammer war, wurde er noch freundlicher und machte den Vorschlag, daß der Bauer ihm etliche Kornvorräte° heimlich überließe, es solle sein Schade nicht sein. Aber Jörn Uhl lachte ihm ins Gesicht. „Was 25 denken Sie," sagte er. „Unglücklich bin ich; nun soll ich auch noch schlecht werden? Haben Sie das gedacht? Sie haben ganz falsch gedacht, alter Mann. Machen Sie, daß Sie von der Hofstelle kommen."

Als der schleunig gegangen war, sah Jörn Uhl ein wenig zu seinem Vater hinein, sprach mit Wieten und sah in die Bibel, die da offen lag. Als er sah, daß es das Kapitel[1] von den ägyptischen Plagen war, lächelte er Wieten an und sagte: „Sei man ruhig. Die Letzte davon habe ich eben vom Hofe gejagt." Darauf ging er nach seiner Gewohnheit in seine Kammer, um allein zu sein, und dachte wieder, doch mit einem gewissen zähen Gleichmut: „So, nun muß ein Wunder kommen."

20. Kapitel

Nein, es geschah kein Wunder. Es geschah etwas sehr Gewöhnliches. Es kam ein Unwetter, und es kam der Tod.[2] Das gab frische Luft, daß Jörn Uhl den letzten Druck verlor, der noch auf seinem Kopfe lag.

* * *

Am zweiten Tage danach, als er wegen der Beerdigung und wegen des Brandes alle Wege getan hatte, stieg er gegen Abend nach Ringelshörn hinauf und setzte sich auf einen Stein, der neben dem sandigen Wege im langhaarigen, grauen Grase lag, und holte hoch und tief Atem, und ließ seine Gedanken gehen, wie sie wollten, und wunderte sich, wie ruhevoll und schön die Welt war.

Als er lange so gesessen hatte, hörte er um den Hügel herum

ein Gefährt kommen. Der Fahrer redete laut mit seinen Gäulen: „Noch ein wenig Trab! Trab, alle meine Pferde. Die Uhl ist abgebrannt, und Klaus Uhl ist tot, und dies ist ein Abschnitt in der Lebensgeschichte von Jörn Uhl. Über den Rest kann ich sagen . . . Hallo, Jörn! Da sitzt du? Und 5 kannst ein wenig lachen?"

„Thieß!" sagte Jörn . . . „Laß uns erst den Toten begraben, wie es sich gebürt. Danach will ich sehen, wie mir zumute ist."

* * *

Nach dem Begräbnis, als das lange Gefolge der Uhlen und ihre Sippe sich vom Kirchhof verlaufen hatte und das Grab 10 schon zugeschaufelt war, kamen Jörn Uhl und Thieß Thiessen und der Kleine von Lena Tarns Grab her noch einmal zu dem Erbgrab der Uhl. Das neue Grab war mit vielen Kränzen hoch bedeckt.

„Weißt du, Jörn," sagte der Heesebauer, „was ich diesem 15 Manne am meisten übel genommen? Nicht sein Geldwegwerfen, nicht sein Saufen, sondern sein Lachen: daß er alle Menschen anlachte, bloß meine arme Schwester nicht. Es gibt nicht wenige solche Menschen, Jörn Uhl, die gegen Fremde freundlich sind, auf der Straße und im Wirtshause, aber gegen 20 die Ihren sind sie Teufel. Es ist gut, Jörn, daß es einen Tod gibt, denn darin liegt die einzige Gewähr° einer Gerechtigkeit. Meinst du, daß dieser unbestraft bleibt, der meine kleine Schwester so quälte, und die schönen Felder verkommen ließ und im Lande umherfaulenzte und lachte? Ich sage dir, Jörn: 25 Er wird in dem anderen Land schwer pflügen müssen. Er wird

ein zähes Stück Marschland überkommen und vier alte Gäule mit Spat und allen Schikanen,° und den größten Schelm von allen Engeln als Pferdejungen. Sieh 'mal! Meine Schwester hat keinen einzigen Kranz!" Er bückte sich, faßte zwei
5 Kränze und legte sie auf das Grab seiner Schwester.

„Jörn, sie war das lustigste und bescheidenste Ding von der Welt. Sie setzte sich als Kind auf die Ecke eines Baumstumpfes, ganz beiseite, sie hing nur eben darauf, und sagte: ‚Setz' dich, Thieß, sieh 'mal, wie viel Platz!' Sie war so
10 bescheiden, sie begehrte nichts weiter vom Leben als eine kleine, gemütliche Sitzgelegenheit in der Sonne. Der hier hat's ihr verweigert; er wies sie in den Schatten." Wieder legte er einen Kranz auf das Grab seiner Schwester.

„Jörn . . . wenn sie aufstehen könnte, diese hier" — er
15 nahm schon wieder zwei Kränze auf, — „so würde sie sagen: ‚Geh weg vom Hof, mein Jörn, geh heute noch nach dem Heeshof . . .' Gib die Uhl auf, Jörn! Die Uhl hat dich arm und krank gemacht. Komm mit mir nach der Heimat deiner Mutter; ich glaube, da wirst du gesund werden. Komm mit,
20 Jörn . . . ich bitte dich im Namen deiner Mutter. Du, Kleiner! Steh' mir bei! Willst du mit nach dem Heeshof?"

„Man zu, Vater!" sagte der Kleine, „Vater, das wird 'n Spaß!"

„Jörn . . . ihr steigt zu mir auf den Wagen: du und der
25 Kleine und Wieten. Und die Lade stellen wir hinten ins Wagenstroh. Dann hast du alles, was du besitzest, auf dem einen Wagen!"

Jörn Uhl wendete sich ein wenig ab und sah mit einem langen Blick nach Lena Tarns Grab hinüber.

„Denk' bloß an die Lade, Jörn! Da ist dein guter Anzug darin und das Fernrohr und die Karte von Sonne, Mond und allen Sternen, und die krausen Bücher, und das alte, geschnitzte Mangelholz° von meiner Großmutter, der alten Trienke Thiessen, geborenen Stührmann. Ich meine wenigstens, daß du das Mangelholz hast, Jörn, sonst hat Peter Voß von Vaale es ... alles dies, Jörn, die Menschen und die Lade: alles das ist d e i n, wenn du mit mir nach dem Heeshof fährst. Hier gehörte es der Uhl und ihren Sorgen; dort auf dem Heeshof wird es dir gehören. Ach, Jörn, ich bitte dich, komm mit uns! Ich bitte dich, Jörn: reiße deine Seele aus der Uhl heraus und nimm sie endlich einmal für dich selbst in Gebrauch. Ich bitte dich, lieber Jörn, komm mit mir! Sonst, das sage ich gerade heraus, sonst ist mir bange um den Rest."

Jörn Uhl sagte nichts. Er atmete schwer und sah bald nach dem Grabe von Lena Tarn, bald nach den beiden Gräbern zu seinen Füßen. Die drei Gräber redeten mit lauter Stimme.

Als sie eine Weile unbeweglich gestanden hatten, sagte Thieß: „Nun komm! Nun wollen wir noch diese drei Kränze auf Lena Tarns Grab legen, jeder einen."

„Lena Tarn?" sagte der Kleine, „wer ist das? Lena Tarn sagst du? Das ist ja meine Mutter."

„Ja, Junge! Was hattest du für eine Mutter!"

* * *

Am anderen Vormittag ließ Jörn Uhl die Knechte und Mädchen kommen und bezahlte einem jeden den Lohn, den er verdient hatte, und ging zu den Handwerkern und bezahlte die kleinen Summen, die er schuldig war, und sagte, als sie ihn 5 verwundert ansahen, in seiner kurzen, kargen Weise: „Ihr sollt keine Laufereien haben nach eurem Gelde oder gar darum betrogen werden." Da verstanden sie ihn und strichen das Geld rasch ein, und geleiteten ihn zur Tür, und riefen ihre Frauen und sahen ihm nach, wie er hoch und aufrechter als 10 sonst unter den Linden entlang ging. Dann ging er noch einmal über die wüste Brandstätte und stand noch einmal an der geschwärzten, halb niedergebrochenen Hausmauer, unweit der Küchentür, wo er oft gestanden hatte; denn man hat von da einen weiten Blick über das Kornland der Uhl.

15 Da kam Thieß Thiessen über den Schutt hingestolpert, den kurzen Wagenrock angetan, und die Peitsche in der Hand und rief von weitem: „Der kleine Jürgen sitzt schon auf der Lade im Wagenstroh und baumelt mit den Beinen, und Wieten legt schon ihr braunkarriertes Umschlagetuch um ... Wie 20 steht es Jörn? So ist's recht! Dein Gesicht gefällt mir, mein Junge."

„Thieß," sagte Jörn Uhl und wandte sich zu ihm, „ich bin nun fertig damit! Ich lasse die Uhl nun fahren, samt allen ihren Sorgen. Ich bin ein Mensch ... ich habe in fünfzehn Jahren 25 keinen Sonntag gehabt; ich glaube: ich bin ein armer, unglücklicher Narr gewesen ... Aber nun, wahrhaftig, nun will ich wirklich versuchen, was du gestern sagtest: ich will sehen, daß ich meine Seele wiederbekomme, die hier in der Uhl gesteckt hat. Her mit meiner Seele![1] Her mit meiner Seele! Die gehört m i r! . . . Komm schnell, Thieß."

Der Kleine saß auf der Lade, und Wieten stand gebückt neben dem Wagen. „Vater," sagte der Junge, „was schriest du da? Schaltest du oder lachtest du?"

„Beides!" sagte Jörn Uhl . . . „Komm her, Wieten, ich will dich hinaufheben . . . Willst du etwas sagen, Wieten?"

Sie sah ihn mit ihren ernsten, dunklen Augen sinnend an. „Ich dachte an die Geschichte von dem, Jörn, der hundert Jahre bei den schwarzen Erdmännern war, und als er wieder herauskam, war er alt. Es ist doch viel Wahrheit in den alten Geschichten, Jörn."

„Ja, Wieten!" sagte er. Und er schüttelte sich, als wenn ihn ein Grauen überkam.

21. Kapitel

Wenn über dem jungen Wald, der in Schnee und hartem Frost liegt, der Westwind anhebt sanft zu wehen, dann beginnt es in den Tannen von oben bis unten leise zu knattern und zu splittern: es will sich nicht biegen, es muß brechen. Aber die weichen Lüfte schmiegen und schmeicheln um all die Eiskrystalle, gleiten und streicheln. Und wie es geht: Das Weiche siegt zuletzt überall auf der Erde. Die Liebe siegt.

Schön ist es zu sehen und zu hören, wenn der Wald auftaut. Schöner noch ist es, dabei zu sein, wenn ein Mensch auftaut.

Thieß Thiessen stand am anderen Tage nachmittags an Jörn Uhls Bett und sagte: „Du wirfst dich mit gutem Erfolg 5 auf die Thiessensche Seite, Jörn. Du hast jetzt achtzehn Stunden geschlafen."

„Wo ist der Kleine?" fragte er.

Der kam schon an: „Vater," sagte er, „du hast geschlafen wie 'n Maulwurf. Ich bin schon zehnmal an deinem Bett 10 gewesen, siebenmal allein und dreimal mit Thieß."

„Siehst du," sagte Thieß „von allen Seiten lebhafte Anerkennung! . . . Ich bin heute morgen schon nach Sankt Mariendonn gefahren. Der Schmied hatte den letzten Spaten noch nicht bezahlt bekommen; ich habe ihm einen Taler gegeben."

15 Jörn Uhl richtete sich auf: „Den kann ich dir nicht wiedergeben."

„Fängst du schon wieder an zu sorgen?"

Da warf er sich wieder hin und lachte: „Ich werde mich hüten. Alles in Sicherheit! Der Vater und die Uhl, dieser 20 kleine Junge und Wieten! Und keine Schulden und kein unfreundlich Gesicht! Alles einfach, ganz einfach. So einfach wie ein Stück Schwarzbrot! Du mußt uns vorläufig hier behalten."

„Das ist klar: Ihr bleibt hier, und wir sind gemütlich mit-25 einander und warten den Rest ab."

„Ich danke dir, Thieß. Ich will mich besinnen und dann sehen, was ich beginne."

Am anderen Morgen ging er zu Fuß nach Sankt Mariendonn zum Amtsvorsteher° und beredete mit dem ruhigen und verständigen Manne seine Lage und sagte, daß er den Hof nicht wieder anfassen wolle. Wenn der Weißkopf den Hof für die Schulden nicht übernehmen wolle, so möge der Bankerott erklärt werden. Er wolle keinen Pfennig haben; aber er wolle auch keine Schulden in sein neues Leben hinein nehmen. Er hätte lange genug schwere Sorgen und Schulden getragen; es sei ihm zehn Jahre lang gewesen, als hätte er Schweres auf dem Gewissen, als hätte er ein Brett vor der Brust gehabt, auf dem groß und deutlich stände: „Dieser Mensch hat viele Schulden." Wie verdammt und verflucht sei er sich vorgekommen. Nun aber sei ihm leicht und froh ums Herz.

Der Amtsvorsteher lächelte über diesen Jörn Uhl, mit dem sich sonst kaum ein Wort hatte reden lassen, der aber nun, da seine Sache ganz verloren war, so frei und selbstbewußt redete, und sprach die Hoffnung aus, daß ein freihändiger Verkauf[1] zu stande käme, das Land wäre ja in hoher Kultur und gutem Stande. Zuletzt beredeten sie noch, daß Jörn Uhl, gegen Bürgschaft von Thieß Thiessen, zwei von seinen Pferden behalte, Paßpferde,° an denen Lena Tarn, als sie Fohlen waren, noch ihre helle Freude gehabt hatte, jetzt hohe, achtjährige, fehlerlose Wallache, holsteinische Marschrasse.

Als er wieder auf der Dorfstraße stand, nickte er fröhlich bei sich selbst und schwang den gelben Eichenstock und rührte im Gehen das Lindenlaub° auf, das dicht die Straße bedeckte. Als er von fern, unter Büschen und Linden fast versteckt, das Schulhaus sah, suchte er das Fenster, hinter dem er einst Englisch[1] getrieben hatte und den Garten und dachte: „Lisbeth Junker wird auch bald wiederkommen. Die wird sich wundern, daß die 5 Uhl nicht mehr steht, und daß wir davongezogen sind. War doch nett von ihr: Jeden Sommer, wenn sie im Schulhaus besuchte, kam sie nach der Uhl. Ein mächtig feines Mädchen! Und schmuck wie immer!"

Er kam näher und sah über die Planke. Der ganze Garten 10 war voll bunter Lichter und starker, lustiger Farben. Die Weinlaube an der Wand flimmerte und leuchtete in der hellen Oktobersonne. Ein leiser Wind wühlte rote, grüne und gelbe Farben im Sonnenlicht durcheinander. Und doch entdeckte er in all der bunten Pracht, mitten in dem bunten Weinlaub, 15 einen besonderen Fleck, der in all dem ruhevollen Spiel unruhig auf und nieder fuhr. Dem Mädchen, das im Wein saß und Bohnen ausmachte, war etwas in den Nacken geflogen, und nun wußte es nicht, ob es ein Blatt oder eine Raupe war; und sie stand und schüttelte sich, und das Licht sprang lustig über 20 ihr helles Haar und um ihre Augen.

„Warte!" sagte Jörn Uhl, „ich will dir helfen."

Und ehe sie sich's versah, stand er über ihr gebeugt und sagte: „Es ist nichts zu sehen als lauter krauses, helles Haar."

25 Sie sah ihn mit verwunderten und strahlenden Augen an. „O, Jürgen!" sagte sie, „was hast du mich erschreckt! Und wie freue ich mich, daß du so gut aussiehst! . . . Du armer

Junge! Nun hast du auch deinen Vater verloren, und die ganze Uhl ist abgebrannt."

Er nickte: „Davon wollen wir nicht reden," sagte er. „Das liegt dahinten! Da ganz weit hinten! Ich freue mich, daß ich dich gerade noch sah. Wie lange bist du schon hier?" 5

„Seit gestern abend. Ich wollte nur die Bohnen besorgen, dann wollte ich nach der Uhl hinübergehen und sehen, ob ich dich und den Kleinen wohl treffen könnte. Wie geht es dir, Jürgen?"

Da erzählte er bedächtig von Bruder und Vater, und von 10 den Mäusen im Weizen und von dem Feuer, und was er mit dem Amtsvorsteher beredet hätte. Und sie bedauerte ihn mit guten Worten.

„Was ich nun anfange," sagte er, „das weiß ich nicht."

„Ach," sagte sie, „Jürgen, es findet sich ja leicht etwas für 15 dich. Du kannst und magst arbeiten. Und du bist so klug! Da mach' dir man keine Sorgen."

Die Sonne machte sich lustig in Laub und Zweigwerk, warf Schatten und Licht, Feuer und Farbe überall hin und auf die beiden. 20

Es wunderte ihn, daß sie so von ihm sprach. Sie hatte doch nicht bloß Mitleid mit ihm. Sie achtete ihn! Mächtig gefiel ihm das. So 'n feines, vornehmes Mädchen! „Nein," sagte er, „mir ist nicht bange vor der Zukunft. Es wird sich schon 'was finden. Ich will viele Wochen, vielleicht den gan- 25 zen Winter durch, so sorgenlos hinleben, und dann will ich mich entscheiden."

„Das ist recht,“ sagte sie ... „Weißt du 'was Jürgen? Komm in der Zeit 'mal nach Hamburg! Ich zeige dir die ganze Stadt, alles, was sehenswert ist. Den Kleinen bringst du mit. Du hast bisher nichts als Mühe und Arbeit kennen gelernt. Man zu!“

Da wurde er ganz ausgelassen. „Soll ich dir 'mal 'was sagen? ...“

„Sag' es, Jürgen!“

„Wenn du es daran wenden willst, und wenn es dir gut genug ist ... wir sind da sehr einfache Leute ...“

„Sag' es doch, Jürgen!“ Sie sah ihn voll froher Erwartung mit großen Augen an.

„Ich weiß nicht, ob ich es dir anbieten soll, wenn du uns da auf dem Heeshof besuchen magst: wir haben beide nichts zu tun. Wir drei, du und der Junge und ich, wir könnten den ganzen Tag tun und treiben, was wir wollten.“

„Nein doch, Jürgen!“

„Und dann, wenn du magst, könntest du auch 'mal mit mir ausfahren. Ich wollte gern einen Kriegskameraden besuchen, der in der Gegend von Burg wohnt. Ich meine, wenn dir das Spaß macht ...“

Ihre Augen blitzten in klarem Wasser: „Jürgen,“ sagte sie, „furchtbar gern tu' ich das! Wenn es dir wirklich und wahrhaftig lieb ist, daß ich komme, dann komme ich zu gern.“

Er staunte über ihre Freude und wurde noch froher und sagte: „Nein! Wie du dich freust! Das hatte ich nicht gedacht.“

„Ach," sagte sie, „das ist ja alles so gleichgültig. Ach, wie ich mich freue! Weißt du, daß du manchmal gar nicht gut mit mir gewesen bist, wenn ich zu dir auf die Uhl kam? So kurz warst du und so gleichgültig. Als wenn es dir ganz einerlei war, wie es mir ginge und was ich für Gedanken hätte, und 5 ob ich auch in Sorgen wäre. Du warst doch mein guter Kamerad gewesen, als wir Kinder waren? Ich habe geweint darum!"

„D u?" sagte er ... „d u hast geweint? D a r u m? ... Lisbeth! Ich dachte, es wäre jedesmal so 'was wie ein Höf- 10 lichkeitsbesuch! Ich meinte, du wolltest mir dein Mitleid bringen. Und du wolltest dir 'was von mir holen? Nein doch! Von mir? Deern, wie gerne hätte ich alles mit dir besprochen! Wenn ich das bloß gewußt hätte! Aber ich saß in Gram und Sorgen und hatte Spinneweb vor den Augen. 15 Ich habe immer gemeint, du wärst in Glanz und Glück."

„Ach, Jürgen. I c h in Glück!"

„Wenn du wirklich so zu mir stehst, Lisbeth, daß du 'was von mir willst, daß ich dir mit irgend etwas helfen kann ... dann ... wahrhaftig ... Lisbeth ... wo ich auch bin und 20 bleibe ... ich will dich aufsuchen, und in jeder Not sollst du dich auf mich verlassen."

„Nein," sagte sie und schlug die Hände zusammen. „Wie freue ich mich, daß du so fröhlich bist und so mit mir redest."

Er lachte stolz und glücklich und sagte: „Das wird ein Spaß 25 morgen. Thieß hat morgen vormittag hier zu tun und holt dich ab."

Sie schlug die Hände zusammen: „Nein," sagte sie, „ich kann und kann dir nicht sagen, wie ich mich über dich freue, daß du so fröhlich und herzlich bist!" Die Tränen standen ihr in den Augen.

5 Er nickte ihr zu und sagte schelmisch: „Du hast noch immer dieselbe hohe Stimme wie damals."

Sie lachte. „Sei man still," sagte sie, „bei dir werden in diesen Tagen auch allerlei alte Fehler zu Tage kommen."

„Hatte ich welche?"

10 „Welche Einbildung! Du warst zuweilen nicht bei der Sache, und zuweilen warst du hitzig. Und zuweilen . . . zuweilen kehrtest du den Uhl heraus." Sie schlug sich mit der Hand gegen die Brust, wie ein Prahler tut.

„So!" sagte er. „Also so war ich! Wie du warst, dar-
15 über will ich nun nachdenken, wenn ich über die Heide gehe. Ich muß nun gehen. Es hat mir gut getan, Lisbeth. Ich hätte nicht gedacht, daß du ein so schlichtes Menschenkind bist."

„Und ich nicht, daß du heute so fröhlich und freundlich sein würdest."

20 „Du! Das macht, daß ich keine Sorgen habe. Nun also! Auf morgen, Lisbeth!"

„Grüß den kleinen Jürgen!"

Er schüttelte ihr die Hand und nickte und grüßte und ging davon. Sie sah ihm nach, bis er verschwunden war. Dann
25 sammelte sie lächelnd und gedankenvoll mit Bedacht die Bohnen auf. Als sie aber noch nicht damit fertig war — flog ihr wieder etwas in den Nacken? —, schüttelte sie sich und rief:

„Marie, Marie!“ Die Freundin kam herausgelaufen, ihr Kind auf dem Arm, und fragte, was da wäre. Da sagte sie: „Ach du . . . weißt du, wer hier gewesen ist? Wer hier gesessen hat? Hier auf der Bank? Und hat ganz vergnügt mit mir geplaudert?“ 5

„Ist nicht möglich! . . . Jörn Uhl?“

Da nickte die andere, die Hellhaarige, und lachte und lief ins Haus.

* * *

Am anderen Tage saß sie richtig neben Thieß auf dem Wagen, und es sah aus, als wenn ein schöner, junger Rosenbusch neben 10 einem kleinen, dürren Wacholderlein steht. Und Thieß lachte übers ganze Gesicht, als Jörn Uhl und der Kleine da richtig am Waldrand standen.

Sie wollte nicht herunterspringen; er hielt die Arme so hoch und machte ein so finsteres Gesicht. Aber zuletzt wagte sie es. 15 Sie lief aber gleich mit dem Kleinen davon, gerade nach dem Heeshof zu, und befaßte sich nur mit ihm, als wenn sie nach dem Heeshof gekommen wäre, wie früher nach der Uhl, „nur um nach dem Jungen zu sehen.“ So trieb sie es den ganzen Tag. Er war indes mit Thieß nach dem Moor geschlendert, um nach 20 dem Torf zu sehen. Als er heimkam, fand er sie noch mit dem Jungen spielend. Sie sprangen hin und her über einen Graben und schienen unendlich großes Vergnügen daran zu finden. Als er auf sie zukam, sagte sie zu dem Kleinen: „So, nun habe ich keine Zeit mehr, nun muß ich Wieten helfen.“ Und lief 25 ins Haus, wie ein Wiesel in sein Loch am Wall.

Eine Stunde später, als er ihr auf der Vordiele begegnete, und sie gerade ein Tuch um den Kopf band und sagte, sie wolle nun noch mit Wieten zusammen die Wände der Küche abfegen, welche liederlich aussähen, da wurde es ihm zu bunt. 5 Er faßte sie in guter Laune an, drehte sie in seinem Arme um, knotete Tuch und Schürze bedächtig auf, warf beides in die Ecke und sagte: „Wir gehen zusammen nach der Heese."

„Der Kleine soll mit."

„Der Kleine bleibt hier."

10 Sie verzog ein wenig das Gesicht und meinte, es wäre eine starke Zumutung, daß sie tun sollte, was ihm beliebte.

„Willst du einen Hut aufsetzen?"

„Nein, aber ich will mich etwas wärmer anziehen."

Sie holte ihr schlichtes, schwarzes Jackett und hielt es ihm 15 hin. Er stellte den Stock an die Wand und sagte: „Nun sage mir, was ich tun soll."

„Stell' dich nicht an: du kannst doch ein Jackett halten, das man anziehen will?"

„Das habe ich nie getan, weder bei Mannsleuten noch bei 20 Frauensleuten ... Was ist das für ein feines Ding! ... Ist das mit Seide gefüttert? Hab' ich all mein Lebtag nicht gesehen! Na, denn man zu!"

Sie hatte es nun zwar angezogen, aber es saß noch nicht. Sie wand sich und reckte die Arme und versuchte, die weiten 25 und bequemen Ärmel des wollenen Hauskleides im Jackett unterzubringen; aber es wollte nicht gelingen.

„Komm 'mal her," sagte er, „ich will dir helfen."

Sie drehte sich einmal rund um . . . „Nun, nein . . . es geht schon."

„Siehst du," sagte er, „du bist noch immer so, wie du als Kind warst! Immer: Rühr' mich nicht an! Immer stolz! Da kann kein Uhl dagegen an!" 5

„Jürgen!" sagte sie, und ihre Augen waren gerade und vorwurfsvoll auf ihn gerichtet, und ihre Stimme war hoch und fein: „Ich bin nur still und zurückhaltend, weiter nichts. Wenn du in mich hineinsehen könntest, würdest du anders denken."

„Na," sagte er, „nun sei man nicht böse. Ich habe aber 10 immer den Eindruck gehabt, daß du viel zu fein wärest, mit mir Umgang zu haben. Und das ist, neben meiner traurigen Lage, der Grund gewesen, daß ich in den letzten Jahren so zurückhaltend gewesen bin."

Sie sah ihn schelmisch an und sagte: „Sag' doch 'mal, Jür- 15 gen, was ist denn so fein an mir?"

Er wurde verlegen und versteckte seine Unsicherheit hinter einer wichtigen Miene. „Na," sagte er, „da ist erst 'mal deine Gestalt, weißt du: wie die junge Linde, welche an der Ecke des Schulhauses steht, an der Gartenpforte. Deine ganze Ge- 20 stalt und Haltung hat so etwas Frisches, Aufstrebendes, weißt du."

Sie zog an ihrem Jackett und lachte und sagte: „Weiter, das mag ich gerne hören."

„Ja, und dein Gesicht, als wenn dieser wunderschöne, son- 25 nige Tag es heute morgen erst gemacht hätte. Und Augen, die immer so bitter ernst sind; ganz abgesehen davon, daß du sie noch besonders im Kopf zurecht stellst, wenn du mich ansiehst.

„Nein doch, Jürgen!“

„Und wenn du redest, machst du mit deinem Mund so viel Umstände, daß man schon gern hinsieht, um dies Manöver zu sehen. Dein Mund ist breiter und ruhiger geworden.“

„Na, bist du nun fertig?“

„Weißt du noch,“ sagte er, „daß du Fiete Krey niemals die Hand geben wolltest, wenn wir euch über den Wall helfen wollten? Dann standest du da! Hinunterrutschen ging nicht! Das Kleid wäre ja schmutzig geworden! Auch hätte es nicht gut ausgesehen! Dann riefst du: ‚Jürgen! Jürgen!‘ Ich hör' noch deine Stimme vom Wall herab. Siehst du, so warst du!“

„Und warum das? Weil Fiete Krey nicht allzu reinliche Hände hatte. Das weißt du!“

„Ja, Kind, was ist denn nun aus m e i n e n Händen geworden! Was haben die alles anfassen müssen! Der Bruder lag auf der Diele, da . . . ach, ich will nicht daran denken. Du bist zu gut für das alles, Lisbeth.“

„Gib 'mal her,“ sagte sie. Und ehe er merkte, was sie wollte, hatte sie seine Hand ergriffen und an ihre Wange gelegt. „So denke ich,“ sagte sie.

Da zuckte es ihm durch den Körper. Er hielt ihre Hand fest und sagte mühsam: „Du bist mein lieber, kleiner Spielkamerad.“

Sie waren bis zum Waldrand hinauf gekommen, und er

zeigte ihr eine Stelle, wo der Abhang des Walles, so lang wie ein Mensch ist, mit schönem, dichtem Moose belegt war. „Willst dich hier ein wenig niedersetzen?“

Sie tat es zu seiner Verwunderung.

„Hier,“ sagte sie, „haben wir einmal alle vier gelegen.“ 5

„Wo sind die beiden anderen?“ sagte er.

Sie strich mit der Hand über das Moos an ihrer Seite, und wollte etwas sagen und sah vor sich nieder. Dann sagte sie: „Es läßt mir keine Ruhe, Jürgen: du sollst richtig über mich denken. Ich bin weder hochmütig noch sipp.[1] Sieh 10 'mal, Jürgen, du erinnerst unser Zusammentreffen im Apfelgarten: es war eine komische Geschichte. Du warst natürlich und verständig, und ich benahm mich lächerlich. Warum ich nachher auf dem Ball nicht mit dir tanzen wollte, das weißt du ganz gut, Jürgen; und darüber hast du vielleicht bald anders 15 und richtiger gedacht, als du damals dachtest. Daß ich aber dann mit Elsbe wenig verkehrte: sieh, Jürgen, ich weiß, wie treu und lieb ihr Herz war, und klug war sie auch. Als sie noch ein ganz junges Ding war, sah sie merkwürdig klar und nüchtern ins Leben, während ich eine Zeitlang ein verbildetes, 20 törichtes Ding war. Sie schwärmte nicht und redete nicht über Dinge, welche des Ansehens nicht wert sind, über Gardinenspitzen, Jürgen, und dergleichen Dinge, sondern sie sah auf das Wirkliche und Wahre. Sie war darin deine rechte Schwester, Jürgen . . . Aber, du hast es nicht erfahren, wie 25 schlimm es um sie stand. Du weißt nicht, daß sie, als du Soldat warst, in der Nacht aufgestanden ist und sich durchs dunkle Dorf zu mir ans Fenster geschlichen und die halbe Nacht bei mir zugebracht hat. Dann weinte sie bitterlich und klagte über ihre Unruhe. Wenn dann im Winter die Bälle kamen, war sie so wild und ausgelassen, daß sie Aufsehen machte."

5 Sie atmete tief auf und wagte nicht, zu ihm aufzusehen.

„Siehst du, Jürgen, ich bin von diesem nicht frei. Ich bin nicht stumm und dumm, hart und gleichgültig; aber ich habe es in meiner innersten Seele verschlossen, es ist in meiner Seele das Allergeheimste,[1] dies und die Religion."

10 „Sind das nicht zwei verschiedene Dinge?"

„Ich meine nicht, Jürgen. Sind sie nicht wie Bruder und Schwester? Du hast hoffentlich nicht die Meinung, daß die Religion von Gott ist und die Natur vom Teufel; sondern sie sind beide von Gott, und sollen beieinander wohnen und sich 15 gegenseitig dienen."

Sie fuhr mit der Hand wieder leicht über das Moos. „Sieh, das ist der Stolz, von dem du redest: Ich wohne in einem feinen Hause, die Wände sind sauber weiß angestrichen, und die Fenster sind blitzblank und nicht allzu hoch und ein wenig Vorhänge 20 davor. Aber wenn man nun meinte, da wohnt sicher eine alte, fromme Jungfer . . . du weißt, Jürgen, von jener lämmerigen Frömmigkeit . . . dann irrt man sich. In meiner sauberen Stube, hinter den Vorhängen, singe ich oft, und lache laut und tanze, und manchmal werfe ich mich längelang auf 25 den Teppich, und weine mich satt und weiß nicht, warum ich das alles tue."

Er sah mit blanken Augen auf sie nieder. Die Bäume

hinter ihr hatten sich ein wenig zu ihr hinübergebeugt, um alles zu hören, und die Abendsonne rollte goldene Kugeln über das Moos. Er war mitten in einem Märchen und wußte es nicht.

„Es ist mir sonderbar mit dir ergangen," sagte er. „Gestern bin ich zu dir gekommen, und heute kommst du zu mir."

Nun sah sie zum erstenmal zu ihm auf: „Wenn du willst, Jürgen, wollen wir nun wieder rechte Freunde werden und es bleiben, so lange wir leben."

Da stieß er seinen Stock in die Erde und sagte: „Größeres kann mir nicht geschenkt werden, Lisbeth, als ein Mensch, mit dem ich alles bereden mag. Das habe ich nicht gehabt, seit Fiete Krey hinter Ringelshörn verschwand und Lena Tarn sich zum Sterben zurecht legte. Ich bin einsam gewesen, einsam; und in der Einsamkeit bin ich wunderlich und starr geworden."

„Aber nun taust du auf, Jürgen. Nun knüpfst du da wieder an, wo du als Junge warst. Du bist noch jung genug dazu. Wie warst du drollig! So wichtig warst du immer, so ernst! Das hattest du vom Heeshof."

„Nun," sagte er, „komm. Wir wollen nach Hause und es morgen weiter bereden. Morgen wollen wir beraten, was ich anfangen soll. Bist du mein Kamerad, mußt du mir auch darin beistehen."

„Weißt du was?" sagte sie. „Es kann sein, daß du in der nächsten Zeit nicht gut für deinen Kleinen sorgen kannst. Hier kannst du ihn nicht gut lassen; der Schulweg ist so weit. Wenn du ihn mir mitgeben wolltest, Jürgen? Wir haben da so gute Schulen, und ich ... ich habe am Sterbebette seiner Mutter gestanden."

„Das wolltest du?"[1]

22. Kapitel

Sie freute sich sehr, als sie neben ihm auf dem Wagen saß
5 und die Braunen anzogen. Jörn Uhl hatte in den letzten Jahren gebückt auf dem Wagen gesessen und immer vor sich auf die Pferde und den Weg gesehen; jetzt aber saß er gerade da und sah mit Munterkeit in den frühen, wogenden Herbstmorgen, dem der Nachtnebel noch in den Augen lag, und wandte
10 oft rasch den Kopf zur Seite und fragte: „Magst du das wohl?" Wenn sie ihm dann strahlend zunickte, dann nickte er wieder und sah eine Weile geradeaus auf den Weg oder über die Felder. Dann sah sie von der Seite auf ihn. Wenn sie aber merkte, daß er sich ihr zuwenden wollte, dann sah sie rasch
15 irgendwo in die Luft, als läse sie wunderliche Dinge in dem losen Nebel.

Sie waren einander ähnlich; beide mit zusammengerafften, geraden, friesischen Gesichtern, als wenn Natur, die Bildnerin, einen besonders ernsten Beschluß gefaßt hätte, mit einfachsten
20 Mitteln Schönes und Starkes zu schaffen. Das Haar hell, bei ihm ganz schlicht, bei ihr leuchtender und an den Rändern sich kräuselnd. Das Gesicht bei ihm lang und stark, mit schmalen, festen Lippen, gerader, langer Nase und sehr klaren, grauen Augen, die immer auf Wache standen: ein friesisch-

sächsischer Bauer, der sich sein Leben aus Not und Sorgen holen muß, der nicht lange und laut und herzlich lacht, sondern kurz auflacht, und im übrigen seine Schelmerei in den Augenwinkeln versteckt, als hockten da kleine Kinder in den Ecken und würfen sich glänzende Bälle zu und kicherten leise. Sie vornehm, zurückhaltend, daß er zeitlebens zu ihr aufsieht als ein Bauer, der eine Grafentochter freit, und ihre Zärtlichkeit, die scheu und plötzlich hervorbricht, mit immer neuem Verwundern entgegennimmt.

Dreimal hielten sie unterwegs, und jedesmal war Lisbeth Junker schuld daran.

Das eine Mal, als sie durch junge Buchen fuhren, sah sie es übers trockene Laub hin und her huschen und legte die Hand auf seinen Arm, daß er hielt. Da waren es schmucke, schlanke Vögel mit schwarzem Kleide und gelbem Schnabel, die in eiligem Hin- und Hergehen ein wenig Morgenkost suchten.

„Amseln!“ sagte er. „Turdus merula,[1] ein kluger und gewandter Geselle!“

„Nein, Jürgen! Du kennst wohl rein alles.“

„Wie es anderswo aussieht und was anderswo lebt und webt, davon weiß ich nichts. Es geht mich auch nichts an,“ sagte er stolz. „Aber was hier in dieser Gegend in der Erde liegt und darauf wächst und darüber hinläuft: das habe ich untersucht und davon verstehe ich etwas.“

Das zweite Mal hielt er still, damit sie den Blick über das weite Tal genösse, das zur Linken lag. Er zeigte und nannte ihr mit der umständlichen Wichtigkeit des Eingesessenen, der jeden Ort in der Heimat lieb hat, und des Landmannes, der in der ganzen Landschaft den Wert von Grund und Boden kennt, jedes Dorf, und im Grunde des Tales, im tiefen Moor, jede Feldmark, und jenseits des Moores die Namen der Dörfer, 5 „die da . . . ungefähr da, Lisbeth, wo die Peitsche jetzt hinweist," liegen mußten. Sie dachte zwar im stillen: „Ach, was geht mich das an!" Aber sie unterbrach ihn nicht; sie hörte mit halbem Ohr zu und dachte: „Wie fein sitzest du hier! Ob er wohl heute noch ein offenes Wort redet? Und wie er es wohl 10 anstellt! Ach, der liebe Junge." Und da er von ihr weg, mit ausgestreckter Peitsche in das Nebelland zeigte, nach Schenefeld zu, drängte sie ihr Gesicht verstohlen gegen die Falten seines Mantels. Es war der Mantel, den Leutnant Hax ihm im Feldzuge geschenkt hatte. Lena Tarn hatte die gol- 15 denen Knöpfe sorgfältig mit schwarzem Tuch umnäht.

Das dritte Mal hielten sie auf Lisbeths Vorschlag im „Roten Hahn" und fütterten vor den Fenstern der Gaststube die Pferde. Die Sonne hatte den Nebel aufgesogen; es war hell und warm geworden, daß sie draußen blieben und auf der 20 großen, weißen Bank in der Sonne saßen. Die Wirtsfrau setzte zwei Gläser frischer Morgenmilch vor sie hin und ging ab und zu und redete mit den beiden, die sie nicht kannte, über Ernte und Wetter. Jörn Uhl fragte und antwortete. Das Mädchen, das neben ihm saß, sah mit stillen Augen über den 25 Weg nach dem Gesträuch auf dem Wall, in dem flinke Vögel ihr Wesen hatten, malte in Träumen kleine, verschwommene Bilder naher und ferner Zukunft, und wischte sie wieder aus und malte neue, und kam erschreckt zur Gegenwart gelaufen, welche aller Zukunft Mutter ist. Und hörte die Stimme des Mannes neben sich, und lächelte vor sich hin und malte weiter.

Jörn Uhl redete und fühlte sich großartig gemütlich. Er hätte sich gern ein wenig bequemer hingesetzt, die Füße weit ausgestreckt; aber sie saß da so sipp und sauber wie ein seiden Tuch, das man eben aus der Lade geholt hat.

Als die Wirtin ins Haus ging, fragte er wieder, ob sie Freude an der Fahrt hätte, und sie versicherte ihm wieder, daß sie niemals in ihrem ganzen Leben einen so schönen Tag gehabt hätte. „Das mußt du mir auch ansehen können, Jörn." Und sie sah ihn an, daß ihm ganz wunderlich ums Herz wurde, und er sagte: „Ich wage mich gar nicht nahe an deine Augen heran. Mir wird dann schwindlich, als könnte ich hineinfallen: so tief sind sie." Und er schlug mit seiner großen, flachen Hand auf den Tisch und sagte: „Sag' noch 'mal 'was, Heintüüt."

Da warf sie den Kopf in den Nacken, legte sich zurück und lachte, und schlug den Handschuh auf seine Hand, und legte ihre Hand neben die seine und sagte: „Solche Hände!"

Da fragte die gutgelaunte Wirtin aus dem offenen Fenster heraus: sie wären wohl noch nicht lange verheiratet?

„Nein," sagte Jörn Uhl. „Ich habe sieben Jahre um sie gefreit. Ich hatte nie den Mut: vorgestern habe ich sie endlich bekommen."

Sie schüttelte heftig den Kopf, verbarg ihr Gesicht in den Händen und lachte: „Nein, Jörn, Jörn, was machst du!"

„Man braucht wirklich nicht studiert zu haben,“ sagte die Wirtin, „um zu sehen, daß sie eben erst Frau geworden ist. Sie hat Ihnen eben einen Blick zugeworfen: So sieht man den Mann nicht an, wenn man schon jahrelang bei ihm wohnt.“

5 Da schlug Jörn Uhl zum zweitenmal auf den Tisch und sagte: „So! Sah sie mich so an?“ Er nahm ihr die Hand vom Gesicht und sagte: „Tu's noch 'mal.“

Aber sie schlug ihn auf die Hand, und riß sich los und sah geradeaus über den Weg, und sah einem fliegenden Vogel nach 10 und dachte: „Könntest du eine Weile davon fliegen, das wäre gut.“[1]

* * *

Jörn Uhl saß still und steif wie ein Pfahl, und sah auf die trabenden Pferde und dachte an seine und ihre Zukunft, und dachte in seinem ehrlichen Sinn, sie schliefe. Sie aber sah, 15 an ihn gelehnt, mit großen, klaren, unbeweglichen Augen immer auf einen Punkt.

Als sie an der großen Tür des Heeshofes hielten, sagte er: „Nun geh' schlafen! Du bist müde. Morgen wollen wir weiter reden.“

20 Sie blieb noch bei ihm stehen, als wollte sie etwas sagen. Da streichelte er ihr die Wange und sagte: „Sei guten Muts! Ich glaube, es kommt alles in Ordnung.“ Da ging sie, ohne ein Wort zu sagen.

Nachdem er die Pferde besorgt hatte, ging er in die Wohn- 25 stube und fuhr fort zu grübeln. „Ich weiß jetzt: da hat die ganze Not gelegen: es ist da ein Irrtum in mir gewesen durch all die Jahre . . . Ich habe immer alles Getue und allen falschen Schein gehaßt: ich habe bei Vater und Brüdern und bei vielen anderen gesehen, welches Unheil es anrichtet, sich selbst zu belügen, anders zu denken und zu handeln, als die reine Wahrheit. Ich habe wohl gemerkt, wie weit das Übel verbreitet ist, und ich habe immer mit Stolz gemeint, von meinem achtzehnten Jahre an: ,Du, Jörn Uhl, bist frei davon.' Und nun ist es mir klar geworden, in diesen drei Tagen: ich selbst habe in Selbsttäuschung[1] und Lüge gelebt und bin in der Irre gewesen. Ich, Jörn Uhl, habe mich und meine Sache nicht genau angesehen und habe mich nicht gekannt. Ich habe die Uhl festgehalten, die mir nicht gehörte, und habe damit die Lüge fortgesetzt, die Vater und Brüder getrieben haben und damit ihren Jammer. Ich habe in schrecklich großer Arbeit gestanden, und habe in greulich harten Sorgen gesessen. Ich meinte, meine Lebensaufgabe wäre, die Uhl festzuhalten. Die Uhl . . . was ist die Uhl? Was ist die Uhl gegen meine Seele? Und gegen Lena Tarns Seele? Und wenn einer die ganze Welt gewönne![2] Und nimmt Schaden an seiner Seele? Wer heilt ihm wieder seine Seele? Mir ist die Seele hart geworden, und Lena Tarn ist tot, und Wieten hat schlohweißes Haar. Ich bin von oben angefangen, von der hohen Uhl her, hoch von oben, und bin gesunken . . . gesunken. Von unten angefangen, das ist alles! Ich will wahrhaftig von unten anfangen. So wahr mir Gott hilft."

Er machte Licht und ging nach der Lade, die in der Ecke stand, und fing an, dies und das hervorzusuchen, bis der Fußboden um ihn her mit Büchern, Karten, Gläsern und Fernrohren bedeckt war. Er zog einen Stuhl heran, schlug ein Buch auf und noch eins und setzte sich zurecht, wie Schüler sich zum eifrigen Lernen hinsetzen, und hielt das Buch vor sich, wie ein zehnjähriger Junge tut, der auswendig lernt, und lachte leise auf und ließ das Buch sinken: „Sollte es wirklich möglich sein? Dies alles, das von Kind an meine verstohlene Freude war, meine gestohlene Freude: das soll ich nun lieb haben dürfen, als wäre ich ehrlich und öffentlich mit ihm getraut? Sollte es möglich sein? Am hellen Tage soll ich in Bücher sehen, ohne daß die Leute sagen: sieh da, der verrückte lateinische Bauer?“

Er sah mit zusammengezogenen Augen scharf in das Dunkel der Stube: „Wenn mein Vater ein ernster Mann gewesen wäre und hätte mich liebgehabt und hätte abends bei uns gesessen: dann hätte er erkannt, wonach damals schon mein Sinn stand. Dann wäre mir ein mühsamer Weg und viel Not erspart geblieben, ich wäre dann auch ein freundlicher Mensch geworden, mit Sonnenschein in Herz und Augen. Nun wird der Mut immer schwer bleiben und der Charakter brüchig. Aber . . . ich fürchte mich nicht. Das Graueln° habe ich verlernt, damals schon, bei Wietens Geschichten, danach an Lenas Sterbebette, danach in langen, furchtbaren Einsamkeiten. Ich bin bis dicht an das Nichts herangekommen und bis dicht an Gott. Was kann mir noch mehr geschehen? Man muß nur von unten anfangen und an das Gute glauben, bei Gott und bei sich selbst: das ist alles. Also will ich es wagen.

Kann ich's hier nicht mehr brauchen, weil ich zu alt bin oder vorher sterbe, so baut wohl Gott da oben Wege, und gräbt in unfertigen Welten Schächte, Dünen und Kanäle, und stellt mich als Schachtmeister° an oder als Schleusenwärter.° Ich will meine Leinen bis an die Sterne werfen und will für eine 5 Akkordarbeit° auf der Milchstraße meinen Spaten schärfen. Ich will es wagen, als wenn ich sechzehn Jahre wäre.

Wahrhaftig, ich tu's. Und wenn ich es tue, so wird mir sein, als wenn ich das schönste und stolzeste Weib . . . ach, was gehen mich alle Weiber an . . . mein Mädchen, mein 10 feines, stolzes Mädchen, wird hinter meinem Stuhl stehen, und wird mit heißen Augen auf mich sehen und auf mein Buch, und wird warten, bis ich fertig bin mit dem Buch. Und bin ich dann fertig, dann wird sie hell auflachen und wird von Hochzeit reden. Und hier am Heeswald, hier wollen wir 15 Hochzeit machen. Wahrhaftig, ich tu's; es ist der Mühe wert. Und gleich will ich hingehen und sie fragen, ob es ihr recht ist."

Und so wie er ging und stand . . . den Rock hatte er schon abgelegt . . . ganz ohne Bedenken, in seinen weißen Hemdsär- 20 meln, ganz eingenommen von seinem großen Plane, ging er aus der Stube quer über die Diele und trat in die Kammer, wo Lisbeth Junker schlief, und sah im Licht der hellen Herbstnacht ihr Bett, unfern dem Fenster, und wurde nun doch ein wenig unruhig, und trat auf leisen Füßen heran. Sie rührte 25 sich nicht, sah ihn nur groß an. „Bist du es, Jürgen? Komm her!" Sie langte nach seiner Hand, machte ein wenig Platz und zog ihn zu sich auf den Bettrand. „Was wolltest du noch?“

Er setzte sich ein wenig steif hin und setzte ihr bedächtig seinen Plan auseinander, und war bald verlegen und bald wurde er
5 lebendig und machte eine große Handbewegung. „Und nun ist d a s die Frage, ob du mich nun wirklich haben und ob du noch zwei Jahre warten willst.“

Sie sagte: „Komm näher her zu mir; dann will ich dir antworten.“

10 Als er sich gehorsam zu ihr beugte, umschlang sie ihn, und herzte und küßte ihn, und stieß die Worte heraus, daß sie sich überstürzten: „Du alter, wunderlicher Jörn Uhl, du lateinischer Bauer ... es ist mir ja einerlei! Ach, du gescheiter Hans ... wenn ich nur weiß, daß du mich lieb hast. Komm
15 näher her, Jörn! Küsse mich! Ich bitte dich, daß du mich küß'st. Ei, ich bin eine Stolze und Kalte! Siehst du, wie stolz ich bin?“

Jörn Uhl war starr vor Staunen. Der dumme Jörn Uhl. Er saß auf der Bettkante und streichelte ihr Wangen und Haar,
20 und sah ihr in das heiße, schöne Gesicht und sagte mühsam: „Daß du ... mich ... so lieb hast ... du mußt mir alles sagen, wie ich mich halten und haben muß. Ich mache es alles verkehrt.“

23. Kapitel

Jörn und Lisbeth gingen am Waldrande entlang. Sie waren in der Stadt gewesen, um eine Wohnung zu besehen und Möbel zu kaufen. Am zweiten Weihnachtstage wollten sie auf dem Heeshofe stille Hochzeit feiern und am selben Tage noch nach der Stadt fahren. 5

Sie hielt sich so dicht an ihm, daß er sich in ihrem Kleide verfing, das in rüstigem Gehen zur Seite flog.

„Es fehlt nicht viel," sagte er, „so stürze ich noch. Der Schnee ist glatt genug dazu." Er zwang sie, langsamer zu gehen. 10

Sie lachte. „Du," sagte sie und drängte sich wieder dicht an ihn: „Ich bin so glücklich."

„Das ist natürlich," sagte er.

„Wieso natürlich?"

„Nun," sagte er und sah sie schelmisch an: „Es ist ja bald 15 Weinachtsabend. Jedes Kind freut sich auf den Tannenbaum."

„Ach," sagte sie und schüttelte seinen Arm. „Was meinst du, werden wir glücklich miteinander sein und es auch bleiben?"

„Kein Zweifel!" sagte er. „Siehst du: wir wissen beide, 20 wen wir heiraten, daß es ein Heiliger nicht ist; und wir haben die Absicht, jeden in seiner Haut und seiner Art zu lassen.

„Wie klug du darüber redest!"

„Nun, ich habe es mit Lena Tarn versucht. Die war ein Eisenkopf. Ich auch. Und es ging fein." 25

Schweigend dachten sie an die Tote.

„Sie war damals wie für mich geschaffen," sagte Jörn Uhl gedankenvoll. „Jung war sie und frisch und immer unverzagt. Eine Gelehrte war sie nicht. Sie hatte keinen Sinn für Bücher. Sie sah nicht einmal in die Zeitung. Sie lachte und sagte: Das Lesen hätte sie in der Schule ein für allemal abgemacht. Ein köstlich, drollig Menschenkind war sie. Ich muß, wenn ich mir ihr Wesen und ihr Treiben wieder vorstelle, an Wietens Märchen denken. Sie war wie aus der Erde heraus gewachsen, wie ein junger, schöner, starker Baum, der mit Wind und Sonne kluge Rede führt, ohne auf der Schulbank gesessen zu haben."

Sie faßte nach seinem Arm und sagte, die Augen am Boden: „Ich bin zuweilen traurig, daß du so verständig mit mir bist. Einmal, vor zwei Jahren, als wir den Kriegskameraden besuchten, warst du anders. Du hast mich doch auch so lieb, wie Lena Tarn?"

Er legte den Arm fest um sie und nahm sie an sich, und sah sie so an, daß sie ihr Gesicht an seiner Schulter verbarg.

„Geh nach Haus," sagte er, „daß du nicht kalt wirst. Ich will noch rasch ins Dorf hinauf gehen."

„Du willst nach Elsbe aussehen. Ach Gott, wenn sie doch käme! Ich gehe mit dir."

Als sie auf die Anhöhe kamen, von wo man die Straße weit hinunter sieht, die von Hamburg über Itzehoe in die Einsamkeit der Heese führt, stand Fiete Krey da — sah auch in die Weite. Sie fanden aber nichts und gingen heim.

* * *

Sie saßen bedrückt beieinander und sagten nicht viel. Wieten strickte an einem Paar Kinderstrümpfen und stellte an jedem Abend weiche, warme Filzpantoffeln hinter den Ofen. Thieß hing den großen, messingnen Bettwärmer an den Haken neben der Tür. Und keiner fragte, für wen diese 5 Dinge bereit gehalten würden.

* * *

Sie warteten, und sie kam nicht. Und sie hatten alle das Gefühl, daß sie unterwegs war. Ihre heimathungrige Seele streckte die Arme aus und griff nach den Seelen derer, welche sie in der Heimat lieb hatte. Ihre Seele ging schon im Hees- 10 hof alle die alten Wege und machte sich denen bemerkbar, die im Hause wohnten. Thieß Thiessen ging heimlicherweise auf den Kornboden, und stand dort lange in der bitteren Kälte, und sah durch die Fenster weithin nach Südosten. Die alte Wieten fuhr auf in der Nacht: „Sie steht im Schnee und 15 kann nicht weiter.“ Jörn Uhl stand in Gedanken und fuhr zusammen, wenn Lisbeth ihn anredete. Fiete Krey war wieder unterwegs und fragte auf der Landstraße nach einer jungen Frau, klein und blaß, mit dickem, dunklem Haar und mit einem kleinen Mädchen an der Hand. Aber er kam vergeblich 20 wieder.

Da mußten sie wohl Weihnachten feiern ohne Freude.

Lösche das Licht deiner Augen, Lisbeth Junker! Strecke die Hand nicht aus nach deiner schönen Braut, Jörn Uhl!

Thieß Thiessen und Fiete Krey, ihr Freunde gemütlicher Rede: Hütet euch, daß ihr nicht lebhaft werdet!

Es kam ein kalter Nebel und zog mit einem trägen Winde dünne, graue Tücher über das ganze Land. Die Sonne stand wie ein weißlich-trüber Fleck, so groß wie ein Haus, am Himmel. Und im Vorbeiziehen ließ der Nebel in jedem Baum und an jeder Hecke, an der er vorüber ging, von seinem losen Gewebe hangen: da lag das ganze Land im Rauhreif.

Da wurde es noch stiller. Die vielen tausend Stimmen, das Leben, Regen und Rufen, das sonst die Luft auch dieser Einsamkeit erfüllt, hielt an sich. Die Vögel hielten sich lautlos in der Nähe der Häuser; die Krähen flogen stumm zu ihrer Nachtherberge. So sehr bangte und verwunderte sich die Natur. Die Menschen, die sonst auf das beständige Rauschen, das durch die ganze Natur geht, nicht achten, verwunderten sich jetzt, da es verstummt war. Wenn zwei zusammen des Weges gingen, standen sie still, sahen sich an, blieben stehen, hoben die Finger und sagten leise: „Hör' doch!"

Die Tannen am Waldrande standen gerade und schlank, vom Scheitel bis zu den Füßen in Silberbrokat, Bräute, bereit zur Hochzeit, und hinter ihnen in fallenden, weißen Schleiern die dichte Schar der Jungfrauen. Halb schön erschien ihnen der Zauber, halb schaurig, und sie sahen jeder erstaunt auf seine Nachbarn, so lange das geringe Tageslicht da war. Als es aber Abend wurde, da wandelte sich die ganze seltsame Herrlichkeit. Da sahen sie einer den anderen im

Totenhemd; das war mit vielen weißen Spitzen kalt und steif besetzt. Da nahm das Grauen überhand.

Das Dorf lag glänzend und neu, als wäre es zu diesem Weihnachtsfest als ein sauberes Spielzeug wie in eine neue Schachtel in dies weiche, weiße Tal gelegt. Als kämen bald Riesen aus dem Walde vom Meere her und setzten sich rund umher auf die Hügel und fingen an, mit den weißen Häusern und den schmucken, weißen Bäumen zu spielen, und setzten die Häuser durcheinander und stellten die Menschen hin und her, und stellten zwei zusammen, und stellten dann Kinder daneben und ließen sie alt werden, und brächten sie nach dem Kirchhof und grüben ein kleines Loch im weißen Schnee. Und dieses Spiel der Riesen dauerte schon tausend Jahre, und die Menschen im Dorf merkten es nicht.

Man glaubt es ja jetzt nicht mehr, weil man es nicht mehr sieht. Man sieht es nicht mehr, weil man es nicht mehr glaubt. Wunderbare Dinge sind aber nicht aus der Welt geschafft, wenn die Menschen die Augen zukneifen und sagen: „Ich sehe nichts," oder die Augen aufreißen und sagen: „Ich sehe alles."

Wunderbare Dinge sind geschehen an diesem Weihnachtsabend, da Gefahr vorhanden war, daß die abgehärmte° Frau des stolzen Harro Heinsen, der in dieser Stunde irgendwo in einer Straße Chicagos betrunken an einer Hauswand lehnte, noch kurz vor der Heimat, am Rande des Heeswaldes, die Heimat verfehlte.

Sie war an der Heimat schon vorbeigefahren, wollte den Heeshof und die darin wohnten, nicht wiedersehen, und hatte oben in Schleswig ein Unterkommen gesucht und hatte dort die letzte Enttäuschung erlebt. Da war der Rest des Lebens-
5 mutes dahin. Sie wanderte mit ihrem Kinde nach Süden zu, kam bei Friedrichstadt[1] über die Eider, wanderte endlose, kahle Chausseen entlang, ging mit dem Kinde an der Hand durch verschneite Dörfer, nicht in der Absicht, die Heimat zu erreichen, sondern getrieben, geschoben, in dumpfen Träumen.
10 Das Bild des Heeshofes und der Menschen, die darin wohnten, stand immer vor ihren müden, halbgeschlossenen Augen: da mußte sie hinter dem Bilde herwandern.

Es kam die Dämmerung, und die Abendnebel zogen in schweren, losen Massen und bauten weiter an dem Wunder
15 der weißen, toten Welt. Einzelne Sterne schossen auf wie im Zorn und durchdrangen den Nebel: da breitete sich kaltes, bläuliches Licht übers Feld.

„Wie weit ist es noch, Mutter?"

„Nicht weit mehr, Kind."

20 „Wollen wir uns hierher setzen? Mir tun die Füße so weh."

„Nein, das geht nicht. Siehst du das Licht? Dahin wollen wir."

„Wohnen da gute Leute?"

25 „Ja ... da wohnen gute Leute ... Ich *kann* nicht. Ich kann nicht zu ihnen gehen. Wo soll ich hin mit dem Kinde?"

Da kam ein Mann vorüber und sagte im Gehen: „Wohin noch, kleine Frau?“

„Ich . . . ich will noch weit.“

Er trat näher heran. „O,“ sagte er, „du bist die Tochter von Grete Thiessen und die Schwester von Jörn Uhl. Die werden sich freuen, daß du kommst: sie haben überall nach dir gesucht.“

Sie sagte nichts. Sie dachte: „Ich komme wohl noch von ihm ab,“ und ging so mit ihm.

„Nun komm,“ sagte der Mann, „hier geht ein Richtweg.“

Sie gingen mühsam und langsam neben ihm her.

„Das Kind ist müde,“ sagte er. „Komm her, Kleine. So! Sei nicht bange; ich will dich tragen. Ei, wird der Jörn Uhl sich freuen! Und Thieß verliert heute abend noch dreimal seine ledernen Pantoffeln. Und die anderen! Denen bringe ich Weihnachten ins Haus.“

Er trug das Kind, wobei er immer schwerer atmete. Am Querweg setzte er es hin und sagte: „Nun hast du keine Viertelstunde mehr. Siehst du? Sie haben Licht auf der Diele und in beiden Stuben.“

Er ging von ihr weg dem Dorfe zu. Sie hatte ihn nicht erkannt, hat ihn auch nachher nicht wieder gesehen, obgleich sie bis auf diesen Tag auf dem Heeshof wohnt. Aber vergessen hat sie ihn nicht. Wenn das kleine, müde Mädchen Kinder haben wird, wird sie diesen ihren Kindern von dem langen, schwächlichen Mann erzählen, der sie getragen hat. So arbeitet und wühlt Gutes und Böses unter, an und in den

Menschen, und kommt wie ein bunter, lauter Volkshaufe vor Gottes Thron und schreit ihn an. Er wird Ordnung in dem Wirrwarr schaffen.

Der Abend war da. Kinder kamen nach alter Gewohnheit vom Dorfe her nach dem Heeshof, und rührten mit Stöcken in aufgeblähten Schweinsblasen, und sangen zu dem eintönigen Geräusch und bekamen Nüsse, Äpfel und Kuchen; und dreimal stieg Thieß Thiessen nach dem Boden hinauf und schnitt von dem Speck ab, der unter dem schrägen Hausdach hing.

Und Lisbeth Junker schickte die anderen hinaus und zündete den Weihnachtsbaum an, den Fiete Krey aus der Heese geholt hatte, und dachte traurig bei sich: „Es ist nur wegen des Kleinen. Wir Großen werden an Elsbe denken und werden uns nicht freuen können."

Als sie aber die neuen Schulbücher für den Kleinen unter den Baum legte, und das Bilderbuch und die ersten Schlittschuhe darunter versteckte, wurde sie ein wenig froh. Und kam in Eifer, und holte die Wäschestücke, die sie für den langen Jörn Uhl genäht hatte; dazu zwei wertvolle Bücher, von der Tante zu diesem Zweck gestiftet.

„Für Thieß die Pfeife! Dazu den Schulatlas zu zwei Mark. Was soll man Thieß Thiessen sonst schenken?"

„Nun habe ich einen einzigen großen und heißen Wunsch: daß Elsbe mit ihrem Kinde unter diesem Tannenbaum stände! Horch! . . . Nein, es ist nichts."

„Nun will ich sie rufen."

Und zuerst kam der Kleine an der Hand seines Vaters. Er war ein ernster, nachdenklicher Junge und blieb auch ruhig, als er den Baum sah. Er stand eine Weile davor, und man sah wohl, daß er sich innerlich freute. Er zeigte es aber nicht weiter, als daß er Lisbeth Junker schelmisch ansah und zu ihr trat und sich an ihre Seite stellte. Dann aber sah er die Bücher und fragte: „Du, wer soll die haben?“ Und legte sich längelang daneben und kramte in seinen Sachen umher, und die Lichter spielten über sein helles Haar.

Fiete Krey fing an, in der Stube hin und her zu gehen und leise vor sich hinzusummen, eine Gewohnheit, welche die Einsamkeit ihn gelehrt hatte. Jörn Uhl stand und starrte den Baum an, und die Lichter, die ihm das schöne Gesicht seiner Braut zeigen sollten, zeigten ihm das Dunkel, das diese Stunde hatte. So standen sie alle da und fühlten: „Wir können nicht Weihnacht feiern. Lösch' den Baum aus, Lisbeth Junker! Das Licht tut uns weh.“

In diesem stillen, peinlichen Augenblicke, da zwei schöne, stolze Augen sich mit Tränen füllten, hörten sie plötzlich alle ein Geräusch draußen, als wenn zwei oder drei Menschen unterm Fenster hin und her gingen. Sie erschraken und standen unbeweglich. Ihre Herzen zitterten hin und her, in großer Furcht, zwischen Hoffnung und Angst vor Unheimlichem.

Da riß sich Jörn Uhl auf, und ging aus der Tür und mit großen Schritten über die Diele, und öffnete mit raschem Griff die Tür.

Da stand da draußen im Schnee, was er gehofft hatte. Und er sagte mit schwerer Zunge: „Bist du es, Elsbe? Bist du es?"

„O, Jörn! ... Bist du es, Jörn? So komme ich wieder!"

5 „Komm herein, Kind, komm herein. So ... Ich nehme das Kind. So ... So, nun komm."

„Ich, Jörn, ich ... was soll ich hier? ..."

„Komm doch. Ja ... Nun komm! ... Lisbeth, komm rasch her! Sie ist müde."

10 Thieß stand in der Stubentür und sagte immer: „Mien lüttje Witte," und streckte die Hand nach ihr aus und konnte nicht von der Stelle.

„O, Thieß! Thieß! Wie oft habe ich gesagt: Du machst alles verkehrt ... O, mein Gott ... Mein Gott, Wieten! 15 Dein Haar ist weiß."

„Hier in den Stuhl, Lisbeth! Wieten, wo sind die Schuhe?"

Sie saß im warmen Stuhl am Ofen und weinte, und Wieten kniete vor ihr und zog ihr die nassen Schuhe aus, 20 Lisbeth öffnete die reifbedeckte Jacke, und Jörn versuchte, dem Kinde den Mantel abzunehmen, und verstand es nicht, und Fiete Krey faßte Thieß Thiessen an und sagte: „Da steht ein Stuhl, Thieß. Setz' dich."

Das Kind sah mit zwinkernden Augen in den Tannen- 25 baum. „Wollen wir hier bleiben, Mutter?"

„Ach Gott," sagte Thieß, „das arme Kind." Er warf die Pantoffeln von den Füßen, und sprang auf und suchte und fand einen Teller mit Kuchen, und füllte des Kindes Hände.

Jörn trat an das Kind heran und sah von dem Kinde auf seine Schwester. Die hob den Kopf und sah ihn an. Da sah er in den ganzen Jammer ihrer und seiner Jugend. Er ballte die Hände und rief mit wilder Gebärde: „Verflucht mein Vater!"

Da sprang Lisbeth auf, warf sich gegen ihn und weinte laut: „Sieh mich an! Sieh mich an!"

„Geh weg von mir!" schrie er. „So eine gute Mutter! Soviel friedliche und reine Tage! Alles verdorben und lachend tot getreten durch den Einen."

Da schmeichelte sie sehr, und drängte ihn zurück und herzte und küßte ihn und bat ihn, sich zu freuen, daß die Schwester wieder da wäre. Und sagte: „Sie meint, du bist ihr böse."

„Ich?" rief er laut, „ihr böse?" Und er lief auf sie zu, der große, harte Mann, und kniete vor der gebrochenen Gestalt seiner kleinen Schwester, streichelte ihre Hände und legte seinen Kopf gegen den ihren und gab ihr alle Spottnamen, die er lange vergessen glaubte, und sagte: „Der Vater hat Schuld, und ich habe Schuld ... Nicht, Wieten? ... Thieß, sag' du es! Ich habe auch Schuld." Dann redete er große Dinge von der Zukunft: „Wie eine Prinzeß sollst du auf dem Hees-hof sitzen, und keiner soll dich anrühren, und die alte Wieten will immer bei dir sein, und Thieß will so lange reden, bis du lachen mußt."

Sie ließ alles über sich ergehen, hatte ihre Hand auf ihres

Bruders Haar gelegt und weinte sich aus. Und allmählich wurde ihr Atem schwer und tief und ihr Weinen stiller und müder. Sie sank zusammen wie ein Mensch, der die schwere Last neben sich auf die Erde stellt und sich ein wenig auf einen 5 Stein am Wege setzt.

Da gingen Wieten und Lisbeth hinaus, die Betten zu bereiten.

Als dann alles besorgt war, die Heimgekehrte und ihr Kind unterm Dach des Heeshofes in schwerem, tiefem Schlafe lagen, 10 da stand Jörn Uhl, noch mit Lisbeth Junker am Fenster. „Du hast es gesehen," sagte er, „verhärtet und vereist ist ein ganzes Stück von meiner Seele."

Sie sagte wieder: „Sieh nicht über mich weg, Jörn! Komm ganz nahe heran und sieh mich an. Du mußt sehen können, 15 daß ich dir helfen kann und helfen will, soweit es noch möglich ist."

Er sah stumm auf sie nieder. Und wie er sie ansah und sie ihr ganzes Gesicht mit klaren Augen ihm hinhielt, wurde ihm, als sähe er in ein lieblich weites Tal hinab, in dem zwischen 20 Grün der Weiden und dem Dunkel schöner Bäume tiefe, stille Seen lagen. Da wurde ihm froher ums Herz. Er sagte: „Ich muß immer zu dir kommen, wenn ich traurig und verfinstert bin."[1]

NOTES

Page 1. — 1. **auf der Uhl,** the name given to the farm which is the home of one of the large farmers whose destiny Frenssen had been observing from childhood. He said that he lived for forty years in the same parish (Mühlendorf) and that his father, who was a carpenter, was very much interested in the family stories of the people and told them to him, so that he knew the family history of each inhabitant for generations back (see Introduction, page ix). In regard to the choice of names Frenssen wrote: „Ich suchte gute Namen; da Grübler, fand ich Uhl einen nicht seltenen Namen. Ihr Gegensatz bekam folgerichtig den Namen der Eulenfeinde: die Krähe = Krey, auch ein häufiger Name."

2. **Marschbauer,** a farmer whose farm is situated in the Marschland. In the foreword to *Die Sandgräfin* Frenssen described the latter as follows: „Die Heimat ist Marschland, fruchtbar wie ein Treibhaus und eben wie eine Schiefertafel."

Page 2. — 1. **Konfirmation,** the religious celebration of the admittance into the church of young people, who are, as a rule, between the ages of fourteen and sixteen. They have already successfully passed an examination based on a course of religious instruction (see page 80, note 2). The young people make their confession of faith and renew the covenant of baptism before the assembled members of the parish, and are then confirmed by the pastor. This service generally takes place on Palm Sunday.

Page 3. — 1. **Heidewald,** the name of an ordinary stretch of forest visible from the window of Die Uhl. The Heesewald, see line 16, is the name of another stretch of forest which lies in the heath close to the house of Thiess Thiessen. In speaking of these forests Frenssen said that in writing *Jörn Uhl* he took the whole landscape and made it *lebendig* and pictured everything in the concrete terms of the region in order to make it vivid.

2. **Uhlen**, a description of die Uhlen is given in the beginning of the third chapter in the original text. The main points are: „Man sah (referring to the children in the school) aber zweitens zwischen den Rot- und Rundköpfen verstreut, nicht so zahlreich wie sie, unter Knaben und Mädchen schmale, hellblonde Gesichter, das Haar so blond wie Roggen kurz vor der Ernte, Gesichter von starken, oft edlen Formen mit ruhigen, stolzen, klaren Augen. Wenn einer von diesen Hellen aus der Bank tritt, zeigt sich eine schmale, sehnige Kindergestalt. Das sind die Uhlen und ihre Sippe." A similar description is ascribed to a pastor who wrote his observations in the Taufbuch some hundred and fifty years before. Among other statements is found: „Von den Uhlen ist nicht viel zu sagen, als daß sie in der Marsch auf breiten Höfen sitzen, Haare haben so falb wie Roggenstroh, was bei den Weibern oft schön aussieht, und lange, starke und hochmütige Leute sind.

Page 5. — 1. **Ein Krey**; in the Taufbuch is found a rather long description of the children of die Kreien. The main points are: In diesem still-schrägen Dämmerschein sah man unter den Kindern verstreut viele runde, rote Köpfe, so brandrot das Haar, mit so starken roten Sommersprossen, daß sie Licht ausstrahlten. Und heller noch wirkt das Leuchten, und bunter noch wird der Schein, wenn sie die klugen und flinken Augen, unstet oft und verschlagen, hin und her spielen lassen, wie junge Katzen in der Sonne springen. Das sind die Kreien und ihre Anverwandten. Da nämlich das Land, auf dem sie wohnen, also leicht und sandig ist, daß ihnen in trockener Zeit zuweilen der ganze Garten gleich wehendem Schnee gegen die Hausmauer fliegt, und sie also davon keine Nahrung gewinnen können, und weil sie zu ständigem Tagelöhnern nicht viel Gelegenheit und noch weniger Stetigkeit haben, so wandern sie als Handelsleute in die Umgegend.

Page 6. — 1. **Wentorfer Kreien**; throughout the story reference is made to the Kinder von Wentorf. Of it Frenssen wrote: „Wentorf ist ein angenommener Name. Ich habe dabei meistens an mein Geburtsdorf Barlt gedacht, das in der Nähe liegt; es hat 500 Einwohner."

2. **den Unterirdischen**, „kleine, dunkle Leute, die vielleicht vorher im Lande gewohnt haben." A mythical people, possibly historical, whose spirits still haunt the hills and woods.

3. **Theodor Storm** was born on the 14th of September, 1817, in Husum, about which he wrote the well-known poem, *Du graue Stadt am Meer*, and also the charming story, *In St. Jürgen*, 1867. He created such gems of the short story as, *In St. Jürgen* (1867), *Aquis submersus* (1875-76), *Ein stiller Musikant* (1874-75), and *Pole Poppenspäler* (1873-74). His last work, *Der Schimmelreiter*, which is now considered by some to be his masterpiece, appeared in 1887. Storm never finished the book referred to on page 23, line 17. The material collected was turned over to Müllenhof (see page 23, note 1, and page 84, note 1). The expressed desire to become a Landvogt (see page 25, line 7) was more than fulfilled, since he retired as Oberamtsgerichtsrat (chief counsellor).

Page 7. — 1. **Lateinschule** = Gymnasium (see page 44, note 1).

Page 8. — 1. **Landvogt** = 'Kirchspielvogt', jetzt 'Amtsvorsteher': Dorfamt in Amerika unbekannt, hat: Wegeaufsicht, Feuerwehr, Unkraut, Feuerverhütung, tramps, Personenregister, Schulgebäude. Es ist Ehrenamt. Sein Untergebener ist der Kirchspielschreiber und Vorgesetzter ist der Landrat, der vornehmererste königliche Beamte der ganzen Landschaft."

Page 9. — 1. **Latein**, see page 72, note 1.

2. **das Landschaftliche Haus**, „Das angesehendste Wirtshaus, wo die Abgeordneten der Landschaft einkehren. Die Verwaltungen bei uns sind: Staat, Provinz, Kreis (holsteinischer Provinzialausdruck: Landschaft), Gemeinde (früher Kirchspiel). Mein Heimatskreis (Landschaft), Süderdithmarschen, hat die normale Größe von etwa 50,000 Einwohnern in ca. 20 Gemeinden (Kirchspielen). Der Begriff Kirchspiel konnte bei uns soviel bedeuten wie Gemeinde, weil die Kirche in unserm Lande von Haus aus immer Staats- und Volkskirche war."

3. **Landrat**, see page 8, note 1.

4. **der Uhlen**, the family pride of die Uhlen, referred to in page 4, note 1, is still very strong in Klaus Uhl, notwithstanding the

fact that his wild life is undermining the very foundations of his family.

Page 12. — 1. **Heese,** see page 3, note 1.

Page 15. — 1. **hochdeutsch,** *high German,* has reference here to the written language used in the documents of the church. Hochdeutsch is sometimes popularly used when speaking of the language taught in the school.

2. **plattdeutsch,** *Low German,* the dialects spoken in the north-eastern parts of Germany, including Schleswig-Holstein.

Page 16. — 1. **Weltanschauung,** see Introduction, page vi.

Page 17. — 1. **Ringelshörn,** a small hill just above Westdorf, not far from Die Uhl.

2. **So, nun man zu,** *well, let us start;* the use of **man** in such idioms, denoting command, occurs frequently throughout the story.

Page 18. — 1. **Mien lüttje Witte,** meine kleine weißhaarige Deern; **mien lüttje Popp,** meine kleine Puppe.

Page 20. — 1. **Er ist immer guter Dinge,** *he is always in good spirits.* This characteristic of Fiete plays an important part in the early life of the children of die Uhl, otherwise they would not have enjoyed childhood's days.

Page 21. — 1. **Na, denn man los,** *well then begin;* see page 17, note 2.

2. **Schenefeld,** a small city in Schleswig-Holstein. For the early history of Wieten Penn, see page 172, note 3.

3. Here follows in the original the well-known story of the farmer and the devil.

4. **Wodansberg** is situated just north of der Heesewald (see page 3, note 1). It was one of the main places of the worship of Odin. *In Die drei Getreuen,* page 56, Frenssen describes the Wodanshügel as follows:

„Da ist der Wodanshügel. Er wächst vor dem Wald auf, nicht hoch, zwanzig Fuß, und kreisrund. Die kleinen, kurzbeinigen Geister des Waldes hatten ihn aufgebaut, von der Höhe Umschau zu halten über die Heide, und weiter übers Meer und weiter, so weit ein Waldgeist sehen kann. Sie haben auch die Birken darauf gepflanzt, klettern darauf, sitzen und lugen, ob Wolken überm Meer aufsteigen und hartes Wetter anzeigen. Dann laufen sie weinend und stöhnend den Wald entlang die lange Linie, und melden, was kommt: „Fest die Wurzel! Biegsam den Stamm! Stolz die Krone!" Brausend, heulend kommt der erste Stoß; unter die knorrige Wurzel fliegt jammernd der Waldgeist."

The children of the heath and of the marsh were irresistibly attracted to the Wodansberg, and often the scenes of the stories of old awakened in them the fundamental impulses of human nature.

Page 22. — 1. **Tunkmoor,** the name of a moor not far from the Wodansberg.

2. **Baalermoor,** „Baale ist, wie alle die anderen Ortschaften, die in Jörn Uhl vorkommen, ein wirkliches Dorf in meiner Heimat. Nicht weit von ihm, im Moor, liegt eine Reihe einsamer Häuser, die Baalermoor heißen. Ich habe den ganzen Jörn Uhl eben mit solcher Intuition geschrieben, daß mir, als ich schrieb, alles wirklich war." **Wilstermarsch** is the name of the country just below the *Nord-Ost See-Kanal.* — **Dithmarschen** refers to the country situated along the North Sea.

Page 23. — 1. **Müllenhof;** Karl Victor Müllenhof, the well-known germanist, was born on the 8th of September, 1818, at Marne, and died at Berlin on the 19th of February, 1884, where he had been Professor of the German Language and Literature since 1858. Concerning his valuable contributions, it is perhaps only necessary to mention the fact that he, instead of wasting God's precious time, as Wieten Penn thought, afterwards published the results of his studies of the stories current among the people in a collection entitled: *Sagen, Märchen und Lieder der Herzogtümer Schleswig, Holstein und Lauenburg* (1849). Frenssen says: „allem Märchenhaften in ‚J. Uhl' liegt meistens zu Grunde: ‚Sagen und Märchen' von Karl Müllenhof, Freund von Th. Storm" (see page 6, note 3). This book, however, is not always the source, since Frenssen tells them from popular versions which he has heard among the people. This fact accounts for the difference in the versions of *Jörn Uhl* and Müllenhof's book. It has been stated that Frenssen had changed these stories to suit his purpose, or had written stories in the style of the folk-stories. These statements are evidently incorrect.

2. **Hohner Fähre,** „ein uralter Übergang über den kleinen Fluß Eider."

Page 24. — 1. **Da grimmelt und wimmelt es ... von ...**, *it was literally swarming with ....*

2. **die Eider** has its source in a small lake situated a few miles South of Kiel and wends its way towards the North Sea, forming, in part, the boundary line between Schleswig and Holstein. It flows past Rendsburg and Friedrichstadt and empties into the North Sea at Tönning. The Eider has played an important part in the history of these provinces ever since the days of Charles the Great, 811.

Page 25. — 1. **Goldsoot** is a spring famous throughout the entire Marsch (see Appendix I). It was a trysting place of the children of Wentorf. Here, under the influence of the stories of old, and of the subtle powers of nature, they listened, and not always too wisely, to the teachings of nature. Elsbe Uhl was one of the unfortunates who paid dearly for the will to love and to live (see page 77, line 15ff., and page 124, note 1).

Page 26. — 1. **Geest,** the name given to the highlands just back of the marshes. The Geest is partly covered with heath, and in places by woods. Near the marshes it is cultivated, but the soil, consisting largely of sand, gravel, and clay, is not very fertile.

Page 27. — 1. **Hooper Tannen,** the name of a small woods of fir trees.

Page 28. — 1. The omitted pages contain the observations of teacher Peters and of the pastor, the main points of which have already been given in page 3, note 2, and page 5, note 1.

Page 29. — 1. **kein Mehl im Kad;** this touch is to bring out the dire poverty which is found in this fertile region, the cause of which is too often hard drinking, which makes the poor poorer and is undermining the stalwart farmer families. Frenssen said, in speaking of *Jörn Uhl*, that he had no idea that the book would go outside of his parish when he wrote it, otherwise he would have made it much clearer and have avoided local names. He states further that his main purpose in writing it was to attack the „Saufen" in the parish. Frenssen places Trinker und schlechte Pflüger in the class of undesirables (see page 109).

Page 31. — 1. **das jährliche Kinderfest;** the reason that the Kinderfest is more important than Weihnachten, to the children of Wentorf, is on account of its public nature. It is a school festival, while Weihnachten is more of a home celebration.

Page 32. — 1. **Vogelschießen,** a favorite sport at the Markttag. An imitation bird, usually an eagle, is placed on a high pole to be used as a target. The successful shot is called the Königsschuß. The fortunate marksman is the König of the festival. He then dances at the head of the line with his beloved. This dance is called the Königstanz.

Page 34. — 1. **konfirmiert,** see page 2, note 1.

Page 38. — 1. **sipp;** Lisbeth never forgot the sting of this word (see page 253, note 1).

2. The original contains a pretty description of the children, as they wander along the way through the forest. The meeting with Thiess Thiessen is described. He tells them of his early ambition, which was stifled by an inclination to sleep, and of his struggles with the studies which he was compelled to pursue. He also confided in them his great dream of seeing the world, which was frustrated by a strict father to whom mere work seemed to be the greatest virtue. Thiess made the trips, however, by pouring over an atlas and various books of travel. But all this hardly increased his desire to work, as is noticeable in his attitude toward life.

Page 39. — 1. **immer allein;** the lonesome life which Thiess lead caused him to live in the past, especially after the death of his sister.

2. **Das Beste in der Welt ist die Liebe;** about the time of the appearance of *Jörn Uhl* this sentence was on the lips of peoples

of all nations. It was the product of the religious revival which hearkened back to the teachings of Christ on this subject. Compare, for example, Henry Drummond's well-known book, *The Greatest Thing in the World.*

Page 40. — 1. Thiess believes literally the statement in *Genesis*, iii, 19.

Page 41. — 1. **Pesander-Inseln,** islands in the South Seas.

2. **Surunci,** just off the western part of New Guinea.

3. **Molukkenmeer,** one of the seas between the South Sea islands.

4. **Itzehoer Nachrichten;** the city of Itzehoe, consisting of about 19,000 inhabitants, is situated a few miles southeast of the *Jörn Uhl* district. In the year 1910, the city celebrated the 1000th anniversary, it having been established by Charles the Great in the year 910. The "Itzehoer Nachrichten" has been the 'Landesblatt' of Schleswig-Holstein for a century. It has been quoted by several generations as the reliable source of information about the news of Germany and of the world. The paper uses this fact in its advertising: „Die „Itzehoer Nachrichten" sind über die ganze Provinz verbreitet, berichten über alle Vorkommnisse im In- und Ausland schnell und zuverläßig . . . ."

Page 43. — 1. In the original, Thiess leads the children to his bedroom in order to show them a trip which he had made. He had followed Livingston through Africa. They then went down to examine a boat of his own make. Later they bade Thiess farewell and hastened in silence over the heath towards Ringelshorn. Jörn was pondering over the discussion about work.

Page 44. — 1. **Gymnasium,** the classical preparatory school for the University. The pupils enter the *gymnasium* when they are nine or ten years of age and remain nine years. The classes, beginning with the first class, are called *Sexta, Quinta, Quarta, Untertertia, Obertertia, Untersekunda, Obersekunda, Unterprima,* and *Oberprima.* Latin is studied throughout the course and Greek is begun in *Untertertia.* In the classics, the young *Primaner* are fully prepared to enter our graduate courses. This strict classical course had many disadvantages (see page 72, note 1).

2. Frenssen explains this opinion of the teachers as follows: „Lehrer Peters hatte lateinlose Seminarbildung empfangen, und wußte vom humanistischen Bildungsgang nichts, und war wohl zu großartig, sich darnach zu erkundigen."

Page 45. — 1. **Liebe zu den Büchern.** This *motif* should be traced throughout the book, as it gives an insight into the character of the young lad. The only reason for mentioning such a self-evident *motif* is that most people are prone to disregard it, not only in *Jörn Uhl*, but also in the lives of many young people.

Page 46. — 1. **Heintüüt;** „Schmeichelname für ein zierliches Mädchen; kommt vielleicht her von „Tüüt" = Regentüüt = Bachstelze."

Page 47. — 1. . . . **wachhielt und stärkte;** the influence of this association, which awakened and strengthened everything that was good and fine in him, helped to make it impossible for Jörn to give up the fight for the good (see page 97, line 26).

Page 48. — 1. and 2. **ein wenig simpel ehrbar und ein wenig derb fruchtbar:** Frenssen explains this passage as follows: „Die Marschlandschaft hat mit ihren graden Wassergräben (see page 52, note 1), graden eingeteilten Feldern, und ihrem ganz ebenen Gelände etwas ehrbares und philiströses (Gegenteil: ‚bunt', ‚romantisch') und ist sehr fruchtbar."

3. **Landrat,** see page 8, note 1.

Page 49. — 1. **Narr vor Hochmut;** arrogance is one of the characteristics of the old farmer families of this northern country. Frenssen uses the *motif* of Hochmut in *Klaus Hinrich Baas.* On page 574, it is explained: „Aber einen Fehler hat es: es ist hochmütig. So wie andere Gicht und Schwerhörigkeit erben, so habe ich Hochmut geerbt. Es ist von meiner Kindheit an immer in mir emporgeschillert wie ein bunter Schlangenkopf! Ich habe es nicht gesehen, ich habe es nicht beachtet; obgleich meine gute Mutter schon mit der Feuerzange danach schlug, als ich ein Kind war. Aber nun ist es völlig entdeckt! Die Schlange — habe ich gehört — hat einen Menschen gefressen und hätte vorgestern bald mein Liebstes verschlungen. Nun aber ist es aus mit ihr. Das schöne protzige Ding erdroßle ich hier ... hier auf dieser holsteinischer Landstraße!"

2. **wenn die Besitzer so leben**; for the results of this wild life see page 121, note 1.

Page 51. — 1. **Ultimospielen**; *Ultimo gambling* is similar to playing the markets. The term Ultimo comes from the fact that, according to the German law, the day when a note is due may be placed at the end of the month.

2. **Sparkassensitzung**, a meeting of the directors of the savings fund. The municipality conducted the 'savings bank'.

3. **Papiere** evidently has reference to certain promissory notes.

4. **zur Natur**; the ennobling example of nature is an ever recurring *motif* in Frenssen's writings. He considers a natural life to be next to a godly life. A good example of this conception is found in *Hilligenlei*, page 432: „Menschenkinder, was lauft ihr so unruhig und so rasch? Was macht ihr für sorgenvolle Gesichter? Was sind eure Kinder so blaß und ernst, warum gehen sie nicht hin und spielen im Wald? Warum müht sich eure Jugend und hat keine Blumen im Haar? Was wohnen so viele von euch in schrecklich dunklen Höfen? Was habt ihr für große Gefängnisse und Irrenhäuser? Was ist euch? Seid ihr verrückt? Wißt ihr denn nicht, daß die ganze Welt rund um Hamburg heilig und selig ist? Seht doch um euch, macht doch die Augen auf! Seht ihr nicht: Rund um euch ... Alles heiliges Land? ..."

Page 52.— 1. **Klüverstaken**, a long pole used for vaulting over the ditches which drain the soil of the Marschland. The people carry these poles when crossing the fields. The fields are all cut up like oblong cakes with shallow ditches, mostly dry, but which form a quick exit for water during the rainy season.

Page 53. — 1. **Revision und Gericht**, *auditing* (of the books) and the *trial* (of the offending officials).

2. **Kirchspielvögte**, see page 8, note 1.

Page 55. — 1. **„Was du ererbt von deinen Vätern hast: erwirb es, um es zu besitzen"**; a fundamental note in Goethe's view of life, found in *Faust* I, line 680:

Was du ererbt von deinen Vätern hast,
Erwirb es, um es zu besitzen.
Was man nicht nützt ist eine schwere Last;
Nur was der Augenblick erschafft das kann er nützen.

Page 58. — 1. **die lüttje Witte**, see page 18, note 1.

2. **Allerheiligen**, *All Saints' Day*, the first of November.

Page 60. — 1. **Geestmann**, a man whose farm is situated on the Geest (see page 26, note 1). The object of having a Geestmann own the mortgage is to bring out by contrast the results, on the one side, of the wild life of an Uhl, and on the other, of the industrious and saving life of a Geestmann.

Page 62. — 1. **Bauernlade**; the object of bringing in the silent witness of the destiny of this family is to have a visible connecting link between the successful past and the disastrous present. The wood carving gives an insight into the religious tendencies of former generations, and also indicates that the lesson of the prodigal son (*Luke* xv, 11ff.) has not been of great value to the Uhlen, perchance because the return was made too easy.

2. *Proverbs*, x, 22.

3. **Klawes Uhl**, 1624; this date shows the continuous existence of the family for nearly three centuries, a fact which explains the Hochmut of Klaus Uhl (see page 49, note 1). Some of these Bauern families are even older than the Uhl family.

Page 64. — 1. **Kommt Zeit, kommt Rat**, *time will tell.*

2. **in den Büchern**, see page 23, note 1, and page 100, note 2.

Page 66. — 1. **Markttag**; the Markttag occurs four times a year. It takes the form of a small fair, except that no prizes are given. It is an important event in the life of the young children of the Bauern. The first dance at a Markttag is looked upon as a sort of a 'coming out' event.

Page 70. — 1. **Windbergerau**, the name of a small creek.

Page 72. — 1. **Latein**; in the Gymnasium (see page 44, note 2), the boys begin to study Latin in the *sexta*. One of the proposals of leading educators, as Professor Wilhelm Rein of the University of Jena, is to have the entire system reorganized, so as to have six years in the public schools, and six years in the gymnasium. The study of Latin would then be begun in the class corresponding to the seventh grade of the American schools.

Page 75. — 1. **Bilder**; the life of Wieten Penn (see page 171, note 3) had prepared her to see only the dark pictures of the annals of erring, and therefore of suffering humanity. This explains the fact that she remembered so well the unzuverlässige Geschichten (page 219, line 10) and that she lost interest in the sun, in the moon, and in the stars.

Page 76. — 1. **Amerika.** This does not have reference to any particular Kreien, but to the hundreds who went to America in the hope of obtaining a farm. In many cases their hopes have been realized, and in many cases they would have fared better to have remained laborers on the farms of Schleswig-Holstein. Throughout America, especially in the Middle West, the Kreien of various parts of Germany, who came to America in the middle of the nineteenth century, are the Uhlen of the twentieth century. Their children's children are already repeating the history of the downfall of the Uhlen. The study of the conditions in these districts will give an excellent preparation for the understanding of the modern German writers who have treated the complicated annals of the fall of the Uhlen and of the rise of the Kreien (see Appendix II).

2. **Schinderhannes**; *miserable hound.*

Page 77. — 1. **daß ich wiederkomme**; Fiete Krey returns in time to take part in the battle of Gravelotte (see page 145).

Page 80. — 1. **keine Neigung mehr**; this feeling seems to be rather sudden, since Jörn knows little about the Lehrplan.

2. **Der Konfirmandenunterricht**, the instruction given to the children just before confirmation. It consists generally in drill on the catechism. Songs which emphasize the articles of faith are learned, and certain verses of the Bible are committed to memory. The pastor, in America quite often the teacher of the parish school, explains the catechism to the children. The spirit of the instruction has served as a problem for several modern writers. Sudermann, in his *Frau Sorge*, devotes an entire chapter to the Konfirmandenunterricht.

3. **die alte Kirchenlehre**; the teachings of the State Church of Schleswig-Holstein, which is *Evangelisch-Lutherisch*, is found in the *Katechismus* which was revised in 1835. Compare the *Katechismus* used in the Lutheran churches in America, which are alike in nearly every respect, but one must remember that Frenssen's *Heimatskirche* does not believe in the Gnadenwahl (Prädestination).

4. **Gnade**; „Jörn Uhl fand die Predigt nur zu lax, zu weichlich. Der Pastor sah nicht die vielen feinen Sünden (Faulheit, Trunksucht, Verschwendung, Prahlerei, unordentliche Wirtschaft), und war mit der Gnade und Vergebung zu rasch bei der Hand."

Page 81. — 1. **Recht**; Jörn had observed the conditions described on page 49ff.

2. **ein stattliches Altenteil**; „Altenteil (plattdeutsch, Ohlendeel) ist das kleine Wohnhaus, das bei manchem Bauernhof liegt als Wohnung für die Eltern, nachdem sie den Hof an den Sohn gegeben hatten. Es ist der Alten Teil."

Page 82. — 1. **Evangelium**; the boy needed and was prepared for an evangel which could give him immediate and practical direction for his work.

2. ‚**frohe Botschaft**'; the simple teachings of an industrious life appealed to Jörn Uhl more than the 'good tidings' which were proclaimed in the sermons of the pastor. He, without knowing it, was receiving a preparation for the understanding of the writings of Matthew and of Mark.

Page 84. — 1. Several pages are omitted. They contain an account of the past of Jasper Krey. We also see Fiete Krey in a bookstore in Hamburg. He is curious to find out whether Storm had finished the book Wieten had told about (see page 23, line 17). He learns that Storm has written *Novellen*. However, the young lad had not heard of these *Novellen*. About this fact, Frenssen wrote: „Das einfache Volk, die Masse, kennt in der Tat Storm's Novellen nicht. Sie sind zu zart und fein." Frenssen seems to have forgotten for the moment that the best works of Storm appeared after the time of this chapter. Furthermore, the episode gives the poet an opportunity of emphasizing a teaching he had in mind, namely, „Von Büchern wird man nicht klug, sondern von dem, was man erlebt." He also hints at the uncertainty of attaining success in America in the statement: „Von Amerika habe ich Gutes und Schlechtes gehört. Niemals das Mittlere" (see page 76, note 1).

Page 85. — 1. **eine städtische Schule,** a kind of a high school for girls.

2. **Natur;** the writer foretells the future of Jörn Uhl and Lisbeth as is described in the last chapters of the story (see page 260, note 1).

Page 88. — 1. An interesting account of the life of the Sanddeern, which motivates her conduct, is omitted.

Page 90. — 1. **Jungeleuteball,** one of the social events which play an important part in the life of the young people. Frenssen looks upon these free and easy dances with some misgivings, for he knows the subtle influence of such events upon the susceptible characters of the young people.

Page 97. — 1. ... **verdorben und vermalt;** Frenssen labored for years to bring before his hearers a more natural conception of the portrait of Christ (see Introduction, page v).

2. **einen regen Geist,** *an alert mind.* Frenssen desires to bring out the contrast between one who is contented with the mere believing in the doctrines of faith and one who will hunt for an ideal.

3. **nicht glauben;** the teaching of faith in one's own life by the Sanddeern in a quiet but decided way awakened and strengthened the strong in Jörn, as formerly the association of Lisbeth in Junker had awakened and strengthened the good and fine in him (see page 47, line 3).

Page 100. — 1. **inwendig,** see page 122, line 5ff.

2. **nach seinem eigenen Geschmack;** in the original Frenssen has inserted some of his thoughts about education. The keynote of his conception of education is that the youth shall receive an education along the lines of their capabilities and shall not be compelled to follow a vocation for which they have no love and but little aptitude.

Page 101. — 1. **Klaus Harms**, 1780-1850; „Pastor, aus meiner Heimat, Bekämpfer des Rationalismus".

2. **Littrow**; Joseph Johann Littrow was born in 1781 and died in 1840. In 1819 he was appointed director of the Vienna Observatory. — **Die Wunder des Himmels**, his best known book, appeared in several editions. It was re-edited by E. Weiss in 1882–1885. The people were much interested in the wonders of the heavens, but their attention was thereby diverted from observing the wonders of the earth.

Page 102. — 1. **die großen Wunder**; as no one had understood how to make religion a real thing to Jörn Uhl, likewise no one had understood how to make the wonders of nature real to him. This is a part of Frenssen's conception of the ennobling influence of nature (see page 51, note 4).

2. **Knecht**; having resolved to renounce the world, and therefore his ambition to become a Landvogt, he decided to remain a mere servant in the house of the Uhlen.

Page 103. — 1. **städtische Sparkasse**, see page 51, note 2.

2. . . . **predigte**; the pastor emphasized the particular articles of faith he desired to inculcate in the minds of his hearers, and his sermon did not always correspond to the contents of the prescribed passage of scripture, which he read without noticing the difference. To Jörn Uhl the passage of scripture read seemed more adapted to the needs of the village than the teachings of the pastor. Two paragraphs stating the general content of these sermons on faith and Jörn's thoughts about them have been omitted, inasmuch as they are indicated in the following pages.

3. **große, starke Gedanken**; Jörn's life had prepared him to hear the essential teachings of humanity which permeate the New Testament and certain parts of the Old Testament.

Page 104. — 1. **Matthäus oder Markus**; later on in life, Jörn Uhl began to read these books with some understanding (see page 172, line 29, and page 219, line 25). Frenssen thinks that the young people should have the opportunity of learning the great example of the life of Christ. He prepared for this purpose a *Volksausgabe* of the life of Christ. It is also included in *Hillegenlei*, page 484. He thinks that many will read this life of Christ as Heinke Boje did, and with the same results: „Aber dann liefen ihre Gedanken zu dem, von dem sie eben gelesen hatte, zu dem holden, starken Menschen und zu seinem Glauben. Und an seinem Glauben rankte sich der ihre empor. Und sie glaubte und betete, wie er geglaubt und gebetet hatte."

2. **gegen die Dänen**, 1848-1851.

Page 105. — 1. **die ersten Leute**, *the men of influence.* Frenssen, in all his writings, does not hesitate to hold the men in control, the "pillars of society" responsible for the conditions in the village, or in the Kamp, which is a group of houses, buildings, etc., not as large as a village. Frenssen's attacks upon the men in control have aroused much criticism, but at the same time have accomplished much good. In Russia these attacks were taken seriously. The translator of *Jörn Uhl* was imprisoned; "Frenssen was so affected in telling of it that tears came to his eyes as he said, ‚Armer Mensch'!"

2. **Mien Bülle** = Bullenkalb.

Page 106. — 1. **Glauben**, see page 80, note 3.

2. **die sogenannten guten Werke**; from the appearance of Luther's famous sermon *Von guten Werken*, June, 1520, up to the present day, the question of gute Werke has been the source of much earnest and, at times, of much bitter controversy among the German people. Many good people look upon the propaganda for moral instruction, without the underlying foundation of faith, with decided disfavor. Some even hold that it is decidedly immoral.

Page 107. — 1. **die Stillen im Lande** is used by modern writers to denote those who are quietly reflecting about the fundamental problems of life and about the social conditions which are preventing the betterment of humanity. The number of „die Stillen im Lande" in Germany is very large. They are the readers of the works of Frenssen and of other writers, both German and foreign, who are treating „schlichtes, tiefes Leben". The government of Germany is endeavoring to induce die Stillen im Lande to work for the preservation of the older ideals of German culture and nationality. The best book in this line is *Des Deutschen Vaterland*, edited by Hermann Müller-Bohn, the editor of "*Volksabende*", with the collaboration of over a score of the best writers and journalists of Germany.

Page 111. — 1. **Sein äußeres Leben**; compare with his inner life (see pages 100 and 122).

Page 113. — 1. **wenn er sich jetzt freiwillig zu den Soldaten meldete**; Major v. Rabenau, in his book entitled *Die deutsche Land- und Seemacht*, writes as follows about this point: Every young man under obligation to serve in the army, whether in the first, second, or third year of military duty, may apply as a volunteer. With this application he gives up the advantages of drawing by lot, and may be enlisted at once. This application does not give the volunteer the right to choose arms or regiments, but his wishes are considered as much as possible."

Page 114. — 1. **Herr Kirchspielvogt**, spoken with polite sarcasm to emphasize the fact that the Kirchspielvogt should judge men and not the respected clan of the Uhlen.

2. **zwei Feldzüge**, the campaigns of '64 and '66 (see page 134, note 2, and page 137, note 1).

3. **Rendsburg**, a little city of which Frenssen is very fond, situated on the Eider just east of Kiel. „Nicht weit davon ist der Exerzierplatz für die dort garnisonierende Artillerie." — **Loher Heide**, see page 129, note 1.

4. **„vierkantigen Holsteinern"**; generations of hard labor had made the children of this country strong, hardy, and awkward. Frenssen speaks of „die kalte Steifheit der Bewohner."

Page 115. — 1. The experience of Jörn with his comrades, showing his attempts to elevate the moral tone of the company, have been omitted, likewise an account of his association with a family in the city where he served.

Page 117. — 1. **bei den Ulanen in Moabit**; the Ulanen is the name of the cavalry regiments which are between the light and heavy cavalry. Lances with small flags of the different states are carried. Moabit is the name of a section of Berlin in the northern part of the city. Large garrisons are located here.

Page 118. — 1. **daß er dieser Lage nicht gewachsen war,** *that he was not equal to the situation;* his experiences, although they had given him much worldly wisdom, had not developed independence and courage.

Page 119. — 1. **hatte der Mann in ihm die Stunde seiner Geburt;** the realization of the great danger confronting his sister stirred all the latent forces which had been so long suppressed. His Selbstbewußtsein was thoroughly aroused, and thereby his courage. Frenssen's treatment of Selbstbewußtsein and Mut differs radically from that of Sudermann in *Frau Sorge.*

Page 120. — 1. **daß ich hier versauern will,** *that I intend to waste my life here.* Elsbe realizes that she must rue her action all her days; but she, like her mother (see page 39, line 25), must pay a heavy price for possessing the will to love.

Page 121. — 1. **im Schlafe lag;** a letter to Thiess Thiessen, which contains the facts of the case and a request for him to take care of Elsbe during this important period of her life, is omitted; likewise several pages treating the downfall of Klaus Uhl and of other families of the community. The fears of the Landrat (see page 84ff.), have been realized. The wild life of die Uhlen has brought sorrow into the lives of their wives and children. A heavy anxiety has grasped the minds of many, as though some superhuman and terrible power were stalking along the streets and roads, touching men and unhinging their minds.

Page 122. — 1. **im Innersten seiner Seele,** see page 100, note 1.
2. **der ihm die Wege wies;** it was necessary for Jörn to find his own way; and, although it cost him many years of his life to wander along the bypaths and to stray into the Sandwege, yet he always could see the right road in the distance (see page 276, note 1).

Page 123. — 1. **Mare nubium,** one of the seas of the moon.

For a good diagram of the moon see *The Encyclopaedia Britannica.*

2. **Mare nektar,** *Mare nektaris* (see above note). The study of the wonders of the moon aroused Jörn Uhl's latent thoughts. He recalled what he had read in Littrow's *Wunder des Himmels* (see a similar beautiful scene with Lena Tarn, page 189ff.).

3. **Meldorfer Markt**; Meldorf, where the original Jörn Uhl still lives, is a sleepy little village of about four thousand inhabitants just north of the locality of die Uhl. It is the place referred to as the one where Storm heard and told the folk-lore tales (see page 23). Frenssen attended the gymnasium at Meldorf before he went to Husum.

Page 124. — 1. The omitted pages contain the information that Elsbe is to come to the Goldsoot (see page 25, note 1) with Harro Heinsen, the story of the young people whose experience at the Goldsoot prepares for the experience of Elsbe Uhl, and the meeting of Elsbe with Harro Heinsen, which resulted in her decision to go to Hamburg and then to America with the young man whose entire life had unfitted him for work. The daughter of the Marschbauer paid dearly for the sins of the Uhlen, when she, by the Goldsoot, gave her life to Harro Heinsen (see page 120, note 1).

2. **Gerücht von Völkerunruhe und Krieg**; Frenssen personifies, as is his custom, the rumors of the impending war.

Page 125. — 1. **Die Volksseele**; Frenssen understands the latent power of die Volksseele which had hopes for the fulfillment of its long cherished dream of final reparation for the wrongs it had suffered from internal dissensions and from the hands of the nation across the Rhine, especially under Napoleon in 1805-1806. The hope which had lived for generations, the hope of a united Germany, seemed about to be realized. Frenssen wrote about the Klagen und Prozesse as follows: „Die Klagen und Prozesse waren die kriegerischen Einfälle und nationalen Beleidigungen, die Frankreich uns immer angetan hatte. Der Ausspruch Bismarcks — Frankreich hat uns in den letzten 200 Jahren dreißigmal den Krieg erklärt."

2. **Der einzelne Mensch**; during the war, and afterwards in the struggle of the reconstruction period and in the subsequent rise

of modern commercial and industrial Germany, little heed was paid to the needs of ‚der einzelne Mensch'. The church, the government, and even the Social-Democratic party, were more interested in the Volk than they were in the einzelnen Menschen. Frenssen is primarily interested in the individual, and he studied the war, and especially the great battle of Gravelotte, with the definite purpose of observing the direful influence of war upon the individual children of Wenttorf. The chapter on the battle of Gravelotte, which is "not surpassed anywhere in literature for the immediacy and vividness of its impressions," is the result of Frenssen's penetrating observations of the hard struggles and intense sufferings of the single soldier. The following statement by Gustav Frenssen will explain the reason for this fact: „Ich habe mir bei Taufen und Hochzeiten immer gern erzählen lassen, auch von Veteranen. Als ich Jörn Uhls Erlebnisse bei Gravelotte schildern wollte, ging ich zu einigen, die dabei gewesen waren, und fragte sie genau aus. Diese Leute waren einfache Soldaten, Offiziere waren nicht darunter. Der General (Manstein) ist durchaus historisch, ebenfalls, glaube ich, Jagemann; die andern Namen sind verändert z. B. Gleiser, doch ist seine Persönlichkeit nach der Wirklichkeit geschildert; ebenso vielleicht Leutnant Hax. Die Regimenter sind mit richtigen Namen und Nummern angeführt. Die ganze Schilderung ist tatsächlich wahr."

3. **Freiwilliger,** *volunteer*. The law at present permits the voluntary enlistment in the active service between the completed 17th and 20th year (see page 113, note 1).

Page 126. — 1. **Papiere,** der Gestellungsbefehl zur Fahne zu kommen. Der Inhalt ist: „Ihr sollt morgen früh in Rendsburg sein usw."

2. **mobil gemacht;** Major v. Rabenau defines Mobilmachung as follows: „Der Übergang des Heeres aus dem Friedens- in den Kriegszustand wird Mobilmachung genannt." It is the single, fatal, and significant word of the despatch to be sent out by the Department of War on order of the Emperor, in case of impending war. The Mobilmachungsordre of the North German Confederation was signed on the night of the fifteenth of July, 1870.

Page 127. — 1. **Es ist ein böser Strich durch meine Rechnung,** i.e. a bitter disappointment for me. Jörn was just beginning to get the Uhl in some sort of order. The war had a far-reaching influence on the Bauern and Gutsbesitzer of Germany, although the scenes of the great struggles were hundreds of miles away. The wild life led by them left them ill prepared to meet the exigencies of the war and of the reconstruction period.

Page 129. — 1. **Loher Heide**; for a description of the Battle of Loher Heide (1331) see Müllenhof, *Sagen, Märchen*, usw., page 24. The first sentence is as follows: Diese Schlacht war ein überaus großes Werk, aber Gott gab Grafen Geert doch den Sieg, obwohl die Holsten gegen die Dänen in der Minderzahl waren.

2. **Frankreich hatte vor vier Tagen den Krieg erklärt.** The proclamation of König Wilhelm, afterwards the first Kaiser of the New German Empire, setting apart the 27th of July as a day of prayer, may be of interest:

"I am compelled to draw the sword to ward off a wanton attack, with all the forces at Germany's disposal. It is a great consolation to me before God and man that I have in no way given a pretext for it. My conscience acquits me of having provoked this war, and I am certain of the righteousness of our cause in the sight of God . . . ." The address of the king to his troops a few days later contains the same idea: "All Germany stands united against a neighboring state, which has surprised us by declaring war without justification. The safety of the fatherland is threatened. Our honors and our hearths are at stake. To-day I assume command of the whole army. I advance cheerfully to a contest like which in former times (1813), our fathers, under similar circumstances, fought gloriously. The whole fatherland and myself trust with confidence in you . . . ." The same note is repeated in other proclamations of King Wilhelm.

The immediate cause of this war was the question of the Spanish succession. It was decided to consider offering the throne to Leopold, the crown prince of the Catholic line of the House of Hohenzollern. This gave the war party in Paris the long-desired pretense. Rather insistent demands were made upon the King of Prussia, urgently requesting him to prevent such a procedure, which would destroy the balance of power of the States of Europe and would endanger the honor and interests of France. The note even suggested that this was a part of a deliberate plan of Prussia. The German leaders, Bismarck, Moltke, etc., had been preparing for such an emergency since 1866. On July 12th, the French ambassador, Benedetti, made an additional demand that the King of Prussia should never consent that a Hohenzollern should accept the Spanish throne, in case such a question should arise. The result was inevitable. The King refused to receive the French ambassador (*Emser Depesche*). The Reichstag was called for the nineteenth. The opposition was not strong; and, since Germany was united, within a few days the German armies were transported across the Rhine. The French army, after minor victories on the second of August, retreated to the hills of Spichern (*Spicherer Berge*), where they firmly entrenched themselves. General Kameke, fearing that the French would retreat, and relying on reënforcements, decided to make an attack. After a severe and bloody battle, the hills were successfully stormed. This victory and the one of Wörth made it possible for the German armies to continue their victorious campaign. In a few days, the 18th of August, the battle of Gravelotte (see page 130, note 2) was fought, and on the first of September occurred the battle of Sedan. The French army, including the Emperor Napoleon, surrendered. The campaign continued; the German armies proceeded to Paris. On the 18th of January, 1871, in the castle of Versailles, König Wilhelm was proclaimed "Deutscher Kaiser".

3. **der Gefreite** corresponds in some ways to a corporal in our army.

Page 130. — 1. **zweite Schwere,** the second heavy battery (see note below).

2. **Gravelotte,** see page 129, note 2. The correspondent of the London *Daily News* gives a lifelike picture of the battle of Gravelotte, as seen from the Prussian side. (See *History of the War between Germany and France*, James D. McCabe, Jr., page 192ff.). Oskar Jäger, in his book, *Deutsche Geschichte*, gives a detailed account of the battles around Metz. These accounts bear out the authenticity of Frenssen's description.

3. **Hohenwestedt und Heinkenborstel,** small villages near Rendsburg.

Page 131. — 1. ... **das Recht, ihnen an die Jacke zu kommen;** the farmer lad had conscientious scruples about the right of war, but his conscience was appeased when he learned of the insult to the aged king, who was seventy-three years old at the time of the declaration of the war. Kaiser Wilhelm I was born on the 22nd of March, 1797 and died on the 8th of March, 1888.

2. **die Reservisten;** according to law, every man is *dienstpflichtig,* that is, he must serve in the army, unless excused. The military duty begins with the completion of the twentieth year and ends with the completion of the thirty-ninth year. In the infantry, the soldier must serve seven years in the standing army; the first two years *bei der Fahne* (active), the other five in the *Reserve,* when he is called *Reservist.* In the cavalry and in the mounted field artillery, the active *Dienstzeit* is three years, then four years in the *Reserve.* The *Reservist* must report every spring and every fall. The object of the *Reserve* is to have trained soldiers in case of war. Under the new military laws, Germany is to-day calling on over 100,000 more of her sons each year to serve in the army.

Page 132. — 1. **so'n gebeulter Teekessel,** *a battered old teakettle.*

Page 133. — 1. **die Vierundsiebziger,** *the seventy-fourth regiment* (see page 125, note 2).

2. **Die Spicherer Berge,** see page 129, note 2.

Page 134. — 1. **den preußischen Eisenfressern,** *those Prussian fire eaters.* For over a century, the Prussians have had the reputation of being fearless soldiers. The Schleswig-Holsteiner had had excellent opportunities of observing the superior training of the Prussian regiments.

2. **Sechsundsechzig;** the short but important war between Preussen and Ostreich, in the months of June, July, and August of 1866. The decisive battle was that of Königgratz on the third of July. The old contest for the supremacy in Germany was ended, likewise the old hope of having a Gross-Deutschland. A new epoch in German history was opened. Bismarck drew up

the articles of the Prag peace, August 23, with the unification of Germany with Prussia at the head in mind. At that time, König Wilhelm did not realize the importance of the farseeing policy of the great organizer and statesman.

Page 135. — 1. **wie Sand am Meer**; this expression, used so much throughout the Bible, has a double significance in the sandy region of this northern country.

Page 136. — 1. **die Größe der Zeit**; for a moment, Jörn Uhl, who was prone to think about the narrow cares of **die Uhl**, felt the greatness of the time. The passing thoughts of the men, both soldiers and officers, are brought out with great skill. The horrors of war are thus doubly impressed upon the interested reader.

2. **der achtzehnte brach an,** *the eighteenth* (*of August*) *dawned* (see page 125, note 2).

3. **in der Reserve blieben**; the fields in front of Gravelotte were, according to the London *Daily News*, completely covered by the Prussian reserves.

Page 137. — 1. **aus der neuen Provinz**; the best short statement about the history of Schleswig-Holstein is found in the book, *Des Deutschen Vaterland*, edited by Hermann Müller-Bohn. The chapter is written by Dr. Arthur Obst, the editor of the *Hamburger Fremdenblatt*. The passages, somewhat paraphrased, which bear upon this point are as follows: "Immediately after Christian IX ascended the Danish throne in 1863, he issued the decree that the constitution which had been given to the lands of the North should be carried out according to the letter, with the object of making the people of these lands Danish in every respect. Prinz Friedrich of Schleswig-Holstein, etc., declared himself Duke of Schleswig-Holstein and took up his residence in Kiel. Events followed which opened the German-Danish war. According to the terms of the peace of Vienna, the duchies of the Elbe were handed over to the two great German powers. After the war of 1866, they were united with the Prussian monarchy (*die neue Provinz*). A final propitiation was brought about by the marriage of the daughter of Herzog Friedrich VIII with the present Kaiser, Wilhelm II."

Page 138. — 1. **Idstedt;** the battle of Idstedt (July 25, 1850) was won by the Schleswig-Holsteiner. A complete crushing of the Danish army would have been possible, had not General v. Willisen, in the flush of victory, given up the battle and ordered a retreat; hence the answer: „Mensch red' nicht von Idstedt" (see previous note, and also page 217, line 10).

Page 139. — 1. **Pjj . . jj . . juu . . juu . .,** an imitation of the sound of the flying shell. The correspondent of the London *Daily News* described this noise as a "growling whir".

Page 140. — 1. **Die Mücken,** *mosquitos;* here reference is made to the rifles of the infantry.

2. **die Brummer,** *bluebottle* (a fly); here reference is made to the big cannon situated on the heights. The second battlefield consisted of two heights, intersected by a deep ravine. The side of the ravine next to Gravelotte, where the Prussians stood, is much lower than the other side, which gradually ascends to a great height.

Page 142. — 1. **Rohr di!** = rühre dich, *Move yourself! 'Get a move on you'.*

Page 144. — 1. **Befehl!** *At your command, sir!*

Page 145. — 1. **Schwer fällt es herum,** *it is hard to turn.*

Page 145. — 2. . . . **einzelne Bitten des Vaterunsers;** this is one of the most beautiful touches in the writings of Frenssen. By the repetition of die vierte Bitte — „Unser täglich Brot gib uns heute" — he brings the battle of Gravelotte in direct connection with the poverty of the people at home, who thus have lost one of their main supports.

Page 146. — 1. **Dat geiht to Enn** = das geht zu Ende, 'it's all up with us'.

Page 147. — 1. **leidlich mit Mannschaft besetzt,** *fairly well-manned.*
2. *Joshua*, x, 12-18.

Page 148. — 1. **der zweiten Leichten,** *of the Second Light Horse* (see page 125, note 2).

Page 149. — 1. **Hölp mi** = hilf mir.

2. **Je prie . . . ma mère . . . pitié,** *I beg . . . my mother . . . pity.*

3. **Soo dösti . . . Mien Moder,** so durstig . . . meine Mutter.

4. **die höchste Not,** *in case of extreme necessity.*

Page 151. — 1. **den Elsässer,** *the Alsatian.* After the close of the war, Alsace, together with Lothringia, became a province of imperial Germany.

2. **Wir sind alle in einem Pott groß geworden,** *we all grew up together as one family.*

Page 152. — 1. **Es geht mancher Pott entzwei;** Fiete has reference to the breaking up of families.

2. **Bois de la Cusse,** the name of a forest near St. Privat.

Page 154. — 1. **baut . . . schlechten Hafer,** *have a poor harvest of oats.*

Page 156. — 1. **Grauen vor dem furchtbaren Jammer der Menschheit,** see Goethe's *Faust,* line 4406 — der Menschheit ganzer Jammer faßt mich an. It may also be an allusion to various passages of the Old Testament.

Page 158. — 1. Chapter fifteen is omitted. Fiete Krey got his discharge from the army, and went to see Jörn Uhl in the lazaret. He found him almost well again, and took him to Hamburg. They met Elisabeth Junker, who informed them that Thiess Thiessen was still looking for Elsbe. They went to the little room where Thiess spent the long hours of worried waiting, when he was not anxiously wandering through the streets or patiently waiting at the wharves in the hopes of seeing the lost sister. Lisbeth Junker, on the way to her aunt, hesitatingly confessed that her life was rather quiet, lonely, and a little hopeless. Jörn was too occupied to understand the hidden significance of her words and actions. Fiete Krey returned to America, and Jörn Uhl went to the old home. Thiess continued his long search for Elsbe Uhl.

2. **Schleswig-Holstein;** in a few paragraphs, which are omitted,

Frenssen gives a short sketch of the land, which is old and has witnessed many strange things. He tells of how they sailed oversea to Britain; of how they drove out the Wends, who had made a foray into their land; of how the Dane was harrying the land; of how the sea made a league with them and enabled them to smite their enemy. He tells the various moods in which they returned home from abroad, not always with the exultation of a victor.

Page 160. — 1. **Mien ole** = meine alte.

Page 167. — 1. **Holländerei,** the name of a building, probably built by a Hollander.

Page 168. — 1. **Wulf Isebrand,** a leader of the Dithmarschen-bauern in the battle of Hemmingstedt, south of Heide.

Page 171. — 1. **Rugenberg;** Frenssen describes the Rugenberg on page 427 in the original text: „Es ist eine ansehnliche Anhöhe. Man hat einen Blick über ein weites und breites Moor, bis an jenseitige Höhenzüge. Auf der Spitze, unter jungen Tannen und Buchen, hat man alte Grabkammern geöffnet.

2. **die Hünengräber,** mounds built as graves in prehistoric times.

3. **die Geschichte von Wieten Penn;** Frenssen can not remember whether he used a model for Wieten Penn or not. The story of the old man Weisskopf shows the past life and education of Wieten Penn, in order to explain her tendency to live in the lugubrious *Märchen* world and to see the dark pictures of life. Owing to all the fearful things she had seen, her youth was broken off like a flower; she saw apparitions, and had what people called second sight. She gradually became distracted and gloomy. Silly folk gave her the name of Wieten Klook, and did what they could to drive her back into herself. But Jörn's mother, who was kind-hearted and trustful, took her by the hand and helped her. Yet she always remained strangely serious, and was often pensive and dejected. The point of the story is to make clear to Jörn Uhl, who has the same heavy blood in him as she, that he needed a good young comrade since he had such

a difficult task before him. The story of Wieten Penn made a deep impression upon Jörn Uhl.

Page 173. — 1. **Westereck,** „ein Hof im Westen meines Heimatdorfes."

Page 175. — 1. **Wurt,** a mound about four meters high, a relic of the times before the dykes protected the people from the sea. The people built their first houses on mounds, or small hills, which they built up to protect themselves from the sea and to keep the houses up above the tides.

Page 178. — 1. **mir . . . aufs Butterbrot schmieren,** *remind me of it; 'rub it in'.*

Page 179. — 1. **dem alten Dreier,** see page 81, line 15ff.

Page 180. — 1. **Kirchspielschreiber,** see page 8, note 1.

Page 182. — 1. **Heimweh und Tod,** see page 155, line 5ff.

Page 183. — 1. **„Nun danket alle Gott"**; *Gebetlied* written by Martin Rinkart in 1648, just at the close of the Thirty Years' War. The first stanza reads:

1. Nun danket alle Gott mit Herzen, Mund und Händen, Der große Dinge thut An uns und allen Enden, Der uns von Mutterleib Und Kindesbeinen an Unzählig viel zu gut Bis hieher hat gethan!

Page 184. — 1. **„Werken des Friedens"**; Frenssen, as other modern German writers, is a real Apostle of Peace.

Page 195. — 1. *Matthew*, vi, 26ff.

Page 199. — 1. *Genesis*, iii, 16.

2. A realistic description of the last feverish hours of Lena Tarn is omitted. Her last words give an excellent insight into her sterling character: „Das ist alles, was ich habe. Ich bitte dich, laß mich bei dir bleiben. Ich bin furchtbar müde. Nachher will ich arbeiten, soviel ich kann. Wenn du (has reference to the Lord whom she saw in her vision) es hören magst, möchte ich gern dabei singen." Lena Tarn is one of the best of Frenssen's creations. Her character is a blending of that of two girls, one of them formerly a servant in Frenssen's own family, and the other a teacher in Husum. Frenssen can remember just when his father told him

of a girl who sang all the while. He never forgot about it and added this characteristic to Lena Tarn.

Page 203. — 1. **alte, bunte Geschichten,** see pages 21 and 219.

Page 204. — 1. **aus dem alten Testament**; her life had prepared her to understand the dark stories of the Old Testament (see page 212, note 1 and page 236, note 1). The New Testament had remained for her a sealed book (see page 232, line 15ff.).

2. **die schrecklichen Erlebnisse,** see page 171, note 3.

Page 207. — 1. **das ist der Pastor**; in a footnote to Elster's life of Frenssen, the author wrote: „Der bin ich" (see Introduction, page v).

2. **Jener andere,** see pages 103ff.

3. **hatte . . . Pfarramt überkommen,** *had received a pastorate.* In Germany the Pastor has an official position, due to the fact that the church is a state church. Much emphasis is placed upon the Amt; hence the peculiar significance of the word Amtsbruder. Practically all of the modern writers have treated this phase of the church system.

4. **Luthers Tod**; Luther died after a severe illness on the 18th of February in the year 1546. Frenssen is thinking of his own Herzeleid. This is one of the most essential reasons why Frenssen decided to give up his pastorate.

Page 210. — 1. **Der Heiland**; this paragraph contains the ideas which Frenssen held about the life of Christ and Christianity at the time of writing *Jörn Uhl.* Before he had finished *Hilligenlei* some four years later he had changed his point of view considerably. He had become more rationalistic. This change is best seen in the kind of books which are to be found in his private library. Formerly his library consisted largely of religious works; at present it consists of historical and literary works mostly of the nineteenth century. Frenssen holds that the only way to win the young people to Christianity is to present it in such a manner that it can be easily understood. The entire life of Jörn Uhl from the day in the Apfelgarten to the burial of Lena Tarn had prepared him for understanding the struggles of the Heiland: Gravelotte had prepared him to appreciate the simple inscription: "They Died For Their Country", which was but a stepping-stone to the understanding of, "He died for Humanity". Furthermore, Frenssen holds that the youth who can understand the teaching of Goethe — „Was du ererbt von deinen Vätern hast, erwirb es, um es zu besitzen!" — can also understand the essential teachings of the New Testament, and that a knowledge of the New Testament will be of an inestimable value to him, in that it will prevent many missteps and misconceptions.

Page 212. — 1. **die dunkelste Stunde seines Lebens,** the suicide of the drunken brother Hinnerk. After this sad event, Wieten Penn sat beside the bed of the stricken father and read to him the story of Eli (I. *Samuel*), who had not brought up his children in the right way.

Page 213. — 1. **eine andere Gefahr,** see page 102.

Page 217. — 1. **ging beim Pastor auf die Fohlenweide,** *received his early training in the house of the Pastor.*

Page 220. — 1. **ein Bauernjunge aus Langenhorn;** „Der Bauernjunge aus Langenhorn (Dorf in Schleswig) ist der bekannte, vor einigen Jahren verstorbene, Professor der Philosophie Friedrich Paulsen an der Universität Berlin, mit dessen Büchern ich mich ziemlich vergeblich und ganz nutzlos herumschlug."

Page 224. — 1. See page 62, note 2.

Page 228. — 1. **So hat Lux nicht gefiedelt,** *You can't act like that!*

Page 229. — 1. **Jung',** common exclamation, no particular meaning.

Page 235. — 1. **die Stellungsbefehle,** see page 126, note 1.

Page 236. — 1. **das Kapitel von den ägyptischen Plagen,** *Genesis* vii, 10 (see page 204, note 1, and page 212, note 1).

2. A vivid description of the burning of the Uhlhof, which was struck by lightning, is omitted. The essential difference between this chapter and a similar one in Sudermann's *Frau*

Sorge is that here the cause of the fire is a natural one, while in *Frau Sorge* Paul Meyhofer deliberately set fire to his own work with a definite purpose in mind.

Page 243. — 1. **ein freihändiger Verkauf**, *a voluntary sale.*

Page 253. — 1. **sipp**, see page 38, note 1.

Page 254. — 1. **das Allergeheimste**; Frenssen holds that the laws of nature are the laws of God, and that the young people must keep them as they would the commandments of God. He is working for social purity and for a single standard of morality, the attainment of which, he thinks, can only be reached when people realize that both nature and religion are from God, that they should dwell together in harmony and should be of mutual help to each other.

Page 256. — 1. A chapter describing a walk to the Rugenberg (see page 171, note 1) is omitted. The olden days, especially the trip to Ringelshörn and the fishing episode, are recalled. Jörn Uhl recognized the childish face which he had seen in God's best chamber, page 48, line 10. The lad, who had introduced the new pastor, observed Heim Heiderieter (see Introduction, page ixff.), who was sitting in the grass on the summit of the hill. He was much surprised at recognizing Jörn Uhl and Lisbeth Junker here at the Rugenberg, but understood the situation more clearly even than they. At their urgent request he told them the story he had written about the dead man whom he had found in the little gray stone chamber. The purpose of this story is not, as has been often stated, to introduce the writer, but as Frenssen wrote; „Der Zweck ist, das Problem darzulegen". The moral of the story is summed up in the world of the poet Heim Heiderieter: "I do not know the real cause of his downfall. Who can know it? One can't point to a cause as one can to a round, black spot and say, 'There it is'. Nor can one write a single sentence about it, and say, 'That's the idea that ruined him!' The life of man is much more complex and much broader than a single cause or a single idea. . . . Woe to the man, Jörn Uhl, who is only a hunter after bread, or money, or honor, and has not a single diversion he loves, whereby, even if it be by only a narrow bridge, Mother Nature can enter his life with songs and beautiful wreaths. . . ."

Page 257. — 1. **Turdus merula,** the scientific name of Amsel, *blackbird*. Jörn Uhl, like many a farmer boy, even in this country, had interested himself in the study of birds. These touches are introduced to bring out the fact that young men like Jörn have a real craving for education, and are not merely interested in the mechanical side of their vocations.

Page 260. — 1. Here follows in the original a story, told by a small boy, of the 'clever Hans', who was too stupid to understand the motives of a young maiden; also a rather long and detailed description of the rest of the trip to the home of the old comrade. During the visit with the comrade, the battle of Gravelotte was recalled, but the conversation was largely about the personality of Lisbeth Junker. The comrade, who had never shown much interest in school, expressed the desire to go to the technical school of Hannover, in order to prepare himself to conduct a cement industry, and thus make use of a deposit of clay which he had found on his property. This incident awakened in Jörn Uhl the old desire to have an education. For a short time he was silent. He then explained a few passages in some books about mineralogy and clay, and soon asked questions about the technical school and how long it would take to complete such a course. On the way home the associations recalled the hour when, as a child, Lisbeth Junker had fallen asleep resting upon Jörn's shoulder. Nature (see page 87, note 2) has brought her children together again, no longer as playmates, but as representatives of their sex.

Page 261. — 1. **Selbsttäuschung und Lüge;** compare this confession with that of Paul Meyhöfer in the court scene of *Frau Sorge* (page 278): „Mir fehlte die Würde und das Selbstbewußtsein, — ich vergab mir zu viel gegenüber den Menschen und mir selber." These confessions show an altogether different attitude towards the past life on the part of the young men, although their lives are similar in many respects. The broad-minded reader (to quote indirectly from Stern) will observe that the fundamental idea of these two books of life is that sorrow has blighted the youth of many excellent and capable young men. He will see that it is the object of both Sudermann and Frenssen to treat the inner life, the poetical side of an oppressed nature, and to search for hope and light in the dark struggles of erring humanity. They have recognized that a simple, deep life is worth relating. Whether Frenssen was under the direct influence or not, the fact remainds that Sudermann's *Frau Sorge* and his other works helped to prepare the way for the unprecedented reception of Frenssen's writings (see *Poet Lore*, 1905 and Introduction, page xiii).

2. *Matthew*, xvi, 26; *Mark*, viii, 36, and *Luke*, ix, 25.

Page 264. — 1. Frenssen has often been criticized for dragging out the final chapters too long. To use Frenssen's own words: „Was sollen wir weiter von Jörn Uhl erzählen?" Jörn Uhl went to Hannover, and his ambition to enjoy an education was thus realized. On his return to Hamburg he learned from Lisbeth Junker that his sister had written that she intended to return home. In fact, she came over with her child in the steerage on the same boat on which Fiete Krey sailed. She managed to avoid him, however, and disappeared in the great city.

Page 269. — 1. **Friedrichstadt**; a city on the Eider just below Husum.

Page 276. — 1. Years came and went. As long as he lives, Jörn Uhl's character will show traces of rifts and flaws here and there. He managed the factory of his comrade and worked on the great Kiel canal, and in winter taught drawing and mathematics in a continuation school. Finally, one day, the spirit of unrest came over Heim Heiderieter (see page 156, note 1) and he came to visit the country around Ringelshörn and Wentorf. He tarried at the Goldsoot, and while he was there Jörn Uhl came along. Jörn spoke of the death of old Wieten Penn and said that Fiete Krey's dream had been realized, in that he is now in charge of the Uhl. Heim Heiderieter looked carefully at Jörn Uhl and reviewed Jörn Uhl's life:

„Dein Leben, Jörn Uhl, ist nicht ein geringes Menschenleben. Du hast eine stille und mit bunten Bildern geschmückte Jugend gehabt. Du bist, als du heranwuchst, einsam gewesen, und hast als ein einzelner, ohne Hilfe, mit des Lebens Rätseln wacker dich herumgeschlagen, und wenn du auch nur wenige hast raten können: die Mühe ist doch nicht vergeblich gewesen. Du bist für dieses Land, das rund um diesen Quellbrunnen liegt, in den Krieg gezogen: da bist du in Feuer und Frost gehärtet worden und hast einen Fortschritt gemacht im Wichtigsten: den Wert der Dinge zu unterscheiden. Du hast heiße Frauenliebe kennen gelernt und damit das Zweithöchste, was das Leben geben kann. Du hast Lena Tarn in den Sarg gelegt und Vater und Brüder, und hast in jenen Stunden dem menschlichen Jammer ins Weiße des Auges gesehen und bist demütig geworden. Du hast mit hartem, widrigem Geschick gekämpft und bist nicht unterlegen, hast dich herausgearbeitet, obgleich es lange dauerte, bis Hilfe kam. Du hast dich mit zusammengebissenen Zähnen und hohem Mut in die Wissenschaft hineingearbeitet, in einem Alter, da etliche daran denken, Rentner zu werden. Und obgleich Bauen, Graben und Messen nun seit Jahren deine Arbeit und Freude ist, so bist du doch nicht einseitig geworden, kümmerst dich immer noch um all das Land, das jenseits deiner Meßketten liegt, kümmerst dich sogar um die Bücher, die dein Freund schreibt, der Heim Heiderieter heißt. Was soll man denn erzählen, Jörn, wenn solch schlichtes, tiefes Leben nicht erzählenswert ist?"

After a few moments of conversation, they went up the hollow to the heath road. The final words of the conversation help to explain the problem of the story.

„Und wenn ich dein Leben erzählen wollte," sagte Heim, „was soll ich als Titel darüber schreiben?"

Jörn Uhl stand still und sagte ernst: „Meine Frau hat einmal vorgeschlagen: ‚Der gescheite Hans'."

„Da liegt Sinn darin, Jörn. Wahrhaftig! O, diese Frauen, Jörn! Aber falsch ist es ohne weiteres! Es ist immer nur halb wahr, was sie sagen, Jörn. Sie sehen alle Dinge platt, selbst ein Ei, Jörn. Weil sie nicht rund herum gehen, Jörn."

„Es ist etwas Wahres daran, Heim. Ich weiß nicht, ob es daran gelegen hat, daß ich in den bedenklichsten Jahren keine Führung hatte: es ist mir nicht leicht geworden, das Rechte zu finden; ich habe das Gefühl, daß ich weite, unnötige Umwege gemacht habe."

Heim schüttelte den Kopf. „Das Gefühl haben alle die, welche nicht auf andere hörten und schwuren, sondern sich selbst eine Weltanschauung suchen."

„Nun," sagte Jörn Uhl, „wenn es mit dem gescheiten Hans denn nichts ist, so gib mir irgend einen guten, deutschen Namen nach deiner Erfindung und sage zuletzt: obgleich er zwischen Sorgen und Särgen hindurch mußte, er war dennoch ein glücklicher Mann. Darum, weil er demütig war und Vertrauen hatte. Aber sei nicht zu weise, Heim. Wir können es noch nicht raten."

APPENDIX I

The story of Der Goldsoot is told by Müllenhof: „Zwischen dem Dorfe Hopen und dem St. Michaelisdonn (bei Marne in Süderdithmarschen) findet man an dem dürren Abhange der Geest, dem Kleve, eben über der Marsch eine immer hellfließende Quelle, die der Geldsot genannt wird. Vor vielen Jahren lag in der Nähe ein reiches Dorf; das starb aber aus, oder wurde im Moskowiter Kriege (1713) verödet so daß nur ein Hirte nachblieb, dem Geld und Gut nun zufiel. Ehe er aber starb, versenkte er alles in den Brunnen, weil er keinen Erben hatte; und dieser erhielt davon seinen Namen. Stößt man mit einem Stock hinein, so klingt es ganz hohl, und oft hat man auf dem Grunde des klaren Wasser einen grauen (kleinen schwarzen) Mann mit einem dreieckigen Hute gesehen, der ein brennendes Licht in der Hand trug und es immer hin und her leitete. Kam einer herzu und griff danach, verschwand alles.

„Oft hat man versucht, den Schatz zu heben. Einmal machten sich mehrere in einer Nacht auf, und gruben stillschweigend die Quelle auf bis sie auf einen großen Braukessel trafen. Da legten sie einen Windelbaum quer über das Loch und befestigten Seile an dem Kessel, um ihn herauf zu ziehen, als zu ihrem Schrecken ein ungeheures Fuder Heu, mit sechs weißen Mäusen davor, den Kleve spornstreichs hinauf an ihnen vorüber sauste. Doch behielten sie so viel Besinnung, daß keiner einen Laut von sich gab, und der Kessel war schon so hoch heraufgezogen, daß sie ihn mit der Hand reichen konnten, als der graue Mann mit seinem dreieckigen Hut auf einem dreibeinigen Schimmel (das ist sonst in Volkssagen Wodam) herauf geritten kam und den Leuten guten Abend bot. Aber sie antworteten nicht. Als er nun aber fragte, ob er nicht noch das Fuder Heu einholen könnte, rief einer: „Du Schraekel (hinkender Krüppel) mags den Deuwel!" Da versank augenblicklich der Kessel, der Windelbaum brach und der graue Mann verschwand. Viele hatten es nachher noch wieder versucht, aber alle sind durch ähnlichen Spuk gestört und zum Sprechen gebracht.

APPENDIX II

In a letter, Frenssen wrote about the emigration of his countrymen as follows: „Die Auswanderung Deutscher nach den Vereinigten Staaten war von 1848 bis etwa 80 sehr groß, weil damals Weltblick und Verkehr sich erweiterten, die Bevölkerung stark zunahm, Regierung und Großgrundbesitz eine innere Kolonisation verhinderten, und die Industrialisierung noch zu langsam fortschritt, um alle Hände zu verlangen und Gut zu bezahlen und Amerika das bot, was die Leute als Liebstes begehrten: Land. Nach 1880 wuchs die Industrie im Lande rasch und gewaltig und zog nicht allein den Überschuß der Bevölkerung an sich, sondern gab auch dem Landmann, besonders dem kleinen, bessern Absatz. Jetzt ist die Auswanderung nur noch ein Zwanzigstel der früheren Zahl.

Welche Leute auswanderten und warum habe ich, was die Provinz Schleswig-Holstein angeht, in den *drei Getreuen* geschildert (see especially book 3, chapter 4, for the description of the day of the departure of the children of this country to America). The keynote of the sermon of the Pastor is found in the sentences: Er sagte zu den Großen, sie *könnten* die Heimat nicht vergessen, und zu den Kleinen sie *sollten* sie nicht vergessen. „Hunger nach Land treibt euch aus der Heimat, vergeßt nicht das ewige Land." Ich habe nach vielen einzelnen Berichten die Meinung, daß die Ausgewanderten in ihrer neuen Heimat meist ein weit besseres Los bekommen haben, als sie hier erhalten hätten. Die zum Besuch wieder kamen machten den Eindruck gutgestellter sicherer Leute. Doch hörten wir auch von mehreren die drüben arm und unglücklich geworden sind."

WORD LIST

ab, to the rear

Abgaben, taxes

abgehärmt, worn, haggard

abgehärtet, hardy

abprotzen, dismount

abtreten, to the rear

Akkordarbeit, contract work

Amtsvorsteher, *see page 8, note 1*

Anhängsel, mere dependent

Anliegen, purpose, request

Ansetzer, rammer

aufbinden; sich — lassen, be deceived *or* fooled

aufgekrempelt, rolled up

Aukrug, a field by the creek

Aufkäufer, purchaser, produce man

auf- und abschwellen, rise and fall

aufschnappen, pick up

Aufwasch, sink

ausbedingen (sich), make as a condition

ausfressen, bear the brunt of it

ausrücken, run off

Auszug, march to the front, departure

Avancieren (im), forward

Backtorf, peet

Batterieschlosser, blacksmith

Begleitbericht, report (accompanying)

Beharrlichkeit, perseverance

beiläufig, casually

Biese, stripe

Blattwickler (Raupe von), codlin moth

blind, using blank cartridges

Bohnenhocke, beanpole

borstig, bristly-haired

Braukessel, brewing-kettle

Breitspuriger (ein), arrogant

Bult, mound

Butterabrechnung, checking of the butter account

Charpiepfropfen, gauze bandages

Deichbauten, construction of dikes

Dieme, haystack

ducken (sich), crouch

Dunsen, loud resounding echo

dusselig, foolish

Eckigkeit (ganz und stattlich), in the fullness of manhood

Eichengestrüpp, oak scrub

Eichenkratt, bracken

Einrichtungen, arrangements

Einspänner (werden), remain single.

Eisengerät, iron tools

ermuntern, persuade

Feldwebel, sergeant (first)
Feuerscheitlein, ember
fix und rüstig, hale and hearty
flaggen, flutter in the wind
Flügelsmann, first year pupil
Fohlenstall, foal's stall
Fratzen, wry face
Freite; auf — sein, be away courting
Futtergang, a passageway in the stables, from which feed is thrown to the stock
Futterkiste, feeding trough

Geestabhang, slope of the Geest
geifernd, foaming
gelind, slow
Geltung; zur — kommen, assert itself
Gemarkung, district
Gemütlichkeit, sociableness
Gepränge, pomp, display
Geschoß, projectile, ammunition
Geschützaufsatz, gun sight
Geschützführer, gun captain
Geschütz vor, in battery, action front
Gesinnungsgenosse, comrade in thought
gesträubt, bristling
Gewähr, guarantee
Gewese, farmstead
Gleichgenoß, peer, companion
glotzen (sich), stare stupidly
gönnerhaft, patronizingly
Granate, grenade, bombshell
Graueln, shuddering fear
Graupen, fancies, whims
Grübeleien, meditations, broodings
grübelnd, introspective, brooding
Grundbuchkarte, land-registry map

Häcksel, straw
hampeln, move awkwardly
Hantierung, business
Heesebauer, heath farmer
Heesetannen, pines of the heath
Heeshof, the Haze farm
Heidebesen, heather brooms
herum, action rear
hild, *hurried and vigorous activity, with a meaning of both* Eile *and* Drang; urgent
Höker, store
Hopphei, doings

immer zu, continue firing
Jahrespensum, year's work

Kälberstaken, long sticks for driving the calves
Kamper, one who dwells in a Kamp, *see page 105, note 1*
Kaninchenstall, rabbit house
Karbatsche, whip
karg, poor
Karnickel, rabbit
Kartätsche, grapeshot
Kartusche, cartridge
Kartuschentornister, cartridge case
Kirchspielschreiberei, parish registry

Kirchspielsherr, supervisor
Kirchensteig, *the street leading to the Kirche or Kirchenplatz*
klook = klug, clever, 'canny'
knapp, bare, narrow
knatternd, rattling
Konkurs treiben, place in hands of a receiver
Koppel, sword belt, enclosure
Kornvorräte, stock of grain
Kreuzleine, coupling rein
Kriegsstrapazen, hardships of war
Krug, piece (of land)
Kuhwirtschaft, dairy
kündigen, give notice for payment of

Ladung, cargo
Lafette, gun carriage
Landpastorat, country vicarage
Lazarettgehilfe, hospital orderly
Lebenskunde, knowledge of life
Leinwandfetzen, linen rags
Leuwagen, floor brush
Lindenlaub, foliage of the linden
Lohdiele, blazing floor
loseisen, pry loose
lottrig, careless, shipshod
Lug und Schein, self-deception
Lümmel, lubber, fool

mäkeln, find fault with
Mangelholz, calendar roller
Marketenderwagen, sutler's wagon
Mittelfach, middle stall *or* room
Moorhof, moorland farm
mopsig, grouchy
mühselig, tedious, laborious
Mulde, hollow

Nebelschiff, layers of fog
nüchtern, hungry

Obervollmacht, supervision, authority

Passageinstrument, transit instrument
Paßpferde, team of horses, a matched pair
Patrone, cartridge
patzig, defiant, pert
Pedell, school attendant
Peitschenschmicke, whiplash
Pferderaufe, horse rack
Pflugsterz, plough handle
placken (sich), worry oneself
Planke, a board fence
plieren, blink roguishly
Prahm, ferryboat
Protze, limber
Prückel, kid

quälig, torturous, boresom
Quere; jemandem in die — kommen, get in one's way
Quasseln, nonsense
Querweg, *a cross road connecting the* Feldwege, *which run between the fields*

Rahmguß, cream pitcher
raken, knock
Ramms! Ramms! trip, trap
Raufe, manger, rack

Rauhreif, hoarfrost
rechthaberisch, positive
Rethkoppel, reed paddock
Rundraum, observatory

Salbung; voll öliger —, more unctious
Sandkuhle, sand pit
Schabracke, saddlecloth
Schachtmeister, foreman of a shaft
Schauriges, uncanny
Scheuerpfahl, stanchion
Schicksalsfügung, dispensation of fate
Schikanen, vexatious tricks
Schlaganfall, apoplectic stroke
Schleusenwärter, keeper of a lock
Schmiede, battery forge
Schnack, stuff
Schrackel, cripple
Schrotkiste, oat box
schwenken, turn
schwerfälligkeit, heaviness
Schmutz, mire
Siebensachen, few effects
sipp, prudish
Sippschaft, clan
sirrend, whirring
Sonntagsstaat, Sunday clothes
Spannwerk, rig
Staat, furnishings
Staffeln, reserves
Stangenpferd, pole horse, wheel horse
Stangenreiter, wheel driver
stramm, at attention
Strickwiere, knitting needle

Taps, lubber
Tonangeber, leader (example)
Tonbank, counter (made of wood)
Treiben, life
tühn, boast

umkoppeln, tie in another place
undicht, loose, not tight
Unzulänglichkeit, insufficiency.

verbiestern, go to the dogs
Verbindungsgang, connecting passage
verbrüddeln, ruin, make a mess of
verdutzt, taken back
Vergeltung (üben), repay
vergrämt, worn out with worry
verlottern, mismanage
verlumpen, neglect
Verschluß, lock
verwunschen, enchanted
Verzerrtes, distorted
vierkantig, square-shouldered
volkswirtschaftlich, economic
Vordiele, vestibule
vorgeschoben, set
Vorstecker, peg

wabbelich, unsteady, shaky
Wagenbrett, wagon seat
Wallung; in — bringen, rouse
Wechselschulden, promissory notes
werfen, move, place
Wietkieker, seer

Windelbaum, windlass
Wirtschaftsbetrieb, management of the farm
Wirtschaftsgerät, farm implement
Wischer, sponge
Witz, trick, secret
das Wohlige, cheerfulness
wühlen, turn over

zimperlich, weakly
Zug, 'go'
Zündschraube, screw primer
zupaß, at the right time
zurechtkriegen, set to rights
zusammengekniffen, closed